café com Deus Pai

PORÇÕES DIÁRIAS DE PAZ

JUNIOR ROSTIR

café
com
Deus
pai

APROVEITE AO MÁXIMO

- Seu momento devocional será mais proveitoso se você deixar por alguns instantes a agitação do dia a dia e investir um tempo a sós com Deus Pai; assim como faz quando deseja ter um tempo de qualidade com alguém especial.
- Faça um café delicioso e escolha um lugar agradável, onde você se sinta bem.
- Livre-se das distrações e tenha um tempo de qualidade para desfrutar de tudo o que Deus Pai tem para você!

DICA

Caso você inicie a sua jornada no decorrer do ano ou até mesmo mais próximo do final, leia a página do dia em que estivermos no calendário e inclua uma do início. Assim, você fará duas leituras diárias, e o seu momento com o Pai será especial.

Mas lembre-se: é muito importante que você leia com prioridade a mensagem da data específica em que estiver, combinado?

Compartilhe o que Deus tem falado ao seu coração e marque @cafecomdeuspai.oficial e @juniorrostirola. Dessa forma, vamos incentivar muitas pessoas a convidarem Deus Pai para um café diário!

SOBRE O SEU

DEVOCIONAL

CAFÉ COM DEUS PAI propõe uma jornada diária para conduzir você a viver um ano extraordinário sob a direção daquele que pode todas as coisas!

366: Uma página para cada dia do ano com mensagens muito especiais, direto do coração de Deus Pai para você.

LEITURA BÍBLICA: Leia os capítulos sugeridos a cada dia e, ao findar o ano, você terá lido grande parte da Bíblia!

FRASE DESTAQUE: Todo dia uma frase única e específica relacionada ao tema do devocional.

PALAVRA-CHAVE: Uma palavra para você guardar no coração e lembrar-se dela ao longo do dia.

ANOTAÇÕES: Anote as suas descobertas. Sempre que Deus falar ao seu coração e direcionar algo durante a leitura, escreva na hora para não perder nada!

PÁGINAS INTERATIVAS: Ao longo da jornada, haverá oportunidades para você interagir com as páginas deste livro. Deus Pai deseja fazer grandes coisas por meio desses momentos. Então, mãos à obra. Não perca nada!

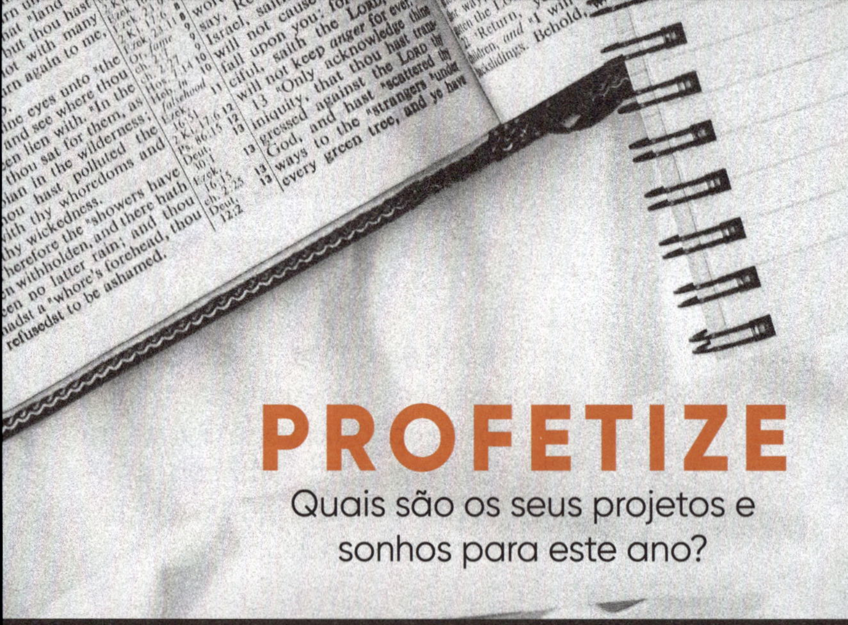

PROFETIZE

Quais são os seus projetos e sonhos para este ano?

Anote-os aqui e volte sempre nessas páginas para orar e lembrar de quais atitudes você precisa tomar em direção a esses planos!

PESSOAL	ESPIRITUAL

PROFISSIONAL

FAMÍLIAR

FINANCEIRO

SAÚDE

"Consagre ao SENHOR tudo o que você faz, e os seus planos serão bem-sucedidos."
PROVÉRBIOS 16.3

SÓ EXISTE **PAZ** QUANDO CONVIDAMOS DEUS PARA **FAZER PARTE** DA NOSSA VIDA.

@juniorrostirola

JANEIRO

Assista o vídeo com a palavra
e oração para este mês.

café
com
Deus
pai

TEMPO DE PAZ

"Vejam, estou fazendo uma coisa nova! Ela já está surgindo! Vocês não o percebem? Até no deserto vou abrir um caminho e riachos no ermo."

ISAÍAS 43.19

01
JAN
#CAFECOMDEUSPAI

Um novo ano traz consigo novas oportunidades e recomeços. Eu o convido a deixar para trás tudo aquilo que não somou em sua vida até aqui e olhar adiante, porque Deus tem preparado o melhor para os seus filhos. Cada ano que passa, a vida costuma ficar ainda mais acelerada, e acabamos deixando de lado o que verdadeiramente importa.

Talvez você tenha buscado respostas diante do cenário que tem vivido, em que muitas coisas acabaram morrendo em sua vida, talvez sonhos, projetos ou até mesmo relacionamentos. De nada adianta correr atrás de tantas coisas se não tivermos paz em nosso coração; mas, para conhecer a verdadeira paz, é necessário nos relacionarmos com Deus. Quando nos desconectamos dele, inquietações tomam conta do nosso coração, acabando por nos roubar a felicidade.

Neste novo ano, tudo pode ser diferente, desde que você foque no que é mais importante; aliás, tudo o que focamos cresce. Para vivermos o novo, é preciso não mais olhar para as dores ou glórias do passado. É tempo de viver uma nova estação. Algo novo está surgindo. Deus tem o melhor para cada um de nós e ele nos sustentará em paz.

Talvez falar de paz nos dias em que vivemos se torne um desafio. Se olharmos à nossa volta, podemos ver muitos exemplos de que, na verdade, a paz está em falta. Para muitos, paz é um tempo sem guerra ou ausência de problemas, quando na verdade ter paz é estar conectado com Deus, porque situações contrárias sempre teremos, porém com ele podemos descansar.

Deus Pai preparou uma jornada fascinante para cada dia do seu ano. Tenho certeza de que experiências extraordinárias esperam por você cada vez que abrir as páginas deste livro. Vamos juntos!

Só existe paz quando convidamos Deus para fazer parte da nossa vida.

@juniorrostirola

DEVOCIONAL
01/366

LEITURA BÍBLICA
SALMOS 1

PALAVRA-CHAVE
#PAZ

ANOTAÇÕES

CREIA, DIAS MELHORES VIRÃO

Àquele que é capaz de fazer infinitamente mais do que tudo o que pedimos ou pensamos, de acordo com o seu poder que atua em nós.

EFÉSIOS 3.20

02 JAN

#CAFECOMDEUSPAI

Tenha a mente renovada em Deus para desfrutar da promessa.

@juniorrostirola

DEVOCIONAL 366
02/366

LEITURA BÍBLICA
SALMOS 2

PALAVRA-CHAVE
#PERSISTIR

ANOTAÇÕES

Deus sabe o que é melhor para cada um de nós. Talvez os seus dias não estejam tão abundantes quanto você gostaria e, diante de um cenário de incertezas, é difícil ser otimista. No entanto, temos que acreditar que tudo, absolutamente tudo, coopera para o bem daqueles que amam a Deus.

De fato, podemos viver dias difíceis, em que muitas vezes não conseguimos ter paz e desfrutar daquilo que Deus revela a nós, mas lembre-se: você foi feito para a abundância, para uma vida próspera. Então, não esmoreça e não fique desanimado; pelo contrário, encare a vida como um processo, em que cada etapa está favorecendo o seu crescimento, suas conquistas e o desenvolvimento de suas habilidades.

Ao longo da minha trajetória ministerial, tenho feito inúmeros aconselhamentos pastorais; a cada conversa, fica evidente, nas palavras das pessoas, quando são pessimistas ou otimistas.

A fé não depende de seus hormônios ou das características de sua personalidade; ela é a crença de que em Deus tudo podemos viver por meio de sua Palavra. Então, creia hoje! Creia que Deus tudo pode e está no controle de todas as coisas na sua vida. Entregue e confie tudo ao Pai.

Estou com muitas expectativas para este novo ano e acredito que você também. Então, confie! O ano que passou pode não ter sido como você imaginava, mas hoje você está muito melhor do que um ano atrás, você tem mais experiência e maturidade.

Com essa verdade em mente, tenha fé em Cristo, porque ele é poderoso para lhe dar muito mais do que você possa pedir ou pensar, porque Deus Pai já escreveu os melhores dias de sua vida para este ano.

TUDO É PARA ELE

Pois dele, por ele e para ele são todas as coisas.
A ele seja a glória para sempre! Amém.

ROMANOS 11.36

03
JAN

#CAFECOMDEUSPAI

Como você tem vivido? Seu trabalho, talentos e esforços têm sido dedicados a Deus? Muitas vezes, buscamos o Pai para que ele seja simplesmente um auxiliador em nossa vida, mas ele é muito mais do que isso.

Não podemos permitir que nosso relacionamento com Deus seja distante, como um filho que liga para seus pais apenas em datas comemorativas, mas não os visita, mesmo morando a poucos quilômetros. Deus é seu Pai e criador de todas as coisas, e você, por ser filho, é naturalmente herdeiro.

Precisamos entender que só teremos uma vida cheia de paz quando aceitarmos que somos dependentes de Deus. É como se você passasse a ter um GPS em sua vida que aponta para um novo caminho, onde não necessariamente todo o trajeto será fácil e tranquilo, mas, por confiar naquele que o guia, seu coração descansa tranquilo.

Entendemos que Deus está próximo, mas e quanto a nós? Você tem sido um filho ausente? O fato é que sua atitude em abrir este livro e tomar um café com Deus Pai diz muito a seu respeito, mas saiba que ele quer ainda mais!

Deus tem sido o centro de sua vida? Seu objetivo tem sido glorificá-lo em sua família, no seu trabalho e em todas as esferas da sua vida? A cada dia, é possível nos entregarmos ainda mais a ele.

Qual área de sua vida ainda não foi totalmente confiada ao Pai? Entregue seu caminho ao Senhor, confie nele, e ele fará sua boa, perfeita e agradável vontade. Embora não conheçamos os detalhes nem o momento, sabemos que ele o fará.

Os melhores dias vêm para aqueles que fazem a melhor escolha.

@juniorrostirola

366 **DEVOCIONAL**
03/366

LEITURA BÍBLICA
SALMOS 3

PALAVRA-CHAVE
#ENTREGA

ANOTAÇÕES

DEUS TEM PLANOS PARA VOCÊ

04
JAN
#CAFECOMDEUSPAI

Porque somos criação de Deus realizada em Cristo Jesus para fazermos boas obras, as quais Deus preparou de antemão para que nós as praticássemos.

EFÉSIOS 2.10

Não aja pelo coração, aja pelo que Deus está falando.

@juniorrostirola

DEVOCIONAL 366
04/366

LEITURA BÍBLICA
MATEUS 1

PALAVRA-CHAVE
#AGIR

ANOTAÇÕES

Você sabia que já havia um propósito para sua vida antes mesmo de você vir ao mundo? Isso é realmente sensacional!

Deus tem grandes planos para realizar em você e por seu intermédio. Ele deseja usar você grandemente no seu trabalho, nos seus estudos, na sua casa e aonde mais você for. Existe um propósito muito maior em que Deus quer usar você poderosamente.

Há uma expectativa tanto terrena quanto celestial de que você saiba, desfrute e revele o motivo de sua existência aqui na terra.

Enquanto o ser humano está em busca de sua existência aqui na terra e descobre que existe um propósito maior, que está aqui de passagem, tudo começa a fazer sentido. Então, se você crê que um dia vai para a eternidade, a eternidade vai conectar-se com seu propósito aqui na terra. Com isso, você compreende que a vida é curta como o piscar dos olhos.

Você não foi criado para a autorrealização, assim como não foi criado para o trabalho que hoje realiza; você só está fazendo isso neste momento, emprestando suas habilidades na execução da tarefa a você destinada. Tudo isso, porém, não é um fim em si mesmo, mas um meio para um propósito muito maior. Entender isso é libertador!

Tudo que você precisa saber hoje é que nada parte de você; tudo começa em Deus. E, quando você vive à luz dessa verdade, as coisas começam a ter sentido e você descobre o propósito para o qual nasceu ao viver um relacionamento pessoal com o Pai.

NÃO TENHA MEDO DO AMANHÃ

Ele os tirou de lá, fazendo maravilhas e sinais no Egito, no mar Vermelho e no deserto durante quarenta anos.

ATOS 7.36

05
JAN

#CAFECOMDEUSPAI

Desde a libertação da escravidão no Egito até a entrada na terra prometida, o povo de Deus passou por várias situações desagradáveis, tudo isso devido aos constantes erros que cometiam. Por isso, uma jornada que deveria levar poucos dias estendeu-se por quarenta anos.

Isso nos ensina que a desobediência atrasa a chegada das bênçãos de Deus em nossa vida. Portanto, devemos ser honestos com a realidade que estamos vivendo. Temos que avaliar nossa caminhada e o tempo de chegada das bênçãos de Deus em nossa vida.

Dessa forma, precisamos lutar e buscar com fé. A fé é o combustível que move a locomotiva da vida; então, se você está entrando neste novo ano com medo do amanhã, pare e reflita sobre o nível de obediência que devemos aplicar em relação a Deus. Peça a ele sabedoria e força, pois certamente este será um ano de grandes conquistas.

Neste novo ano, as bênçãos estarão expostas, mas nós teremos que lutar, fazendo a nossa parte, porque o nosso Deus Pai é fiel e justo para cumprir tudo o que ele nos prometeu. Então, tenha fé e literalmente corra atrás de todas as promessas que Deus tem para você aqui na terra, para que assim elas se cumpram na sua vida.

Portanto hoje, independentemente das circunstâncias em sua vida, não desanime, lute pelas suas conquistas. Este será o ano no qual você terá que ter fé, mas sua fé será recompensada, diante das circunstâncias, quando você for obediente, confiar e entregar tudo nas mãos do Pai.

Ou você se limita à sua visão ou você rompe com a visão de Deus.

@juniorrostirola

DEVOCIONAL
05/366

LEITURA BÍBLICA
MATEUS 2

PALAVRA-CHAVE
#CONQUISTAR

ANOTAÇÕES

SIMPLESMENTE AGRADEÇA

06
JAN
#CAFECOMDEUSPAI

Louvarei o nome de Deus com cânticos e proclamarei sua grandeza com ações de graças.

SALMOS 69.30

A diferença entre o sábio e o insensato é que o sábio é grato.

@juniorrostirola

DEVOCIONAL 366
06/366

LEITURA BÍBLICA
MATEUS 3

PALAVRA-CHAVE
#GRATIDÃO

ANOTAÇÕES

A Bíblia nos orienta constantemente a exercermos a gratidão a Deus Pai, louvando-o e compartilhando sua bondade. Lembro-me da passagem em que Jesus, antes da última ceia, ergue o pão aos céus e dá graças ao Pai. Dar graças é uma atitude de louvor e reconhecimento de que Deus é soberano sobre todas as coisas e tem cuidado da nossa vida.

Se eu lhe perguntar quais são os motivos que o fazem agradecer e louvar a Deus, você rapidamente os encontraria e citaria, ou precisaria de tempo para lembrar de algo? Quero dizer que basta olhar ao redor que encontramos incontáveis motivos para dar graças ao Pai; por exemplo, pela vida, pela saúde, pelo alimento que tivemos à mesa hoje ou simplesmente por ter um teto sobre a cabeça ou uma cama onde dormir, entre tantas outras coisas. Acabamos nos acostumando e até não valorizando tudo isso, não percebendo que são grandes bênçãos de Deus para a nossa vida.

Muitas vezes, ocupamos nossa cabeça à procura de grandes e imponentes conquistas e acabamos nos esquecendo das mais importantes que Deus já concedeu. A verdade é que temos muitos motivos para render graças por tudo o que ele tem feito por nós. Ainda que o cenário atual não seja o que você sonhou ou projetou, Deus tem cuidado de você, e, à medida que você reconhece isso, seu coração se enche de gratidão e alegria.

Você tem sido grato? Quero propor um desafio para você hoje: pare por um minuto, olhe à sua volta e simplesmente agradeça a Deus. Ao término desse momento, tenho certeza de que você se sentirá bem e com o coração em paz. Alegre-se, porque Deus tem cuidado de você.

VENCENDO GIGANTES

Davi, porém, disse ao filisteu: "Você vem contra mim com espada, com lança e com dardos, mas eu vou contra você em nome do SENHOR dos Exércitos, o Deus dos exércitos de Israel, a quem você desafiou".

1SAMUEL 17.45

07
JAN

#CAFECOMDEUSPAI

Na vida, não são poucos os gigantes que se levantam contra nós. Mas o fato é que Jesus não nos prometeu ausência de batalhas, mas sim que estaria conosco em todas elas. Como você tem reagido diante dos gigantes que se levantam contra você? Temos a opção de ficar parados, lamentando e murmurando, ou de nos posicionarmos e reagirmos diante das lutas que se levantam.

Aprendo muito com Davi. Sua história é incrível. Ele sabia que não estava sozinho e deu um passo de fé em direção ao gigante que estava à sua frente. Ele poderia simplesmente dizer que a batalha não era dele, porque não estava alistado no exército de Israel para lutar, mas resolveu não se esconder. Isso me ensina que pessoas que desejam viver o extraordinário não podem ter medo de gigantes que se levantam, mas sim enfrentá-los.

Muitas vezes, perdemos as batalhas antes mesmo de lutar. Esquecemos que temos um Deus que luta por nós, mas que espera que confiemos plenamente nele.

Entenda que suas atitudes definem aonde você vai chegar. Davi só venceu porque foi em nome de Deus. Não tente vencer pela força de seu braço, mas sim pela sua confiança no Pai.

Quais gigantes têm se levantado em sua vida? Doenças físicas, emocionais, problemas familiares, rejeição? Saiba que para tudo isso há um Deus que não permite que você enfrente essas batalhas sozinho. Ele é fiel e justo e jamais o abandonará.

A partir de hoje, desafio você a olhar para os problemas de forma diferente. Saiba que circunstâncias contrárias são verdadeiros terrenos férteis para o milagre.

Pessoas de fé tomam decisões baseadas em Deus, não no tamanho das adversidades.

@juniorrostirola

366 **DEVOCIONAL**
07/366

LEITURA BÍBLICA
MATEUS 4

PALAVRA-CHAVE
#CORAGEM

ANOTAÇÕES

O PAI O AGUARDA

E, porque vocês são filhos, Deus enviou o Espírito de seu Filho ao coração de vocês, e ele clama: "Aba, Pai".

GÁLATAS 4.6

08
JAN

#CAFECOMDEUSPAI

Ainda que seu pai terreno não seja presente, Deus Pai jamais o abandonará.

@juniorrostirola

DEVOCIONAL 366
08/366

LEITURA BÍBLICA
SALMOS 4

PALAVRA-CHAVE
#FILIAÇÃO

ANOTAÇÕES

Aba é uma palavra de raiz aramaica. Seu significado é simples, porém profundo, pois quer dizer "Pai". Se fôssemos adaptar a palavra "aba" ao português, ela poderia ser traduzida de forma mais literal por "papai" ou "paizinho", uma forma carinhosa de chamar um pai, demonstrando intimidade, carinho e total dependência.

Certa vez, quando estive em Israel, pude ver uma cena que até hoje guardo em meu coração. Uma criança perdeu-se de seu pai por alguns instantes e, enquanto não via seu pai, gritava aflita: "Aba! Aba!". Isso me fez compreender de fato quão valiosa e rica é essa palavra no que tange à dependência de Deus Pai, que, apesar de não o vermos, estará sempre conosco para nos amparar.

Essa expressão "Aba" carrega intrinsecamente muito valor, o amor que envolve o relacionamento íntimo entre pai e filho. Se o seu relacionamento com seu pai terreno foi ou tem sido conturbado, esteja seguro de que existe um Pai perfeito, disposto a lhe ensinar a trilhar uma nova jornada de amor, cuidado e carinho. A boa notícia é que todos os dias ele o convida a conhecê-lo melhor e experimentar um novo relacionamento de presença e intimidade.

Ainda que você tenha tido um pai que lhe proporcionou uma infância com atenção, carinho e amor, em algum momento ele falhou com você, diferentemente de viver sob a presença acolhedora de Deus Pai, que sempre estará presente e jamais falhará com você. A manifestação diária dessa presença na sua vida o fará completo e satisfeito. Então, se lance nos braços do Aba, sem reservas, e desfrute de sua paternidade.

A VERDADEIRA PAZ

"Eu disse essas coisas para que em mim vocês tenham paz. Neste mundo vocês terão aflições; contudo, tenham ânimo! Eu venci o mundo."

JOÃO 16.33

09
JAN

#CAFECOMDEUSPAI

Todos nós passamos por desertos na vida. Não existe ninguém que não tenha enfrentado circunstâncias contrárias, não é mesmo? O fato é que lidamos com elas de formas diferentes. Alguns se desesperam e simplesmente são paralisados; outros as enfrentam na força do próprio braço; mas Jesus nos instrui a fixar os olhos nele e acalmar nosso coração.

Jesus não nos fez uma promessa de que estaríamos totalmente livres dos problemas; pelo contrário, nos alertou, dizendo que eles ocorrerão. Contudo, prometeu que estaria conosco até o fim. Até mesmo quando tomamos decisões erradas e acabamos tendo que colher os frutos delas, ele está ao nosso lado, esperando nosso posicionamento em reconhecer o erro e entregar tudo a ele mais uma vez.

É possível que você esteja enfrentando alguns problemas que vêm tirando a sua paz, mas hoje quero lembrá-lo das palavras de Jesus em João 14.27, onde ele diz: "Deixo a paz a vocês; a minha paz dou a vocês. Não a dou como o mundo a dá. Não se perturbe o seu coração, nem tenham medo". Ele nos deixou sua paz, e ela não se manifesta apenas em meio a dias tranquilos, mas também durante as tempestades da vida.

Deus está em busca de homens e mulheres capazes de dormir em meio à tempestade. O que tem tirado a sua paz? Lembre-se de que, com Cristo a bordo da nossa vida, não haverá tempestade que nos abale. Somente nele encontramos o descanso, a paz e a alegria que precisamos para prosseguir!

Não tema, porque Deus nunca perdeu o controle.

@juniorrostirola

DEVOCIONAL
09/366

LEITURA BÍBLICA
SALMOS 5

PALAVRA-CHAVE
#DESCANSO

ANOTAÇÕES

A MARATONA DA VIDA

10
JAN

#CAFECOMDEUSPAI

[E] *corramos com perseverança a corrida que nos é proposta.*

HEBREUS 12.1c

Traga para o seu mundo a presença de Deus, e descubra o verdadeiro mundo preparado para você.

@juniorrostirola

DEVOCIONAL 366
10/366

LEITURA BÍBLICA
SALMOS 6

PALAVRA-CHAVE
#FOCO

ANOTAÇÕES

Você já deve ter visto ou até mesmo participado nos tempos escolares das corridas de revezamento 4x100. Nessa modalidade de corrida, quatro participantes formam uma equipe, e o competidor inicia a corrida carregando um bastão. Ele deve correr e ultrapassar todos os seus adversários, entregando-o ao outro competidor da sua equipe, que o aguarda na marcação dos próximos cem metros.

Gosto de associar essa ilustração ao legado que Deus nos incumbe de deixar para as próximas gerações. É exatamente por isso que estamos vivendo. Não estamos aqui a passeio; pelo contrário, estamos aqui porque Deus tem um trabalho e um propósito para nós. Para um atleta profissional, deixar de competir é uma tarefa muito difícil. De igual forma, não sabemos quando a corrida que nos foi proposta encerrará.

Portanto, posicione-se, corra, faça a sua parte, pois em Deus você chegará ao fim da jornada. Você alcançará suas conquistas no tempo que ele determinou e desfrutará de um grande prazer, viverá uma vida de verdade e deixará um legado.

Quando entendemos isso, passamos a viver de forma intencional e comprometidos em cumprir o propósito de Deus na nossa vida. Quando vivemos dessa forma, recebendo o bastão e passando-o adiante, permitimos que o reino de Deus se perpetue como legado às próximas gerações.

Por isso, compreenda que este não é somente mais um ano que se inicia, mas sim um ano de missão, no qual o bastão de Deus foi entregue em suas mãos e a corrida já se iniciou. Você está dando o seu melhor para que outras vidas recebam o que você tem recebido do Pai? Pense nisso e não perca mais tempo!

OUÇA ATENTAMENTE

Recorram ao SENHOR e ao seu poder;
busquem sempre a sua presença.

SALMOS 105.4

11
JAN
#CAFECOMDEUSPAI

Talvez você tenha dúvidas e questione-se: "Como eu posso conhecer mais a Deus? Como posso ouvi-lo?". Esses são questionamentos de quem realmente está buscando mais intimidade e relacionamento com o Pai. Se você tem feito essas perguntas, é sinal de que deseja ir além. Parabéns, você está no caminho certo!

Ao conhecermos alguém pela primeira vez, não sabemos, de início, como aquela pessoa pensa, não é mesmo? É necessário investir tempo e momentos ao seu lado. Mesmo casado com Michelle há mais de vinte anos, a cada dia que passa eu a conheço ainda mais. Com Deus não é diferente: para conhecê-lo, é necessário investir em momentos com ele diariamente. Assim, passamos a ter mais sensibilidade para compreender sua vontade, ouvir sua voz e caminhar em obediência. Dessa forma, seremos conduzidos a uma vida acima da média.

Digo isso porque precisamos saber que há uma contrapartida: é necessário fazermos nossa parte nesse relacionamento com o Pai para vivermos grandes coisas. Deus abriu o mar Vermelho, mas antes Moisés precisou confiar e estender o cajado. Jesus ressuscitou Lázaro, mas antes a pedra do túmulo precisou ser removida. Eu e você precisamos dar o primeiro passo, e então o Pai mostrará o milagre que vem a seguir. Deus quer falar, mas você precisa se aproximar para conseguir ouvir.

Você tem escutado o que o Pai tem a dizer? Passe a se aproximar ainda mais intensamente dele, porque Deus tem muito a falar a seu respeito e revelará coisas ainda mais profundas àqueles que o buscam verdadeiramente.

Deus Pai está nos falando o tempo todo. Nós é que muitas vezes não estamos sensíveis a ouvi-lo.

@juniorrostirola

366 **DEVOCIONAL**
11/366

LEITURA BÍBLICA
MATEUS 5

PALAVRA-CHAVE
#BUSCA

ANOTAÇÕES

A PAZ QUE VOCÊ PRECISA

"Deixo a paz a vocês; a minha paz dou a vocês. Não a dou como o mundo a dá. Não se perturbe o seu coração, nem tenham medo."

JOÃO 14.27

12
JAN
#CAFECOMDEUSPAI

Se você tiver paz, nada roubará sua alegria.

@juniorrostirola

DEVOCIONAL 366
12/366

LEITURA BÍBLICA
MATEUS 6

PALAVRA-CHAVE
#TRANQUILIDADE

ANOTAÇÕES

Certa vez, foi realizado um concurso de pinturas, com o objetivo de atribuir o prêmio de primeiro lugar ao quadro que melhor representasse a paz. Dentre muitos competidores, três finalistas ficaram empatados.

O primeiro pintor retratou em sua tela um imenso campo com lindas flores e borboletas que voavam enquanto a brisa suave espalhava pétalas pelo ar, trazendo uma linda sensação de paz. O segundo colocado pintou uma imagem muito bela de vários pássaros voando sob nuvens brancas em um céu azul; este também era um lindo quadro, que chamava muito a atenção por causa do colorido dos pássaros, e trazia uma sensação de paz. Mas, para surpresa de todos, o terceiro competidor foi eleito campeão. Em seu quadro estava pintada uma enorme rocha sendo açoitada violentamente por fortes ondas de um mar tempestuoso, enquanto relâmpagos riscavam o céu. Os demais competidores ficaram extremamente indignados com a decisão dos jurados. Então, em resposta, um dos jurados pediu que olhassem melhor para o quadro e apontou para um local onde havia uma fenda na rocha, onde um pássaro agachado em um ninho com os seus filhotes dormiam tranquilamente.

Isso nos ensina uma bela lição! Costumo dizer que paz não é ausência de conflito, mas autoridade sobre o caos. É sobre confiar a ponto de descansar em meio à tempestade. E Deus Pai nos capacita para vivermos dessa forma.

Então, se hoje você está aflito por causa dos mares tempestuosos que a vida lhe tem trazido, confie, pois, independentemente do cenário em que estiver, em Deus você poderá repousar tranquilo. Ele é a paz de que você precisa!

ELE CUIDA DE VOCÊ

Depois Moisés conduziu Israel desde o mar Vermelho até o deserto de Sur. Durante três dias caminharam no deserto sem encontrar água.

ÊXODO 15.22

13 JAN

#CAFECOMDEUSPAI

Essa passagem se dá logo após o povo de Israel atravessar o mar Vermelho, ao fugirem dos egípcios que os perseguiam. Este é um dos milagres mais emblemáticos registrados na Bíblia, pois imagine só o mar se abrir na sua frente, para que você saísse a salvo de uma perseguição. Esse é o infinito poder de Deus, utilizado para cuidar de seus filhos e levá-los em segurança ao seu propósito.

Ao ver tamanho cuidado do Pai para com os seus filhos, você pensa que seu problema é grande demais para ele, ou que ele não vê você? Isso não é verdade! Em Salmos 145.20 a Bíblia diz que o Senhor cuida de todos os que o amam, portanto entenda que ele sempre se fará presente.

É interessante notar, que após viverem o grande milagre no mar Vermelho, o povo de Israel passa três dias caminhando sem encontrar água, o que mostra o fato de que não estaremos livres das dificuldades mesmo após termos experimentado grandes experiências com Deus.

Pense nos milagres e intervenções que Deus Pai operou para que você chegasse até aqui. Talvez alguns você nem sequer tenha reconhecido, ou percebido, mas o fato é que você resistiu a tudo isso, porque nunca esteve sozinho; ele sempre esteve com você.

Quais obstáculos estão à sua frente e parecem intransponíveis? Seja o mar, seja a falta de água, seja um diagnóstico contrário ou qualquer outra má notícia, saiba que Deus é capaz de operar diante das situações mais terríveis e dos momentos mais difíceis da sua vida. Tudo o que você precisa é se entregar ao controle dele e confiar em que ele fará o melhor. Tenha fé, pois ele está cuidando de você!

Creia que as promessas são possíveis para você.

@juniorrostirola

DEVOCIONAL
13/366

LEITURA BÍBLICA
MATEUS 7

PALAVRA-CHAVE
#PROTEGIDO

ANOTAÇÕES

UMA ATITUDE DE FÉ

Não podendo levá-lo até Jesus, por causa da multidão, removeram parte da cobertura do lugar onde Jesus estava e, pela abertura no teto, baixaram a maca em que estava deitado o paralítico. Vendo a fé que eles tinham, Jesus disse ao paralítico: "Filho, os seus pecados estão perdoados".

MARCOS 2.4,5

14
JAN
#CAFECOMDEUSPAI

Sua atitude e sua fé serão determinantes para o seu milagre.

@juniorrostirola

DEVOCIONAL 366
14/366

LEITURA BÍBLICA
MATEUS 8

PALAVRA-CHAVE
#INICIATIVA

ANOTAÇÕES

Existem situações na vida em que analisamos e pensamos não haver mais jeito. Na história revelada a nós pelo evangelho, vemos um homem com seu estado de saúde totalmente comprometido, sem esperança, com uma doença incurável.

Logo no início do meu casamento com Michelle, nosso filho João Pedro nasceu quando ainda tínhamos apenas um ano e três meses de casados. Logo em seu nascimento, nos deparamos com um enorme desafio, pois, ao ser examinado após o parto, foi constatado um furo no início da coluna, indicando um problema de hidrocefalia.

Michelle e eu, muito novos tanto na idade quanto no tempo de casamento, e ainda com os desafios presentes do início da família, tínhamos a avaliação médica indicando um problema permanente.

No entanto, o diagnóstico contrário que nos foi trazido gerou em nós uma atitude de fé, confiança e ousadia, assim como a dos quatro amigos do paralítico, pois somente Jesus poderia mudar o diagnóstico e trazer 100% de vida ao nosso filho. E foi justamente o que aconteceu: o João Pedro nunca teve nenhuma sequela ou problema de saúde, pois Jesus fez um milagre em sua vida.

Que circunstâncias de sua vida precisam de uma intervenção divina? O paralítico precisou e teve quatro amigos que o levaram até Jesus. Já o nosso filho teve Michelle e eu intercedendo e declarando a cura. Saiba que com você não é diferente. Neste momento, eu declaro cura, paz, alegria, restauração, libertação, vida abundante e prosperidade em seus caminhos.

Deus quer que você seja parte ativa no milagre da sua vida!

NOVOS SONHOS

"Digo-lhes a verdade: Aquele que crê em mim fará também as obras que tenho realizado. Fará coisas ainda maiores do que estas, porque eu estou indo para o Pai."

JOÃO 14.12

15
JAN

#CAFECOMDEUSPAI

Como você será lembrado quando partir da terra? Irão lembrar de você como uma pessoa de fé? Na vida, Deus prepara as circunstâncias para forjar a nossa fé. É por isso que, na maioria das vezes, com os olhos humanos, é difícil acreditar que vamos conseguir vencer algumas circunstâncias na vida.

Há coisas que Deus já pode estar falando ao seu coração, mas não é no seu tempo que elas irão acontecer; é no tempo dele. Contudo, se Deus revelou a você, tudo será feito, porque ele é fiel para cumprir todas as suas promessas. Quem tem filhos sabe quão maravilhoso é ver nossos filhos alcançarem suas conquistas.

Na maioria das vezes, os filhos colhem aquilo que os pais semearam, porque, na verdade, foram os pais que acreditaram e investiram em seus filhos para que eles pudessem alçar voos e chegar às suas conquistas.

Por que estou afirmando isso? Porque o princípio é o mesmo em relação ao nosso Pai celestial. Há coisas que, por estarmos em Deus, vamos receber e desfrutar, não por merecimento, mas porque somos filhos amados.

Eu creio e profetizo que, para a glória de Deus, o que ele vai fazer é algo tão grande que somente pela fé podemos imaginar.

Então, prepare-se, pois como filho você receberá do Pai grandes coisas que talvez nunca tenha imaginado. Será tão incrível que, mesmo não conseguindo mensurar, provará dos feitos do Senhor. Acredite, alinhe seu coração com o do Pai e viva novos sonhos, conquistas e realizações que ele tem reservado para você.

Quando você permanece na Palavra, prova dos milagres.

@juniorrostirola

DEVOCIONAL
15/366

LEITURA BÍBLICA
SALMOS 7

PALAVRA-CHAVE
#RECEBER

ANOTAÇÕES

VOCÊ ESTÁ SEGURO

16
JAN

#CAFECOMDEUSPAI

"Ele clamará a mim, e eu lhe darei resposta, e na adversidade estarei com ele; vou livrá-lo e cobri-lo de honra. Vida longa eu lhe darei, e lhe mostrarei a minha salvação."

SALMOS 91.15,16

Quando você deixa Deus na direção, o barco da sua vida navega em segurança.

@juniorrostirola

DEVOCIONAL 366
16/366

LEITURA BÍBLICA
SALMOS 8

PALAVRA-CHAVE
#SEGURANÇA

ANOTAÇÕES

Muitas vezes, vivemos assolados por medos e inseguranças, quer por nossa integridade física e de nossa família, quer por temores relacionados a doenças ou situações aflitivas que podem nos atingir. Contudo, a Bíblia diz que, quando fazemos de Deus Pai nosso refúgio, não é necessário temer nenhuma dessas circunstâncias, porque, ainda que surjam, ele estará conosco.

No texto que lemos hoje, Deus reafirma seu cuidado e zelo pela nossa vida. É necessário termos a plena convicção de que o Pai nos protege e nos concede uma vida longa e próspera ao seu lado. Não pense que isso quer dizer que não haverá circunstâncias contrárias, mas, como está escrito, ele estará conosco, mesmo em meio à adversidade, dando-nos livramento e cobrindo-nos de honra. Que promessa incrível!

Não permita que o desespero tome conta do seu coração, pois Deus está e sempre esteve no controle de todas as coisas. O Pai está totalmente comprometido em ser seu protetor. Ainda que ventos fortes se levantem contra você ou que as circunstâncias tentem fazê-lo perder as esperanças, lembre-se diariamente das promessas divinas. Nossa contrapartida é confiar e andar ao lado do Senhor.

Você tem andado preocupado? Quais medos e inseguranças têm tomado o seu coração? Eu o convido a se apegar às promessas do Pai, que trazem paz, tranquilidade e segurança para sua alma. Não ande temeroso, mas sim confiante de que ele vai à sua frente, guardando todos os seus caminhos. Saiba que em Deus Pai você está seguro.

USE O COMBUSTÍVEL CERTO

Tu, SENHOR, guardarás em perfeita paz aquele cujo propósito está firme, porque em ti confia.

ISAÍAS 26.3

17 JAN

#CAFECOMDEUSPAI

Qual a força motriz de sua vida? O que o tem dirigido? Pode até ser que você não perceba, mas todos nós somos movidos por uma força maior. Quando essa força que nos move não é o Espírito Santo, acabamos sendo arrastados por outras correntezas, que podem ser o medo, o trauma ou até mesmo uma rejeição, que nos levam para longe do propósito para o qual nascemos.

Para você entender melhor, um carro, quando se locomove, é movido por um motor acionado por um tipo de combustível. Assim como um prego que é enterrado em uma madeira por um martelo que o golpeia. Tudo é dirigido por alguma força maior!

Como pastor, faço inúmeros aconselhamentos, e em vários deles algo me chama a atenção: o que está movendo aquela pessoa diariamente é a chance de se vingar e pagar na mesma moeda o que a ela foi feito.

Lembrar disso, para alguém que já passou por situações tão adversas como as que eu passei, chega a doer na alma, pois uma pessoa que almeja apenas retribuir com a mesma fúria está a cada dia se aproximando de um abismo, onde sua alma clamará por ajuda com gemidos angustiantes.

Não sei o que o tem dirigido ou lhe tirado a paz, impedindo você de repousar a cabeça no travesseiro e dormir. Não deixe que a força que guia a sua vida seja um combustível errado, como: a dor, a mágoa, o trauma, a traição, a angústia, a solidão; muito pelo contrário, seja impulsionado por Deus, para que você consiga de fato alcançar a paz. Então, descubra que sua vida tem um sentido e um propósito, que Deus está no centro de tudo, movendo os seus dias para uma vida edificante. Sua decisão determinará seu destino.

Não dá para chegar ao destino certo com o combustível errado.

@juniorrostirola

366 **DEVOCIONAL**
17/366

LEITURA BÍBLICA
SALMOS 9

PALAVRA-CHAVE
#DIREÇÃO

ANOTAÇÕES

NÃO VÁ SOZINHO

A Timóteo, meu amado filho: Graça, misericórdia e paz da parte de Deus Pai e de Cristo Jesus, nosso Senhor. Dou graças a Deus, a quem sirvo com a consciência limpa, como o serviram os meus antepassados, ao lembrar-me constantemente de você, noite e dia, em minhas orações.

2TIMÓTEO 1.2,3

18
JAN

#CAFECOMDEUSPAI

Escolha caminhar com pessoas que acreditam no que Deus já lhe mostrou.

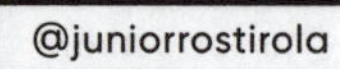

DEVOCIONAL 366
18/366

LEITURA BÍBLICA
MATEUS 9

PALAVRA-CHAVE
#COMPANHIA

ANOTAÇÕES

Timóteo era discípulo de Paulo, por isso havia entre eles uma grande amizade e um incentivo mútuo ao crescimento e desenvolvimento pessoal. No início dessa carta, Paulo chama a Timóteo de filho, o que nos mostra que ambos possuíam realmente uma grande conexão.

Precisamos de pessoas sinceras ao nosso redor, que não simplesmente nos cubram de elogios, mas de fato exponham a realidade de nossos erros e falhas, pois é fundamental ouvir pessoas mais experientes que estão interessadas em nossa evolução.

Quando você está acompanhado de pessoas assim, tem mais segurança em sua caminhada. O fato é que cedo ou tarde você será confrontado, mas isso é ótimo, pois levará ao aprimoramento e ao amadurecimento. De igual modo, ao elogiarem você e apontarem coisas boas, você saberá que de fato são apontamentos sinceros e poderá ter ainda mais confiança em sua trajetória. Vejo que Paulo era exatamente essa pessoa para Timóteo.

Entenda que andar sozinho nunca é a solução. Tenha pessoas que o impulsionem e o ajudem a evoluir na caminhada com Deus. Talvez seja isso que esteja faltando em sua vida para que você possa romper e ir além.

Com quem você tem caminhado? Aqueles que estão ao seu redor são sinceros com você e o impulsionam a ir adiante? Cerque-se de pessoas experientes, que ouvem Deus e lhe obedecem; do mesmo modo, seja essa pessoa para aqueles com quem você se relaciona. Lembre-se: se deseja ir mais longe, vá bem acompanhado.

CONSTRUA SOBRE A ROCHA

"Portanto, quem ouve estas minhas palavras e as pratica é como um homem prudente que construiu a sua casa sobre a rocha. Caiu a chuva, transbordaram os rios, sopraram os ventos e deram contra aquela casa, e ela não caiu [...]"

MATEUS 7.24,25

19
JAN
#CAFECOMDEUSPAI

Estamos iniciando um novo ano, e certamente você deve estar com o seu coração cheio de expectativas. Fazer planos é algo muito bom, nos alegra, nos enche de esperança e nos dá coragem para enfrentar todos os desafios que estão por vir. Mas, além de planejar, você tem preparado as estruturas, as bases fortes para que seus planos deem certo?

No ano passado, eu finalmente pude construir uma casa como sempre sonhei, e uma das coisas que foram acordadas com os engenheiros, arquitetos e o construtor foi a necessidade de ser construída sobre uma forte fundação. Só assim o solo estaria devidamente preparado para suportar minha casa de forma firme e duradoura.

O alicerce de uma construção é algo que não é visto, porém sem ele nem a mais bela casa ou o mais imponente prédio permanecem de pé, vindo a ruir. Com isso, não se preocupe em já iniciar o seu ano com feitos de grande destaque.

Foque suas energias na base, na estrutura, que é fundamental para que seus planos se realizem. Por exemplo, se neste ano você deseja realizar a tão sonhada viagem para o exterior, de nada adianta passar o ano inteiro economizando para pagar as passagens sem ao menos ter providenciado o seu passaporte; ou desejar alavancar sua carreira profissional sem ter se qualificado e estudado para tanto.

Estamos apenas no início de um novo ano. Prepare-se, construa bases fortes, para que este seja um tempo de paz, onde seus sonhos e projetos finalmente sairão do papel e, com alicerces fortes, possam alcançar as alturas.

Deus quer que sejamos assertivos, por isso temos escolha.

@juniorrostirola

366 **DEVOCIONAL**
19/366

LEITURA BÍBLICA
MATEUS 10

PALAVRA-CHAVE
#FUNDAMENTO

ANOTAÇÕES

NÃO OLHE PELO RETROVISOR

Esqueçam tudo isso, não é nada comparado ao que vou fazer. Pois estou prestes a realizar algo novo. Vejam, já comecei! Não percebem? Abrirei um caminho no meio do deserto, farei rios na terra seca.

ISAÍAS 43:18,19, NVT

20 JAN

#CAFECOMDEUSPAI

Tenha seu passado como referência, não como residência.

@juniorrostirola

DEVOCIONAL 366
20/366

LEITURA BÍBLICA
MATEUS 11

PALAVRA-CHAVE
#PROSSEGUIR

ANOTAÇÕES

Como é difícil muitas vezes esquecer o passado, não é verdade? Tanto as coisas boas quanto as ruins. Existem pessoas que vivem do passado. Algumas delas experimentaram momentos incríveis, inesquecíveis. É bom recordá-los. Mas o que não podemos fazer é estarmos presos ao passado. Você precisa viver o presente, pois está caminhando em direção ao novo de Deus. Assim, pode andar confiante, sabendo que o amanhã lhe trará grandes alegrias.

Quando você compreende que não está lançado à própria sorte, mas que Deus está cuidando de tudo e conduzindo-o pela mão, esse entendimento faz que você se desprenda do que passou.

Imagine sua vida como um carro em movimento: o passado está disponível para você no espelho retrovisor, mas à sua frente há um grande para-brisa mostrando o seu presente. A notável diferença de tamanhos entre o para-brisa e o espelho retrovisor ilustra o grau de importância que o presente e o passado devem ter. Ou seja, o passado está ali como uma pequena recordação, uma referência a tudo o que já superamos, e não deve ser onde nossos olhos permanecem fixos; por outro lado, amplo é o nosso presente, onde devemos concentrar toda a nossa atenção, pois ele está em movimento, conduzindo-nos para o futuro.

Para onde você está olhando? Ainda que o passado tenha sido bom ou extremamente difícil, saiba que há um amplo horizonte à frente. Deus está conduzindo sua vida e abrindo novas oportunidades. A partir de hoje, eu o convido a mudar sua perspectiva, reconhecendo a importância do passado, mas vivendo intensamente o presente, consciente de que o melhor está por vir.

NO TEMPO SE CUMPRIRÁ

"Pois bem, o SENHOR manteve-me vivo, como prometeu. [...] estou hoje com oitenta e cinco anos de idade! Ainda estou tão forte como no dia em que Moisés me enviou; tenho agora tanto vigor para ir à guerra como naquela época."

JOSUÉ 14.10,11

21
JAN

#CAFECOMDEUSPAI

O tempo do seu processo não será maior do que as promessas de Deus na sua vida.

@juniorrostirola

Após a morte de Moisés, a liderança do povo de Deus passa para as mãos de Josué. Ele não era um homem comum, e assim como Calebe que proferiu as palavras desta passagem, sua fé foi resiliente com o passar dos anos. Mesmo passando-se quarenta e cinco anos entre a promessa e o cumprimento, ele não perdeu o vigor nem a fé, motivo por que pôde ver de fato as promessas de Deus se cumprirem diante dos seus olhos.

Vamos observar então algumas lições na vida de Josué: Ele sucede Moisés após a sua morte e, quarenta anos após a travessia do mar Vermelho, lidera quarenta mil soldados; é o guardião da arca da aliança; responsável por unir doze tribos diferentes; precisa conquistar Jericó e expulsar os cananeus, os heteus e os amorreus; é responsável por dar continuidade às tradições dadas ao povo liberto, uma vez que sua tropa era de pessoas que nasceram após a saída do Egito.

Então, não desanime se os seus sonhos ainda não se concretizaram. Tenha fé: se você compartilhar os seus sonhos com Deus e tiver fé para cruzar o seu deserto, tendo os olhos de fé de Josué, que não enxergavam a derrota, com certeza você verá em cada dificuldade um aprendizado e experiência, que lhe darão a força e a maturidade para conquistar. O deserto não só lhe dará forças para alcançar as promessas, mas também para conseguir manter-se firme nelas e não se deixar esvair, perdendo o foco, ao surgirem novos desafios pela frente.

Seja resiliente, saiba herdar o legado, e com o Pai você cruzará o deserto com força e fé inabaláveis.

366 **DEVOCIONAL**
21/366

LEITURA BÍBLICA
MATEUS 12

PALAVRA-CHAVE
#RESILIÊNCIA

ANOTAÇÕES

ABRA ESPAÇO PARA O NOVO DE DEUS

Portanto, se alguém está em Cristo, é nova criação. As coisas antigas já passaram; eis que surgiram coisas novas!

2CORÍNTIOS 5.17

22
JAN
#CAFECOMDEUSPAI

Entre escolher o que guardar e o que descartar em sua vida, decida por aquilo que lhe traz paz.

@juniorrostirola

DEVOCIONAL 366
22/366

LEITURA BÍBLICA
SALMOS 10

PALAVRA-CHAVE
#ORGANIZAÇÃO

ANOTAÇÕES

A o longo da vida, vamos adquirindo e acumulando bagagens em nosso coração, tanto no campo intelectual, por meio do conhecimento que agregamos com o passar dos anos, quanto relacionado aos sentimentos, onde más experiências acumuladas acabam fazendo a vida se tornar cada vez mais pesada.

Certa vez, parei em frente ao meu guarda-roupas e, vendo a falta de espaço que havia para organizá-lo, cheguei à conclusão de que não caberia mais nenhuma peça nova. Ele estava abarrotado de roupas, e naquele momento decidi dar um basta. Então, esvaziei-o e comecei a selecionar as roupas que eu ainda iria usar, as que me serviam e aquelas que já não cabiam em mim.

Nesse processo, para minha surpresa, percebi que muitas roupas não me serviam mais e também encontrei outras das quais nem sequer lembrava e que me serviam perfeitamente, mas que estavam escondidas debaixo de tantas outras.

Foram retiradas tantas peças para doação que foi possível encher uma mala grande de viagem. Depois dessa limpeza, pude não só passar a usar as roupas das quais eu nem me lembrava que tivesse, como também abrir espaço para vestes novas. Com essa experiência corriqueira, aprendi muito. Muitas vezes, na vida, precisamos parar e desfazer de coisas que nos impedem de visualizar o bom e receber o novo.

O que você precisa eliminar do guarda-roupa da sua vida? Quais bagagens têm impedido você de receber o novo? Hoje eu o convido a fazer uma faxina em seu coração. Só assim você poderá resgatar o que está esquecido e liberar aquilo que está obstruindo a sua visão do novo.

EM DEUS, EU TENHO SENTIDO

O Senhor estabeleceu o seu trono nos céus, e como rei domina sobre tudo o que existe.

SALMOS 103.19

23
JAN
#CAFECOMDEUSPAI

A criatividade de Deus é algo que vai além da compreensão humana. Ele governa todas as coisas pelo seu poder, tem planos para sua criação e nos escolheu para fazermos parte de sua obra.

Ainda que fiquemos admirados com as belíssimas obras de arte, com lindas obras arquitetônicas produzidas pelo ser humano ao longo da história, ninguém consegue reproduzir em uma pintura a criação de Deus tal como ela é, pois sua beleza é única, singular e jamais pode ser replicada, até porque não tem vida.

Todas as vezes em que tentamos ser independentes, vivendo do jeito que bem entendemos, naturalmente percorremos uma jornada de frustração, com sonhos vazios e sem perspectiva.

Deus nos criou à sua imagem e semelhança, e isso quer dizer que somos mais parecidos com o Criador do que com qualquer outro ser deste mundo. Portanto, quando passamos mais tempo com Deus, entendemos o verdadeiro sentido da nossa existência. Reconhecemos sua soberania, buscamos nele o direcionamento diário e encontramos a bússola de que precisamos para não nos perdermos em nossas próprias limitações.

Diante de tudo isso, eu o desafio a firmar um compromisso para se manter firme no propósito de fazer do seu relacionamento com Deus a sua prioridade. Seja encorajado, a partir de agora, a enfrentar tudo o que o amedronta, que limita ou enfraquece sua caminhada. A obediência e o posicionamento em fazer a vontade dele resultarão numa vida que faça sentido. Ouse deixar seus passos serem guiados pelo Pai, e com certeza ele dará destino à sua caminhada.

Quanto mais cedo reconhecermos nossa fragilidade e dependência de Deus, mais alto e mais longe iremos.

@juniorrostirola

366 **DEVOCIONAL**
23/366

LEITURA BÍBLICA
SALMOS 11

PALAVRA-CHAVE
#DEPENDÊNCIA

ANOTAÇÕES

VOCÊ NÃO ESTÁ SÓ

24
JAN
#CAFECOMDEUSPAI

"E, depois disso, derramarei do meu Espírito sobre todos os povos. Os seus filhos e as suas filhas profetizarão, os velhos terão sonhos, os jovens terão visões."

JOEL 2.28

A fé não nega a realidade, mas crê que Deus Pai é poderoso para transformá-la.

@juniorrostirola

DEVOCIONAL 366
24/366

LEITURA BÍBLICA
SALMOS 12

PALAVRA-CHAVE
#OUSADIA

ANOTAÇÕES

Muitos de nós na infância sonhávamos em ser jogador de futebol, astronauta, cientista, bombeiro ou qualquer outro profissional que nos parecia importante e muito divertido. Muitos até mesmo sonharam em ser super-heróis ou artistas famosos. Você, com toda a certeza, sonhou com algo parecido.

No entanto, na fase adulta a percepção dos sonhos muda, e seu sonho passou a ser constituir uma família, ser bem-sucedido profissionalmente, ter um diploma universitário... Enfim, sonhos sempre fazem parte da nossa vida, ou pelo menos deveriam fazer. Seja qual for o seu sonho, o Inimigo fará de tudo para o afastar dele, pois ele trabalha para esterilizar os nossos sonhos.

A esterilidade tem a capacidade de deixar a pessoa morrer com a consciência em perfeito estado. Com isso, muitas pessoas se tornam estéreis, deixam de sonhar. As circunstâncias da vida vão paralisando-as, a ponto de torná-las estéreis.

Eu tenho sonhado, dia após dia, sonhos pessoais para a minha família e ministeriais que eu compartilho com a equipe. São muitos sonhos que construímos juntos, e tenho fé que virão muito mais.

Hoje, quais são os seus sonhos? Você se lembra de algum que ainda não aconteceu? Saiba que não há nada de errado em sonhar, mas também é preciso disposição para agir, pois do contrário ficaremos esperando uma vida inteira para semear.

Tenha coragem. Ouse sonhar em meio ao caos, contra tudo e contra todos, pois você não está sozinho.

ELE CUMPRIRÁ

E José fez que os filhos de Israel lhe prestassem um juramento, dizendo-lhes: "Quando Deus intervier em favor de vocês, levem os meus ossos daqui".

GÊNESIS 50.25

25
JAN

#CAFECOMDEUSPAI

José era um jovem muito sonhador. Ele era tão sonhador que, em sua inocência, constantemente compartilhava os seus sonhos com os seus irmãos, que com inveja queriam matá-lo. Só não tiveram êxito nesse intento graças ao propósito de Deus na vida de José; entretanto, movidos pelo sentimento de inveja, os irmãos de José o venderam como escravo a mercadores, que o levaram para o Egito, onde após sofrer novamente muitas injustiças e humilhações, foi enfim elevado ao cargo de governador do Egito.

Muitas vezes, passamos por situações desagradáveis, as quais podem nos atribular e até mesmo abalar a nossa fé. Sim, podemos, porque somos seres humanos; contudo, quando temos uma promessa liberada sobre nós, tornamo-nos resilientes como José para passar pelo processo sem desistir.

José conseguiu ter sucesso em sua jornada de vida: ele entendeu que o processo é tão importante quanto a promessa! É algo dolorido, enfrentaremos tempestades, mas precisamos confiar em Deus, porque mesmo que as circunstâncias digam não, se o Pai tem promessas sobre nós, elas irão se realizar.

Lembro-me de que, quando adolescente, sonhava muito. Aqueles que conviviam comigo diziam que eu era um sonhador e que aquilo que eu expressava a eles jamais aconteceria, pois um dos sonhos era ser pastor. Eu luto contra a timidez, e o que estou lhe contando era conversado apenas com os mais próximos.

Olhando, porém, para trás e vendo tudo que Deus construiu em e por meio da minha vida, posso lhe assegurar com absoluta certeza: Deus é fiel para cumprir as suas promessas. Decida hoje crer, pois o Pai tem grandes planos para a sua vida e futuras gerações. Ele nunca o deixará, em tudo ele se faz presente.

Se Deus determinou, ele é o Senhor do tempo.

@juniorrostirola

DEVOCIONAL
25/366

LEITURA BÍBLICA
MATEUS 13

PALAVRA-CHAVE
#CONFIAR

ANOTAÇÕES

O MELHOR TEMPO DA SUA VIDA É HOJE

"Meu servo Moisés está morto. Agora, pois, você e todo este povo preparem-se para atravessar o rio Jordão e entrar na terra que eu estou para dar aos israelitas."

JOSUÉ 1.2

26
JAN
#CAFECOMDEUSPAI

Deus tem promessas, mas você precisa fazer a sua parte.

@juniorrostirola

DEVOCIONAL 366
26/366

LEITURA BÍBLICA
MATEUS 14

PALAVRA-CHAVE
#ATITUDE

ANOTAÇÕES

Após a morte de seu líder Moisés, aquele que os tirou da escravidão no Egito, o povo ficou trinta dias chorando nas planícies de Moabe. Mas existia uma palavra liberada por Deus a Josué encorajando-o a continuar, seguir em frente.

Muitas pessoas ficam paradas relembrando os sucessos do passado ou chorando pelas dores do passado. Pode ser que exista algo prendendo-o hoje, que você guarda em seu coração.

Quando você guarda em seu coração gratidão e inspiração, isso é algo muito bom, mas, quando você vive preso ao passado, acaba não desfrutando daquilo que o Senhor tem para lhe entregar no presente.

Moisés havia morrido, mas o povo precisava continuar sua jornada, e havia um rio diante deles.

É preciso atravessar o rio para possuir a terra. Você tem que seguir com perseverança e fé, mantendo o foco no que está à frente. Tudo o que precisamos é viver o presente, independentemente de como possa ter sido o passado.

O melhor tempo de sua vida é hoje. Sua decisão hoje irá ecoar e influenciar o amanhã. Quem vive com excesso de passado corre o risco de tornar-se depressivo, ao passo que quem vive temeroso pelo futuro pode tornar-se ansioso. Por isso, você precisa confiar em Deus Pai, pois o dia de amanhã pertence a ele.

Viva o hoje, tendo o passado como conhecimento e experiência, e tenha o amanhã como uma direção a ser seguida. Deus é o mesmo ontem, hoje e sempre. Ele está disposto a abençoar grandemente você. Então, vá em direção à promessa que ele tem para a sua vida nesta nova temporada.

O SUSSURRO DE DEUS

As minhas ovelhas ouvem a minha voz;
eu as conheço, e elas me seguem.

JOÃO 10.27

27
JAN

#CAFECOMDEUSPAI

Pode alguém conhecer mais a criatura do que aquele que a criou? Como poderíamos ter uma vida plena sem ouvir aquele que nos projetou e nos escolheu antes mesmo que chegássemos ao ventre materno? Você e eu fomos criados para viver em comunhão com Deus Pai de forma próxima, íntima e pessoal. O relacionamento com ele deve ser o centro de nossa vida. No versículo que lemos, Jesus enfatiza que aqueles que caminham com ele ouvem a sua voz, ou seja, ele faz questão de falar conosco. Isso é maravilhoso!

Contudo, tenho aprendido que a voz de Deus Pai é como um sussurro, leve, tranquilo e sereno. Quando uma pessoa grita, você consegue ouvi-la mesmo de longe, não é mesmo? Entretanto, para ouvir um sussurro, é necessário estarmos muito próximos de quem está falando.

Para ouvirmos com clareza o que o Pai tem a dizer, precisamos estar próximos dele. A Bíblia mostra que o apóstolo João reclinava sua cabeça sobre o peito de Jesus, tamanha proximidade e intimidade que tinha com ele. O fato é que dessa distância é impossível não ouvi-lo!

Deus fala conosco de diversas maneiras quando temos relacionamento e intimidade com ele. Quando ouvimos a sua voz e seguimos seus apontamentos, nos permitimos ser direcionados para aquilo que ele tem preparado e sonhado para a nossa vida, e isso muda tudo.

Ele conhece o mais profundo do seu íntimo e sabe o que é melhor para você. O Pai deseja levá-lo a viver experiências extraordinárias, mas para isso é preciso estar perto. Entenda que nada tem o potencial de mudar a sua vida tanto quanto o sussurro de Deus Pai!

Talvez Deus tenha falado mais baixo para você chegar mais perto dele.

@juniorrostirola

366 **DEVOCIONAL**
27/366

LEITURA BÍBLICA
MATEUS 15

PALAVRA-CHAVE
#VOZ

ANOTAÇÕES

UMA VIDA DEDICADA

Quando as tuas palavras foram encontradas, eu as comi; elas são a minha alegria e o meu júbilo, pois pertenço a ti, SENHOR Deus dos Exércitos.

JEREMIAS 15.16

28
JAN

#CAFECOMDEUSPAI

Tirar um tempo com Deus diariamente nos levará a viver uma vida de satisfação.

@juniorrostirola

DEVOCIONAL 366
28/366

LEITURA BÍBLICA
MATEUS 16

PALAVRA-CHAVE
#DEDICAÇÃO

ANOTAÇÕES

Certamente em algum momento de sua vida, quando passa por uma prova muito difícil, você dedica seu tempo estudando e, nessas ocasiões, é comum dizer que estamos devorando livros. Um leitor ávido, que rapidamente conclui um livro, também se expressa afirmando que o devorou.

Assim foi com o profeta Jeremias, que estava tão sedento por ouvir a voz de Deus que, ao deparar-se com as Escrituras, dedicou-se a se alimentar de forma apaixonada, pois sua alma estava sedenta pela Palavra de Deus.

A Palavra nos revela que Jesus é o caminho, a verdade e a vida. Se Jesus é o caminho, a Bíblia é a luz que nos conduz pelo caminho. Se você ama a Deus, ama a sua Palavra.

Quando abrimos o nosso coração e a nossa mente para ouvir a voz de Deus, por meio da Palavra, nós somos conectados à sua presença. E, assim como Jeremias desejava mostrar ao povo a sua fome por Deus, que era saciada pela Palavra, devemos compreender que a Bíblia é o alimento para a nossa alma. Portanto, precisamos nos voltar para a Palavra que nos alimenta, senão nos tornamos pessoas vazias, ressentidas, magoadas e frias.

Lembre-se de que o que sustenta o seu corpo é o alimento, mas o que sustenta a sua vida espiritual é a Palavra de Deus. Então, reflita se você está vivendo ou sobrevivendo, se sua alma está bem nutrida ou em estado de fraqueza por falta da Palavra. Sua atitude de estar fazendo o devocional hoje diz muito a seu respeito; deste modo, sua busca e dedicação contínuas o levarão a uma vida abundante!

A RELIGIÃO APRISIONA, MAS JESUS LIBERTA

Sendo agora revelada pela manifestação de nosso Salvador, Cristo Jesus. Ele tornou inoperante a morte e trouxe à luz a vida e a imortalidade por meio do evangelho.

2TIMÓTEO 1.10

29
JAN

#CAFECOMDEUSPAI

Durante todo o texto de Gênesis que descreve a maravilhosa obra da criação, Deus diz "Haja" com um poder imensurável. Por meio de sua voz e com apenas uma declaração tudo se fez. No entanto, quando chega o momento da criação do homem, o texto relata que do pó da terra ele nos fez. Ele disse: "Façamos". Como eu fico maravilhado com isso, pois vejo Deus Pai moldando a nossa vida. Isso demonstra cuidado, zelo, amor, proximidade e intimidade.

Deus nos criou para nos relacionarmos com ele, para sermos semelhantes a ele, e uma de suas características é a santidade e a pureza. Quando agimos de forma contrária à natureza do Pai, nos afastamos pouco a pouco do que fomos criados para ser.

Muitos não se consideram dignos de buscarem se relacionar , de orar ou até mesmo de ir a uma igreja, porque acreditam que precisam mudar para se achegar a Cristo. Você não precisa mudar para se aproximar de Jesus; o fato é que, quando se aproxima, tudo muda.

Entenda que nada do que você fez fará Deus o amar menos. Como diz o versículo que lemos, Jesus nos trouxe vida, perdão e salvação por meio de seu sacrifício. Se eu fosse esperar melhorar para ter uma vida com Jesus, jamais poderia estar escrevendo estas palavras a você neste dia, mas, quando eu decidi escolher acreditar nas verdades do Pai, minha vida ganhou sentido.

Por isso, não permita ser atingido por palavras, críticas ou até sentimento de culpa. Rompa as barreiras que foram colocadas diante de você e viva uma nova história.

Mude os ciclos de derrota por ciclos de intimidade com Deus.

@juniorrostirola

366 **DEVOCIONAL**
29/366

LEITURA BÍBLICA
SALMOS 13

PALAVRA-CHAVE
#METANOIA

ANOTAÇÕES

SAIA DO RASO

30
JAN
#CAFECOMDEUSPAI

Sem fé é impossível agradar a Deus, pois quem dele se aproxima precisa crer que ele existe e que recompensa aqueles que o buscam.

HEBREUS 11.6

Não se limite com gotas quando você pode mergulhar em um oceano.

@juniorrostirola

Você tem fé? Acredita que existe um plano especial para você? Ou você tem vivido um dia de cada vez, conformado com o que você tem hoje, não mais vivendo, apenas sobrevivendo, e até mesmo acreditando que seu destino é uma vida mediana.

Saiba que Deus tem prazer em nos abençoar. Quando você está no Pai, sente-se seguro, sendo cuidado, guardado e protegido, pois ele o abençoa, provendo o que lhe falta. Em minha história, tenho inúmeros testemunhos do cuidado de Deus em minha vida e na vida de minha família.

Tenho certeza de que Deus já fez muito em sua vida. Mas o problema é que muitas vezes nos esquecemos de que ele está presente e, então, perdemos o foco, passando a viver na escassez e no medo.

Não é esse o caminho que o Pai tem para nós. Não podemos servir e adorar a Deus sem fé. Sua fé não pode ser de natureza humanista, teórica, acadêmica, mas unicamente fundamentada no poder de Deus.

A fé em Deus nos restaura e refrigera do desânimo e do cansaço. Então, nosso Pai não deseja que estejamos angustiados, cabisbaixos. Ele quer falar ao nosso coração e restaurar o nosso vigor, para realmente vencermos nele um dia de cada vez, porque quem tem o Pai tem tudo, nada lhe falta. Por isso, não se contente com uma vida rasa, busque o melhor em Deus, e ele terá prazer em abençoar você, pois você é filho, e ele quer o melhor para a sua vida.

DEVOCIONAL 366
30/366

LEITURA BÍBLICA
SALMOS 14

PALAVRA-CHAVE
#PROFUNDEZA

ANOTAÇÕES

SEJA ALGUÉM QUE INSPIRA

Quanto aos fiéis que há na terra, eles é que são os notáveis em quem está todo o meu prazer.

SALMOS 16.3

31
JAN

#CAFECOMDEUSPAI

A fidelidade é algo notável aos olhos de Deus, pois exige confiança, que, por sua vez, é um ato de fé. E pessoas que têm fé impulsionam outras pessoas a também serem fiéis, pois até mesmo de longe o seu testemunho nos impacta e, estando próximas, seu exemplo nos inspira e nos conduz a mudança de vida.

Em um mundo desleal, escolha ter sua mesa rodeada de pessoas tementes a Deus, fiéis e leais, pois pessoas bem-sucedidas e bem resolvidas admiram pessoas assim, ao passo que as malsucedidas têm inveja e criticam. Então, escolha estar acompanhado de quem está disposto a lhe ensinar e agregar valores em sua caminhada. Pessoas leais são confiáveis, mantêm sua retidão moral, honestidade e honram seus compromissos.

Na vida, se há algo que precisamos tratar com seriedade e atenção é a fidelidade e a lealdade mútua. Se você não é leal em alguma área de sua vida, é tempo de buscar e estar disposto a mudar, e um dos primeiros passos é ser seletivo com quem você anda; afinal, "as más companhias corrompem os bons costumes" (1Coríntios 15.33), pois pessoas negativas no máximo irão apoiar as suas lamentações, nada farão para motivá-lo a sair de onde está.

Caso contrário, se você é uma pessoa fiel, leal e digna de confiança e tem buscado ter uma vida íntima com Deus Pai, com certeza será alguém inspirador, a ponto de transformar a realidade de outros. A lealdade e a fidelidade o levarão a viver uma vida acima da média, e você marcará a vida de todos os que o rodeiam. Continue. O mundo precisa dos leais e fiéis!

Há pessoas que não rompem porque tudo o que sabem fazer é murmurar.

@juniorrostirola

DEVOCIONAL
31/366

LEITURA BÍBLICA
SALMOS 15

PALAVRA-CHAVE
#LEALDADE

ANOTAÇÕES

A **SABEDORIA**
ABRE PORTAS
QUE A RIQUEZA
JAMAIS
ABRIRÁ.

@juniorrostirola

FEVEREIRO

Assista o vídeo com a palavra
e oração para este mês.

café
com
Deus
pai

NÃO SONHE SOZINHO

Deleite-se no SENHOR, e ele atenderá aos desejos do seu coração.

SALMOS 37.4

01
FEV

#CAFECOMDEUSPAI

Como você tem reagido diante das dificuldades que a vida tem causado? Com incredulidade, medo, falta de esperança? Talvez você tenha parado de sonhar por achar que seus sonhos foram esmagados pelas circunstâncias contrárias. Entenda que os sonhos são necessários para quem está vivo. Se você já parou de sonhar, isso é muito grave, pois pode representar que sua vida está num trajeto de melancolia e dor.

Os sonhos são o combustível da alma, a mola propulsora da vida, que nos lança para muito mais longe de onde nossos pés nos podem levar e nos faz saltar sobre o muro das dificuldades que nos impede de ver tudo que tem de bom logo à frente. Sonhar é pensar na possibilidade de um futuro melhor, apesar do hoje. Ninguém sonha com algo ruim para si; isso está na contramão da natureza humana. Os sonhos são a crença na possibilidade de melhora, envolvem acreditar que um projeto por trás de tudo na vida está desenhado e que tudo pode dar certo.

Davi, ao escrever, revela algo muito impactante para nós, pois ele colocou sua dependência e esperança em Deus, e isso só foi possível porque Davi estava edificado numa base sólida, que é o Senhor.

Muitas vezes, nós até sonhamos, mas, se não tivermos Deus, nos tornamos vulneráveis em nossa estrutura, e tudo acaba se perdendo no percurso. Por isso, não ande sozinho, não sonhe sozinho, não projete sozinho, pois muitos que assim o fizeram fracassaram. Busque se edificar em Deus. Aproxime-se e compartilhe com o Pai todos os seus sonhos e projetos, pois ele tem a direção certa para sua vida.

Com Deus, os sonhos se tornam realidade.

@juniorrostirola

366 **DEVOCIONAL**
32/366

LEITURA BÍBLICA
MATEUS 17

PALAVRA-CHAVE
#SONHE

ANOTAÇÕES

ANTES DE NASCER

02
FEV

#CAFECOMDEUSPAI

"Antes de formá-lo no ventre eu o escolhi; antes de você nascer, eu o separei e o designei profeta às nações."

JEREMIAS 1.5

Sua decisão hoje determinará o que você viverá amanhã.

@juniorrostirola

DEVOCIONAL 366
33/366

LEITURA BÍBLICA
MATEUS 18

PALAVRA-CHAVE
#ESCOLHIDO

ANOTAÇÕES

Já parou para pensar que, antes mesmo de você nascer, foi escolhido por Deus e designado para um propósito? Pode ser difícil imaginar isso, porque muitas vezes nos sentimos perdidos, tentando dar significado à nossa vida de diversas maneiras. Durante essas tentativas, por vezes perdemos o rumo e nos distanciamos de nosso propósito original, dado pelo próprio Deus. Mas o fato é que os sonhos dele são maiores que os nossos. Entenda que, antes mesmo de você chegar ao ventre de sua mãe, Deus sonhou com você. Ele o planejou!

Durante muito tempo, fui órfão de pai vivo, e por essa razão posso falar com propriedade que a vida pode até machucar, mas Deus é especialista em curar. Algo que aprendi na caminhada é que Deus quer transformar sua maior dor em seu maior testemunho.

Hoje entendo que, muitas vezes, é por meio das dificuldades que nós nos voltamos para o que realmente importa, por isso oro para que Deus leve até você a compreensão total da vontade dele para a sua vida.

Talvez você esteja passando por algumas lutas, em que parece não ver saída. O que eu posso afirmar é que você não está só. Você foi planejado e designado por um Deus que tem os melhores planos a seu respeito. Apenas persevere em buscá-lo, e no tempo certo a solução virá.

Saiba que você tem um Pai que o ama e sempre esteve com você nos bons e nos maus momentos. Independentemente de suas escolhas ou do que você tenha vivido, o propósito dele não mudou e nunca mudará. Decida viver aquilo que Deus sonhou para você!

POR ONDE VOCÊ TEM ANDADO?

Irmãos, não penso que eu mesmo já o tenha alcançado, mas uma coisa faço: esquecendo-me das coisas que ficaram para trás e avançando para as que estão adiante, prossigo para o alvo, a fim de ganhar o prêmio do chamado celestial de Deus em Cristo Jesus.

FILIPENSES 3.13,14

03
FEV

#CAFECOMDEUSPAI

Certamente você já deve ter vivido a experiência de estar dirigindo por uma rodovia e passar do local onde deveria parar, sendo obrigado, por isso, a seguir para procurar o próximo retorno. Essa é na verdade uma ilustração sobre a nossa própria vida. Muitas vezes, passamos do lugar onde deveríamos estar, ou seja, o da presença de Deus, por isso andamos longe do alvo.

Isso reflete a nossa natureza, pois estamos todos fadados a cometer erros e fazer que conquistas ou coisas que poderiam facilmente estar ao nosso alcance venham a escapar por entre os dedos. Assim acontece desde o início da humanidade, mas Deus não desistiu de nós: a cada erro de percurso, ele nos dá uma nova chance de podermos continuar rumo a um recomeço.

Continue andando. Seu passado pode ser seu grande aliado, mas também pode ser um feroz inimigo. Então, não viva do passado; mantenha seus olhos fitos no seu alvo à frente. É tempo de você avançar, não derrapar no presente por causa do solo pantanoso de marcas dolorosas e lembranças do passado. Permita que Deus o cure e aja no seu coração, prossiga firme, porque logo à frente o Pai tem grandes coisas para fazer em seu favor.

Não desista caso não consiga alcançar suas conquistas logo na primeira tentativa; tente mais uma vez. Hoje é um novo dia, e Deus lhe dá uma nova chance. Siga focado no alvo que é Cristo Jesus, pois assim em tudo você será direcionado e chegará bem ao seu destino.

Na maratona da vida, sua atitude é o primeiro passo para grandes conquistas.

@juniorrostirola

366 **DEVOCIONAL**
34/366

LEITURA BÍBLICA
MATEUS 19

PALAVRA-CHAVE
#FOCO

ANOTAÇÕES

O QUE VOCÊ VÊ À SUA VOLTA?

04
FEV

#CAFECOMDEUSPAI

Pois os olhos do SENHOR estão atentos sobre toda a terra para fortalecer aqueles que lhe dedicam totalmente o coração [...].

2CRÔNICAS 16.9

Deserto não é lugar de permanência, mas sim um lugar de aprimoramento.

@juniorrostirola

Todos nós desejamos o melhor de Deus, viver realmente o que a Palavra diz: que em Jesus nós temos vida, e vida em abundância. Muitas vezes aparentamos confiar no Pai, ter fé e esperança de que boas coisas acontecerão em nossa vida, no entanto, basta passarmos por algum deserto que a nossa fé parece esmorecer, como a areia que se esvai das nossas mãos.

Nossa fé e esperança precisam ser alimentadas diariamente com atitudes sábias, da mesma forma que uma pessoa não mantém sua saúde apenas por ir anualmente a uma consulta médica de vinte minutos. É necessário diariamente ter cuidados com a alimentação, com o sono e fazer exercícios.

Hoje você pode até estar num deserto, mas saiba que deserto não é lugar de permanência; ele é, no máximo, um lugar de passagem.

Eu mesmo já enfrentei muitos desertos. Um deles foi muito difícil. Eu julgava que jamais teria uma família. Aprendi que em tempos difíceis temos a oportunidade de refletir, avaliar e planejar, para enfim entender que todas as coisas cooperam para o bem daqueles que amam a Deus.

No entanto, foram nos momentos de deserto, onde à minha volta eu só enxergava areia, que o Senhor me possibilitou ser realmente dependente dele. Foi nos momentos de fraqueza e escassez que eu pude sentir o cuidado de Deus Pai.

Então, se hoje o seu cenário é de deserto, mais do que buscar culpados por estar nesse ambiente, busque ser direcionado para encontrar uma solução que realmente seja a melhor para a sua vida. O deserto não é o seu fim; é apenas o lugar de viver os milagres.

DEVOCIONAL 366
35/366

LEITURA BÍBLICA
MATEUS 20

PALAVRA-CHAVE
#OPORTUNIDADE

ANOTAÇÕES

O AMOR QUE LIBERTA

Mas agora, em Cristo Jesus, vocês, que antes estavam longe, foram aproximados mediante o sangue de Cristo.

EFÉSIOS 2.13

05
FEV

#CAFECOMDEUSPAI

O amor de Deus Pai é imensurável e faz com que você suporte todas as situações que possam abatê-lo.

@juniorrostirola

Imagine que, no passado, você estava condenado à prisão perpétua pelos erros que havia cometido e vivia sem nenhum tipo de esperança ou perspectiva. Até que, em determinado momento, um homem aparece e resolve pagar sua fiança pelo preço de sua própria vida, então ele é entregue, para que você se veja totalmente livre e sem nenhum tipo de condenação. Jesus fez isso por mim e por você.

Sua morte e ressurreição produziram algo jamais antes visto ou imaginado. Sem Cristo, estamos em uma condição de aprisionamento da alma, sem perspectivas ou propósitos, simplesmente vivendo para nós mesmos, acorrentados pelos pecados. Sua entrega nos liberta dessa condição e permite que tenhamos uma nova vida nele.

Paulo, em Gálatas 2.20, expressa seu sentimento em relação à obra de Jesus, dizendo: "Fui crucificado com Cristo. Assim, já não sou eu quem vive, mas Cristo vive em mim. A vida que agora vivo no corpo, vivo-a pela fé no filho de Deus, que me amou e se entregou por mim". Para sermos de fato libertos, basta crer em Jesus e, como Paulo disse, viver pela fé nele. Saiba que, muito além disso, a obra de Cristo nos concedeu a vida eterna.

Você tem vivido com isso em mente? Jesus nos libertou; portanto, não viva preso ao passado ou a qualquer um de seus erros, dores ou traumas, mas simplesmente se achegue a ele e permita que ele dirija os seus passos. A partir de agora, viva seu novo destino por meio de uma vida próspera e abundante. Alegre-se, pois o preço já foi totalmente pago!

366 **DEVOCIONAL**
36/366

LEITURA BÍBLICA
SALMOS 16

PALAVRA-CHAVE
#LIVRES

ANOTAÇÕES

REORGANIZE SUA AGENDA

06
FEV

#CAFECOMDEUSPAI

[...] Ninguém é capaz de entender o que se faz debaixo do sol. Por mais que se esforce para descobrir o sentido das coisas, o homem não o encontrará. O sábio pode até afirmar que entende, mas, na realidade, não o consegue encontrar.

ECLESIASTES 8.17

O tempo não é seu, o tempo é de Deus.

@juniorrostirola

DEVOCIONAL 366
37/366

LEITURA BÍBLICA
SALMOS 17

PALAVRA-CHAVE
#DISPONIBILIDADE

ANOTAÇÕES 

Algum dia você já se sentiu perdido a respeito do seu propósito de vida? Você já se perguntou e não achou resposta? Parece simples, mas não é!

A grande verdade é que no mundo em que vivemos todos buscam um sentido para a vida dentro de si mesmos. E todas essas tentativas de relativizar no homem, e até mesmo estabelecer um segredo ou uma fórmula geral para o sentido da vida, como se esta fosse uma ciência exata, leva muitas pessoas a gastarem muito tempo e muita energia em vão.

Há aqueles que se concentram em estudar para uma profissão e serem bem-sucedidos; há os que fazem do seu talento nas artes o motivo para encontrarem o sentido da vida; há ainda outros que saem viajando pelo mundo, buscando em cada cultura diferente uma forma de encontrar o propósito da vida.

Acredito que não há nada de errado em se profissionalizar, ser criativo nas artes ou ainda viajar buscando desbravar as culturas em nosso mundo.

A grande questão é que, se Deus não estiver presente, nada disso fará sentido. Reflita sobre: Quantas horas do dia você passa com sua agenda em torno de você mesmo? Onde está Deus na sua agenda? Onde está o seu próximo na sua agenda? Quanto tempo de seu dia você tem dedicado ao que realmente é mais importante?

A questão não é sobre você, e a resposta não está em você. O propósito de sua vida é muito maior do que sua realização pessoal. Portanto, busque viver os planos de Deus e alinhar o seu coração ao dele, pois só assim você terá uma vida plenamente satisfeita e realizada.

UM NOVO TEMPO

Como é feliz quem teme o SENHOR,
quem anda em seus caminhos!

SALMOS 128.1

07
FEV

#CAFECOMDEUSPAI

Um novo tempo está se iniciando, e, com ele, recebemos novas oportunidades. Talvez a última temporada de sua vida não tenha sido da maneira que você sonhava, mas creia que ali Deus estava preparando você para o tempo presente. Neste ano, apegue-se às verdades do Pai e coloque-as acima de suas circunstâncias. Ou seja, viva confiante de que ele tem o melhor para sua vida.

Quando tentamos tomar o controle das coisas, perdemos a paz. Isso demanda um grande e desnecessário esforço, pois o fato é que não fomos criados para viver dessa forma. Tudo de que precisamos é fazer nossa parte, ouvir a Deus e caminhar em obediência às orientações que recebemos dele. Vivendo dessa forma, tenha plena convicção de que você terá um ano abençoado.

Você não está lançado ao acaso, tampouco depende da sorte para que as coisas deem certo; basta você decidir quem direcionará sua vida nesta nova estação. Deixe de ser governado pela insegurança, pela opinião alheia ou por suas emoções e simplesmente permita que o Espírito Santo guie a sua vida. Só assim você deixará de viver como escravo das circunstâncias e encontrará a verdadeira paz e liberdade que há em viver alicerçado na Palavra e nas promessas de Deus.

Você está animado para este novo tempo? Deus tem grandes coisas para derramar em nossa vida, contudo a responsabilidade de viver um ano diferente é totalmente nossa. Decida entregar completamente o controle a ele e experimente a verdadeira paz e liberdade que você só encontrará em Deus Pai.

A obediência a Deus o leva a viver em liberdade.

@juniorrostirola

366 **DEVOCIONAL**
38/366

LEITURA BÍBLICA
SALMOS 18

PALAVRA-CHAVE
#GARANTIA

ANOTAÇÕES

SENTIR, NÃO RESSENTIR

08
FEV
#CAFECOMDEUSPAI

Acima de tudo, guarde o seu coração, pois dele depende toda a sua vida.

PROVÉRBIOS 4.23

A vida machuca, mas Deus cura.

@juniorrostirola

DEVOCIONAL 366
39/366

LEITURA BÍBLICA
MATEUS 21

PALAVRA-CHAVE
#RESGUARDAR

ANOTAÇÕES

Vivemos dias difíceis, nos quais é possível observar que a sociedade está ressentida. Podemos até sentir, mas não ressentir. Existe uma diferença muito grande entre sentir e ressentir. E a Palavra de Deus nos alerta de guardarmos nosso coração acima de tudo, enfatizando a importância de mantermos nosso coração salvo da amargura e do ressentimento.

Isso nos mostra que a nossa atitude pode comprometer os planos e projetos de Deus na nossa vida. O Senhor tem um propósito para a sua vida, por isso você não pode perder tempo com ressentimentos e com coisas pequenas. Então, guarde o seu coração com todo o zelo que você teria por uma joia rara e valiosa, pois valioso é o seu coração.

Esteja atento: ressentimentos não se dissipam; eles ficam e cobram um preço. Cedo ou tarde, a conta vai chegar. Tem muita gente que está doente fisicamente porque não tem paz, e todo sentimento de rancor e amargura no coração pode levar ao surgimento de doenças físicas.

Então, reflita hoje: como está o seu coração? Ressentido? Magoado? Eu sei que a vida é dura às vezes, mas viver os planos do Pai é uma questão de coração. Para vivermos o céu na terra, depende de como está o nosso coração. Não permita que o ressentimento e a amargura deixem o céu nublado diante de você. Decida amar, perdoar, ter novas atitudes, e assim você viverá com um coração livre para desfrutar de tudo aquilo que o Senhor tem reservado para você. Vá em frente! Deus está com você!

CONSTRUA SUA VIDA EM DEUS

Qual de vocês, se quiser construir uma torre, primeiro não se assenta e calcula o preço, para ver se tem dinheiro suficiente para completá-la?

LUCAS 14.28

09
FEV

#CAFECOMDEUSPAI

Todo grande projeto que é realizado na vida envolve um planejamento, caso contrário corre-se o risco de não ser possível concluir o planejado e desperdiçar tempo e recursos. Por isso, antes de iniciar qualquer projeto, por mais visionário que seja, é necessário um momento de planejamento e metas e, sobretudo, compartilhar o projeto com o Senhor, para que ele testifique em seu coração se é algo a que vale a pena se dedicar.

Você tem metas estabelecidas? Tem estado atento ao que Deus está lhe falando e aonde quer levá-lo? Ou tem somente levado uma vida sem motivo?

Deus não nos criou para vivermos somente por viver, ou para sermos arrastados pelas forças da maré que a vida lança contra nós. Ele nos criou para sermos vencedores, e precisamos ter metas claras em nossa vida, por isso Deus nos dá o direcionamento.

Seu passado pode ser um grande aliado, mas também pode ser um feroz inimigo. Precisamos aprender com os erros e os acertos do nosso passado. Eu cometi muitos erros e fiz muitas escolhas infelizes, permitidas pelo Senhor para me ensinar algo duradouro. Mas todas as escolhas erradas têm me ensinado no tempo presente, para que amanhã eu seja melhor do que hoje.

Tenha planos para o futuro e compartilhe-os com Deus. Considere o seu passado como aliado e professor, que lhe ensina e lhe dá maturidade para realizar os seus sonhos e objetivos. Assim sua vida será completa e edificada em Deus.

O secreto com Deus gera fundamento para uma grande edificação.

@juniorrostirola

DEVOCIONAL
40/366

LEITURA BÍBLICA
MATEUS 22

PALAVRA-CHAVE
#FUNDAMENTO

ANOTAÇÕES

UMA ATITUDE NOBRE

10
FEV

#CAFECOMDEUSPAI

Sonda-me, SENHOR, e prova-me, examina o meu coração e a minha mente; pois o teu amor está sempre diante de mim, e continuamente sigo a tua verdade.

SALMOS 26.2,3

O arrependimento o coloca em lugares que você nunca imaginou estar.

@juniorrostirola

DEVOCIONAL 366

41/366

LEITURA BÍBLICA

MATEUS 23

PALAVRA-CHAVE

#RECONHECER

ANOTAÇÕES

Como está o seu coração? Diariamente, somos expostos a diversos sentimentos negativos, seja no trânsito, seja no trabalho, seja na Internet, entre outros meios, onde raiva, tristeza e frustração nos invadem. Muitas vezes, tudo isso acaba poluindo a nossa mente, machucando o nosso coração e trazendo danos à nossa vida.

No texto que lemos, Davi clama a Deus para que o Pai lhe mostre se há algo errado dentro dele, para que isso seja corrigido. Que atitude nobre, não é mesmo? Você pediria a alguém que falasse, na sua frente, a respeito de tudo o que você faz de errado, para que você se corrigisse?

Todos nós cometemos erros, não é verdade? Como um filho que tenta agradar e fazer seu pai feliz, assim devemos ser com Deus. Aprendo que sempre há tempo para realinhamento e correção quando nossos erros são apontados.

Meu pai cometeu muitos erros conosco. Suas atitudes geraram mágoa, dor e tristeza no coração de nossa família. Contudo, quando eu tinha 14 anos, ele já em seu leito de morte chamou a mim, minha mãe e minhas irmãs e pediu perdão pela forma como agiu conosco durante toda a sua vida. Minutos depois, ele entrou em coma e, em alguns dias, partiu. Fico feliz porque tivemos oportunidade de falar do amor de Jesus a ele. Hoje tenho meu coração completamente limpo, pois perdoei meu pai e, reconheço que ele só deu aquilo que recebeu.

Você precisa se consertar com alguém? Aproveite esta oportunidade. Reconhecer os erros é uma atitude nobre e que revela um caráter humilde. Saiba que Deus Pai não o classifica pelos seus erros, mas sim pela importância que você tem para ele. Você é filho(a)!

CURA DA ALMA

Quando ouviu falar de Jesus, chegou por trás dele, no meio da multidão, e tocou em seu manto, porque pensava: "Se eu tão somente tocar em seu manto, ficarei curada".

MARCOS 5.27,28

11
FEV

#CAFECOMDEUSPAI

Nossa vida pode mudar a qualquer momento; basta um toque em Jesus. A chave que fez toda a diferença para a cura daquela mulher foi a atitude de fé e coragem.

Ela não parou e desistiu diante dos obstáculos. Certamente, por causa de sua enfermidade, era uma pessoa extremamente debilitada, mas apenas fisicamente, pois sua fé era forte. Dessa forma, ela se posicionou em meio à multidão e decidiu tocar em Jesus. Viu nele a oportunidade única de sua vida. Creu que, se ao menos tocasse em suas vestes, sua hemorragia seria estancada. Então, veio por trás da multidão e tocou na orla das vestes de Jesus, e imediatamente foi curada.

Existem momentos na vida em que uma decisão pode mudar tudo. Aquela mulher estava fadada a morrer, não podia se relacionar com as pessoas, era proibida de sair à rua, visitar parentes, ir ao templo, em virtude da sua doença. Os judeus não podiam sequer tocá-la, pois tornavam-se impuros, segundo os costumes da época. Esse pesadelo durou doze anos, até que ela teve um encontro com Jesus; então, tudo mudou.

A atitude de se posicionar é inspiradora, pois nesse ato de coragem ela foi finalmente curada. Ela poderia ter sido punida severamente pelo que fez, mas decidiu ter uma fé ousada. Hoje eu lhe pergunto: você tem se aproximado e confiado plenamente em Jesus?

Talvez você se identifique com essa história. Pode ser que as circunstâncias o tenham levado a uma condição adversa, mas saiba que basta você se aproximar de Jesus para receber não apenas cura física, mas sim para todas as áreas de sua vida.

A fé é um elemento indispensável para quem deseja viver o milagre.

366 **DEVOCIONAL**
42/366

LEITURA BÍBLICA
MATEUS 24

PALAVRA-CHAVE
#APROXIME-SE

ANOTAÇÕES

O DEUS DA VIDA

12
FEV

#CAFECOMDEUSPAI

Então ele me disse: "Filho do homem, estes ossos são toda a nação de Israel. Eles dizem: 'Nossos ossos se secaram e nossa esperança desvaneceu-se; fomos exterminados'. Por isso profetize e diga-lhes: Assim diz o Soberano, o SENHOR [...]".

EZEQUIEL 37.11,12a

Em Deus, há esperança mesmo que tudo pareça perdido.

@juniorrostirola

Em algum momento da sua vida, você se deparou com uma realidade muito chocante, a ponto de não ter mais esperança. Seus sonhos deixaram de existir, o sorriso abandonou o seu rosto, e o brilho nos seus olhos foi trocado pelas lágrimas?

A nação de Israel chegou a este ponto. Todos estavam sem esperança, sem perspectiva de viverem um novo dia, com os sonhos esmorecendo, assim como a areia da praia cai de nossas mãos.

Durante muito tempo em minha caminhada, senti-me assim, sem sonhos, vazio, completamente desamparado. Eu via os meus dias como um grande vale de ossos secos.

Muitos hoje vivem a mesma situação em que eu me encontrava anos atrás, uma vida fria e vazia, sem esperança de que algo possa acontecer para melhor.

No entanto, assim como Deus Pai direcionou o profeta Ezequiel para que declarasse vida sobre aqueles ossos secos, do mesmo modo que o Senhor mudou a minha realidade, tenho plena certeza de que ele mudará a sua.

Abra o seu coração e veja que é possível sim restaurar os seus sonhos e retomar os seus projetos. Deus agirá. Acredite! Tudo que Deus deseja é que você faça a sua parte.

Os israelitas tinham pecado, porém estavam arrependidos e voltaram o coração para Deus. A esperança tinha secado, mas Deus mostrou que ele tinha o poder para lhes devolver a vida.

Sempre que nos arrependemos de nossos pecados e nos voltamos totalmente para Deus, vivemos nova esperança. Ele tem poder para nos restaurar e transformar a maldição em bênção e a morte em vida. Tenha fé, acredite no poder das palavras proferidas por Deus, profetize.

DEVOCIONAL 366
43/366

LEITURA BÍBLICA
SALMOS 19

PALAVRA-CHAVE
#ESPERANÇA

ANOTAÇÕES

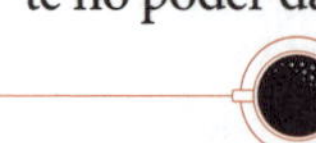

DE VOLTA AO PRIMEIRO AMOR

"Você tem perseverado e suportado sofrimentos por causa do meu nome, e não tem desfalecido. Contra você, porém, tenho isto: você abandonou o seu primeiro amor."

APOCALIPSE 2.3,4

13
FEV

#CAFECOMDEUSPAI

Nas visões descritas no livro de Apocalipse, que o apóstolo João teve na ilha de Patmos, Deus lhe confiou mensagens direcionadas às igrejas da Ásia, e uma das igrejas, a igreja de Éfeso, recebeu uma mensagem muito dura. Mas quem ama ensina, quem ama precisa tomar decisões muitas vezes incisivas a fim de corrigir e aparar as arestas daqueles que são seus. E o Pai estava corrigindo aquela igreja, mostrando-lhe que, apesar de não ter negado a fé, havia perdido o primeiro amor.

Pode ser que você esteja reagindo às dificuldades em áreas de sua vida; que, na linguagem popular, esteja empurrando com a barriga, tendo uma vida mediana, contentando-se com a situação atual. Isso acontece porque muitas vezes perdemos o foco do que realmente importa. Seja na família, seja no trabalho, precisamos primeiramente restabelecer nossa fé, para que as demais coisas sejam consequentemente reestruturadas. Mas, para restaurar o entusiasmo que se perdeu, é necessário refletir: Como está o seu coração? Como está o seu relacionamento com Deus Pai?

Hoje é tempo de você refletir e fazer uma autoanálise de vida, pois tudo que precisamos é sermos íntimos do Pai. Esta é a chave para que a chama do primeiro amor nunca se apague. Tudo que ele deseja é que vivamos alegres ao alvorecer de cada dia, a alegria genuína que só possui quem tem a chama do primeiro amor. Desfrute do amor do Pai. Ele espera você!

Não se acomode com o mesmo nível na presença do Pai

@juniorrostirola

DEVOCIONAL
44/366

LEITURA BÍBLICA
SALMOS 20

PALAVRA-CHAVE
#INTENSIDADE

ANOTAÇÕES

O PODER DA GRATIDÃO

14
FEV

#CAFECOMDEUSPAI

Jesus perguntou: "Não foram purificados todos os dez? Onde estão os outros nove? Não se achou nenhum que voltasse e desse louvor a Deus, a não ser este estrangeiro?" Então ele lhe disse: "Levante-se e vá; a sua fé o salvou".

LUCAS 17.17-19

O grato vivencia o milagre da multiplicação a cada partir do pão.

@juniorrostirola

DEVOCIONAL 366
45/366

LEITURA BÍBLICA
SALMOS 21

PALAVRA-CHAVE
#GRATIDÃO

ANOTAÇÕES

Já reparou que a gratidão gera alegria ao coração? Quando agradecemos a alguém por algo que nos tenha feito, a pessoa sente-se valorizada, por mais simples que tenha sido a ação, como segurar a porta do elevador ou mostrar gentileza no trânsito. Elogios e atos de bondade têm o poder de melhorar o dia de qualquer um.

Jesus, após curar dez homens que sofriam de lepra, observa que apenas um retorna para agradecer e louvar a Deus. Os outros nove não agiram com gratidão, e isso chama a atenção de Jesus.

Deus espera de nós um coração grato pelo que ele faz em nossa vida. É necessário reconhecer toda a sua bondade, não porque ele precisa de reconhecimento, mas porque essas atitudes fazem bem ao nosso coração e nos ensinam a forma correta de agir com nosso próximo.

Em 1Tessalonicenses 5.18, a Bíblia diz: "Deem graças em todas as circunstâncias, pois esta é a vontade de Deus para vocês em Cristo Jesus". Isso nos ensina que a gratidão deve ser exercida independentemente das circunstâncias que você esteja vivendo, ou seja, não apenas quando os dias são bons, mas em todo e qualquer momento.

Você tem sido grato? A gratidão não depende do momento que estamos vivendo, mas é um princípio que deve ser posto em prática diariamente, independentemente do cenário. Convido você a expressar gratidão pelos pequenos gestos, bem como a observar tudo aquilo que Deus tem feito e agir em louvor por tudo o que ele fez e ainda fará em sua vida!

MANTENHA SEU CORAÇÃO LIMPO

"José é uma árvore frutífera, árvore frutífera à beira de uma fonte, cujos galhos passam por cima do muro."

GÊNESIS 49.22

15
FEV

#CAFECOMDEUSPAI

José era muito querido pelo seu pai, e isso despertava inveja em seus irmãos, que acabaram vendendo-o como escravo para o Egito. Lá ele passou por diversas provações, sendo até preso injustamente, mas depois elevado à posição de governador de toda a nação do Egito. O fato é que a história de José tinha tudo para acabar mal, mas Deus Pai tinha grandes propósitos com a vida dele.

Algo que me inspira na história de José é o fato de que, anos depois, seus irmãos, sem reconhecê-lo, foram ao Egito pedir ajuda, pois a terra em que viviam passava por grande seca e não havia alimento. Nesse momento, José poderia ter se vingado, prendendo-os ou não oferecendo auxílio, mas não foi isso que aconteceu. José os ajudou e, por fim, trouxe toda a sua família para morar com ele.

Deus transformou o mal em bem, porque esse homem resolveu não guardar maus sentimentos nem sucumbir ao ódio, mas escolheu ter o coração limpo, perdoar e amar. A história de José me inspira, porque na minha vida também precisei agir assim; se eu tivesse me deixado levar pela mágoa e pelo ressentimento, jamais teria tocado nas promessas de Deus.

Não sei quais dificuldades você passou, ou o que fizeram a você, mas o fato é que não perdoar é abrir uma lacuna para doenças emocionais e até mesmo físicas invadirem sua vida e assim o afastar do propósito e de uma vida plena em Deus.

Decida hoje ser como José. Mantenha o seu coração limpo, perdoando todos aqueles que o feriram, pois o perdão abre portas para inúmeros sentimentos bons, levando-o a uma vida leve e cheia de paz.

Perdoar é dar a oportunidade para você viver.

@juniorrostirola

366 **DEVOCIONAL**
46/366

LEITURA BÍBLICA
MATEUS 25

PALAVRA-CHAVE
#PERDÃO

ANOTAÇÕES

OUÇA A VOZ DE DEUS

16
FEV
#CAFECOMDEUSPAI

Amados, não creiam em qualquer espírito, mas examinem os espíritos para ver se eles procedem de Deus, porque muitos falsos profetas têm saído pelo mundo.

1JOÃO 4.1

O secreto com Deus nos faz sentir o que fora dele jamais sentiríamos.

@juniorrostirola

DEVOCIONAL 366
47/366

LEITURA BÍBLICA
MATEUS 26

PALAVRA-CHAVE
#OUVIR

ANOTAÇÕES

Você já esteve num estádio de futebol ou naquelas festas da cidade onde há muitas pessoas e todas falam ao mesmo tempo? Pois bem, ao estar num ambiente como esse, não é fácil produzir um diálogo saudável e importante; afinal de contas, são muitas vozes juntas.

Tratando-se do nosso relacionamento com Deus Pai, será que temos ouvido sua voz? Eu não quero trazer dúvidas ao seu coração, mas desejo trazer ao seu entendimento que nem todas as vozes que você ouve são de Deus. Nem todos os apontamentos e direções são dados por ele. Por isso precisamos discernir aquilo que Deus fala e direciona das vozes que nos confundem.

Os tempos são difíceis. Quantas vidas angustiadas em seus dilemas clamando para serem ouvidas e que, de alguma forma, são enfraquecidas por situações contrárias, a ponto de se sentirem sozinhas e sem direção. Deus quer se relacionar conosco, trazer sua paz, alegria, cura para nossas feridas, nos orientar a cada dia para vivermos uma vida satisfeita.

Durante muito tempo em minha vida, eu fui silenciado, meus gostos não eram ouvidos e minhas vontades eram enterradas, às vezes até por mim mesmo. Tudo mudou quando me aproximei de Deus Pai e, então, perto dele, pude ouvir sua voz, sem gerar dúvidas no meu coração.

Saiba que sua vida pode ter uma nova realidade hoje. Por isso, se desconecte das vozes à sua volta e dos barulhos que tentam distraí-lo. Pare por um instante, aproxime-se do Pai, sussurre nos ouvidos dele e ouça a sua voz. Ele quer que você sinta quanto você é amado, cuidado e protegido por ele.

VOCÊ CARREGA UM GRANDE POTENCIAL

"Ó comunidade de Israel, será que eu não posso agir com vocês como fez o oleiro?", pergunta o SENHOR. "Como barro nas mãos do oleiro, assim são vocês nas minhas mãos, ó comunidade de Israel."

JEREMIAS 18.6

17 FEV

#CAFECOMDEUSPAI

Pode ser que você nunca tenha visto um oleiro formando um vaso, mas isso é algo extraordinário! Ele pega o barro, sem forma ou potencial aparente, coloca-o na roda e pouco a pouco vai modelando o seu formato. É dessa forma que Deus deseja agir em nós, quando permitimos que ele molde nossa vida de acordo com sua vontade, como no texto que lemos.

Todos fomos criados por Deus com um grande potencial. Assim como o barro tem a capacidade de ser modelado pelo oleiro e exercer diversas funções, cada vida é única e tem um propósito excepcional. Entenda que o Pai deseja moldá-lo para que você alcance sua melhor versão e exerça o seu papel no Reino de Deus. Muitas vezes, isso se dá através dos processos pelos quais passamos. Dentro de você, há um potencial extraordinário, mas é necessário que primeiramente permita-se passar pelas mãos do oleiro.

O fato é que, longe de Deus e do seu cuidado, andamos distantes do nosso real propósito, como se nos sentíssemos sem utilidade ou com pouco valor, mas a realidade é que carregamos um potencial incrível, que é desbloqueado quando permitimos que o Senhor trabalhe em nossa vida.

Você tem se permitido ser trabalhado por Deus? Seja paciente e submeta-se aos processos. Muitas vezes, ele utiliza-os para moldar nosso caráter e gerar amadurecimento em nosso coração, para assim nos conduzir a uma vida extraordinária e cheia de propósitos.

A partir de hoje, entenda que sua melhor versão está em Deus; apenas permita que ele trabalhe em sua vida. Submeta-se a ele e coloque-se à disposição, pois você foi criado para viver grandes coisas.

Deus permite o deserto para moldar você para algo maior.

@juniorrostirola

366 **DEVOCIONAL**
48/366

LEITURA BÍBLICA
MATEUS 27

PALAVRA-CHAVE
#MOLDADO

ANOTAÇÕES

PODE PERGUNTAR

Quando Jesus ia saindo, um homem correu em sua direção e se pôs de joelhos diante dele e lhe perguntou: "Bom mestre, que farei para herdar a vida eterna?"

MARCOS 10.17

18
FEV

#CAFECOMDEUSPAI

Você pode escolher enfrentar a mudança, ou decidir ficar como está.

@juniorrostirola

DEVOCIONAL 366
49/366

LEITURA BÍBLICA
MATEUS 28

PALAVRA-CHAVE
#MUDANÇA

ANOTAÇÕES

Nessa passagem do evangelho, vemos o momento em que um jovem vai até Jesus e o indaga acerca do que precisaria fazer para herdar a vida eterna. Jesus, tomado de compaixão por ele, o convida a largar tudo o que possuía e segui-lo. Porém, por ser demasiadamente rico, o jovem, apegado à sua riqueza, dá as costas para aquele que seria o melhor convite de sua vida.

Diante do olhar de Jesus, nossas dúvidas são respondidas. Aquele homem, quando diante de Jesus, foi intencional em buscar a resposta para sua pergunta. Nós também temos questionamentos em nosso coração e temos perguntado a Deus o que precisamos fazer para cumprir o nosso propósito, ou qual a vontade do Pai para a nossa vida.

Para aquele jovem, a resposta veio. Mas ele não esperava ser confrontado pelo seu apego à riqueza. Precisamos estar prontos para ouvir de Deus algo que possa vir a nos confrontar. A verdade nem sempre é agradável, mas ela é necessária para que possa haver uma correção e uma mudança de vida.

O episódio conhecido como "O jovem rico" deveria ser chamado de encontro de dois jovens ricos, pois o primeiro que conhecemos era possuidor de muita riqueza material, mas pobre de espírito, ao passo que o outro era o Filho de Deus, que, mesmo não tendo onde repousar a cabeça, estava disposto a dar a própria vida em favor da humanidade perdida.

Que pergunta você precisa fazer a Jesus, mas, talvez com medo de ter que deixar algo a que é tão apegado, não é capaz de fazer? Não rejeite a chance de seguir o verdadeiro Jovem rico. Desprenda-se de tudo e tenha uma nova vida, seguindo os passos de Jesus.

ESTEJA ATENTO

Aquele que pertence a Deus ouve o que Deus diz.

JOÃO 8.47a

19
FEV

#CAFECOMDEUSPAI

Pode ser que você não se lembre ou nunca tenha ouvido falar, mas no ano de 2004 ocorreu um tsunami na Ásia que vitimou mais de 227 mil pessoas. Na região afetada havia um povo nômade chamado moken, com uma população de aproximadamente 3 mil pessoas. O que todos imaginavam é que esse povo, por viver de forma rudimentar e precária, sofreria muitas mortes nessa tragédia. Mas, de forma surpreendente, todos eles sobreviveram, sem que uma vida sequer fosse perdida. E você sabe por quê?

Porque estavam atentos aos sinais. Por terem um cotidiano fortemente ligado ao mar, puderam de antemão compreender as mudanças climáticas que precederam o tsunami e se deslocaram para as regiões montanhosas antes da catástrofe. O fato de estarem atentos aos sinais do mar lhes deu grande vantagem. Isso nos traz um ensinamento: Será que estamos atentos aos sinais que Deus emite por intermédio do Espírito Santo? Estamos sensíveis a ouvi-lo?

Deus fala de muitas maneiras, inclusive neste momento ele está falando com você por meio do devocional de hoje, mas o fato é que, para ouvi-lo, é necessário estar atento. Se o povo moken estivesse distraído, não se salvaria, e o mesmo vale para nós. Muitas vezes, Deus quer fazer algo em nossa vida, mas estamos tão distraídos e sem dedicar tempo ao Pai que acabamos não ouvindo.

Saiba que Deus quer fazer algo grande em você e por meio de você; portanto, coloque-se à disposição e evite as distrações, para não correr o risco de não ouvir os apontamentos de Deus Pai, porque, quando estamos atentos à voz dele, somos conduzidos a experiências que jamais teríamos em outro lugar.

A sensibilidade em ouvir a Deus o livra do perigo.

@juniorrostirola

366 **DEVOCIONAL**
50/366

LEITURA BÍBLICA
SALMOS 22

PALAVRA-CHAVE
#SINAIS

ANOTAÇÕES

A REALIDADE DA FÉ

20
FEV
#CAFECOMDEUSPAI

E espalharam entre os israelitas um relatório negativo acerca daquela terra. Disseram: "A terra para a qual fomos em missão de reconhecimento devora os que nela vivem. Todos os que vimos são de grande estatura".

NÚMEROS 13.32

Para quem tem fé em Deus, o impossível é temporário.

@juniorrostirola

DEVOCIONAL 366
51/366

LEITURA BÍBLICA
SALMOS 23

PALAVRA-CHAVE
#CREIA

ANOTAÇÕES

Você já deve ter experimentado a sensação de haver começado mal o dia e, quanto mais reclama, mais coisas ruins acontecem. Pessoas negativas se tornam um ímã para coisas ruins e tendem a superestimar o tamanho dos problemas. Ao colocarmos uma lente de aumento para enxergar as dificuldades, perdemos a chance de crescer com Deus na fé. Quando não confiamos, permitimos que o medo tome conta de nossas emoções.

Nessa passagem, a Bíblia revela a visão de doze espias: dez viram apenas o problema, não o poder do Deus a quem serviam. Sabe qual foi o resultado? Não puderam entrar na terra prometida. Pessoas vitoriosas são como os outros dois espias, Josué e Calebe, que não negaram que havia gigantes na terra, mas sabiam que eles eram pequenos diante do Pai. Portanto, entenda algo: não conquistamos pela força do nosso braço, mas pela fé em Deus.

Quando agimos com fé, ampliamos nossos horizontes e temos acesso a oportunidades que até então pareciam inalcançáveis. A confiança em Deus nos faz derrotar o medo, e todas as impossibilidades tornam-se possibilidades quando simplesmente confiamos. Saiba que crises são oportunidades de ampliar e amadurecer nossa fé.

O que tem tirado a esperança do seu coração? Não se deixe dominar pelo pessimismo e pela angústia. Talvez seus olhos físicos tenham visto gigantes, mas em Deus você pode visualizar a maior vitória da sua vida! Decida hoje em qual lado você vai ficar: do lado dos pessimistas ou do lado dos que têm uma visão de fé? Entenda que a fé não nega a realidade, mas crê que Deus é poderoso para transformá-la.

HOJE É DIA DE VENCER

Mas em todas estas coisas somos mais que vencedores, por meio daquele que nos amou.

ROMANOS 8.37

21 FEV

#CAFECOMDEUSPAI

Deus nos chamou para uma vida vitoriosa, vencendo o pecado, o mundo, as trevas e a morte. Muitas vezes, queremos viver de forma vitoriosa, mas sem abandonar o pecado ou qualquer outra prisão invisível que nos impede de avançar. Como ensinado em Tiago 3.11, não tem como de uma mesma fonte brotar água doce e água amarga. Ou você é ou você não é.

Não tem como viver uma vida satisfeita se você não vencer todas essas correntes invisíveis que tentam paralisá-lo. Mas a boa notícia é que não estamos sozinhos nessa luta, pois Deus nos chamou para uma vida vitoriosa sobre todos esses aspectos.

Tudo que Deus quer é que você tenha uma fé vitoriosa. Para isso, você precisa alimentar a sua fé. Talvez você se pergunte: "Como alimentar a minha fé?". A resposta é simples. A fé é como uma chama acesa de uma fogueira: se você não alimentar a fogueira com lenha, lentamente a chama se extinguirá. Da mesma forma é a nossa fé: se ela não for alimentada com a oração que nos leva a uma vida de intimidade com Deus, lentamente vai se enfraquecer e esfriar.

A oração tem poder, e é o seu momento de intimidade com o Pai. Então, seja qual for a área da sua vida em que você precise de uma intervenção, do agir de Deus, ou seja o que for que você precise conquistar, porque foi declarado sobre a sua vida, creia que é possível, sim, conquistá-lo pelo poder da fé.

Tenha fé, declare vitória sobre todos os obstáculos que você terá que enfrentar hoje. Com a fé de que os céus já estão abertos diante de você, hoje é dia de vencer!

Tudo depende da nossa resposta diante da dificuldade, crer ou desanimar.

@juniorrostirola

366 **DEVOCIONAL**
52/366

LEITURA BÍBLICA
SALMOS 24

PALAVRA-CHAVE
#RESPOSTA

ANOTAÇÕES

CUIDADO COM QUEM VOCÊ ANDA

22
FEV

#CAFECOMDEUSPAI

Não se deixem enganar: "As más companhias corrompem os bons costumes".

1CORÍNTIOS 15.33

Há pessoas que não estão prontas para caminhar ao seu lado.

@juniorrostirola

DEVOCIONAL 366
53/366

LEITURA BÍBLICA
MARCOS 1

PALAVRA-CHAVE
#RELACIONAMENTOS

ANOTAÇÕES

Nossos relacionamentos refletem muito do nosso estado espiritual e emocional. Não existe possibilidade de uma vida bem-sucedida enquanto estivermos aliançados em relacionamentos que não são saudáveis.

Com quem você tem se relacionado? Isso diz mais a seu respeito do que você imagina. Pessoas sadias investem em relacionamentos saudáveis, que as impulsionam a serem cada vez melhores, ao passo que pessoas adoecidas se apegam a relacionamentos tóxicos que as colocam cada vez mais para baixo.

Com quem você está abrindo o seu coração? Que tipo de conselhos tem recebido? Preste muita atenção na direção que você está tomando. Acatar opiniões contrárias à Palavra de Deus é o mesmo que caminhar vendado em direção ao precipício. Cuidado!

Homens e mulheres de Deus sabem que seu futuro depende de boas escolhas e de bons companheiros de jornada. Proteja seu coração, seus ouvidos e sua mente. Cerque-se de pessoas inspiradoras, porque certamente elas o impulsionarão a ser alguém melhor.

Entenda definitivamente que seus relacionamentos podem ser uma chave para ser ou não bem-sucedido. Uma vida inspiradora tem a ver com suas escolhas.

Eu lhe pergunto: com quem você tem se relacionado? Faça uma análise da sua vida agora e escolha bem com quem andar, pois você investirá tempo na vida de alguém que pode conduzi-lo a uma direção errada. Por isso, a importância de se relacionar com pessoas que caminham com Deus, pois elas o ajudarão a seguir na direção certa. Lembre-se: sua decisão hoje pode levá-lo a um futuro promissor ou devastador. Qual é a sua decisão?

MANTENHA A CHAMA ACESA

Aproximem-se de Deus, e ele se aproximará de vocês!

TIAGO 4.8a

23
FEV

#CAFECOMDEUSPAI

No decorrer da vida, acabamos conhecendo diversas pessoas, nos mais variados ambientes que frequentamos, seja na escola, seja na faculdade, seja no trabalho. Isso nos leva a desenvolver laços de amizade. Aqueles que nos cercam acabam tendo grande influência em nossa vida. O fato é que somos a média das cinco pessoas que caminhamos.

Sabe aquela situação em que apenas uma troca de olhares já é suficiente para compreender o que o outro está pensando? Isso é fruto da conexão criada em um relacionamento sincero.

E se eu disser que podemos ter um relacionamento com esse nível de conexão com Deus Pai? Muitas vezes, fomos ensinados de que Deus existe, porém não está perto de nós. Mas posso lhe garantir que isso não é verdadeiro! Deus Pai é próximo e relacional. Mas algo que aprendo com Deus é que ele jamais vai invadir o seu coração sem que você permita. Ele bate na porta, mas a decisão de abri-la ou não é sua. Quando não abrimos, ele simplesmente não entra. Mas, quando permitimos que entre, ele faz morada e nos transforma.

Não podemos confiar plenamente em nossa bússola; é necessário intimidade com o Pai para ter a direção correta. Existem coisas que buscamos ou desejamos que não agregam à nossa vida. Seu passo em ler este livro todos os dias diz muito a seu respeito; é uma forma de manter a chama acesa, e os ouvidos atentos à voz de Deus.

O que arde em seu coração revela o seu nível de intimidade. É preciso ter em mente que direção certa é mais importante que velocidade.

Renuncie a tudo o que te afasta da intimidade com Deus.

@juniorrostirola

366 **DEVOCIONAL**
54/366

LEITURA BÍBLICA
MARCOS 2

PALAVRA-CHAVE
#CONEXÃO

ANOTAÇÕES

COMO ESTÁ SUA AGENDA?

24
FEV

#CAFECOMDEUSPAI

"Aumentem a carga de trabalho dessa gente para que cumpram suas tarefas e não deem atenção a mentiras."

ÊXODO 5.9

Sua agenda revela as suas prioridades.

@juniorrostirola

DEVOCIONAL 366
55/366

LEITURA BÍBLICA
MARCOS 3

PALAVRA-CHAVE
#EQUILÍBRIO

ANOTAÇÕES

Nossa vida parece cada vez mais cansativa; o senso de urgência é cada vez maior, deixando o ritmo totalmente acelerado; e o fardo do ser humano é cada vez mais pesado, com contas para pagar, metas no trabalho para cumprir e diversas outras cobranças.

Muitos em nosso meio acabam passando por cansaço extremo, e é bem possível que você conheça alguém que sofre da síndrome de *burnout*, que é causada pelo esgotamento profissional, ocasionada, na maioria das vezes, pelo excesso de trabalho. É algo decorrente do estilo de vida atual; contudo, esse não é o padrão que Deus deseja que tenhamos em nossa vida.

No texto que lemos, o faraó aflige os Israelitas dando-lhes ainda mais trabalho para fazer, a fim de que não tivessem tempo de sair para adorar a Deus. Aprendo com isso que, muitas vezes, nos afastamos de Deus Pai e usamos como justificativa nossa vida corrida ou a ausência de tempo em nossa agenda. Mas o fato é que você pode estar negligenciando coisas muito importantes, como se relacionar com Deus, cuidar de sua família e ter momentos de lazer. O trabalho é essencial, mas o desequilíbrio de prioridades pode acabar prejudicando muito a sua vida.

Sua agenda cheia tem prejudicado seu relacionamento com Deus e com sua família? Observe quais têm sido suas prioridades. Entenda que o Pai supre todas as suas necessidades quando você caminha com fé e obediência. Aproxime-se de Deus, redefina suas prioridades, e então desfrute de uma vida equilibrada, próspera e cheia de paz.

DEUS ESTÁ ESPERANDO POR VOCÊ

"Vocês não dizem: 'Daqui a quatro meses haverá a colheita'? Eu digo a vocês: Abram os olhos e vejam os campos! Eles estão maduros para a colheita."

JOÃO 4.35

25
FEV

#CAFECOMDEUSPAI

Uma parte muito importante da vida é a colheita, pois ela é o fruto de um trabalho anterior que envolveu o plantio de sementes, o cuidado com o solo e o zelo pelas condições de crescimento e desenvolvimento.

Diariamente, todos nós temos lançado sementes, por mais que não seja literalmente no solo. Precisamos saber que nossas palavras e atitudes podem ser comparadas a elas. Por muito tempo em minha vida, acreditei em diversas mentiras. Por exemplo, eu não gostava da cor dos meus olhos, por não serem iguais aos do meu pai, e isso me entristecia muito, porque eu acreditava que não era amado por ele por não ter sua aparência. Essa, entre tantas outras sementes ruins, acabaram encontrando terreno fértil no meu coração e geraram danos.

Jesus, no versículo que lemos, faz um alerta aos seus discípulos: a salvação havia chegado! E essa notícia deveria arder no coração de cada um, a ponto de ser compartilhada. Quando você assiste a um bom filme, não passa a recomendá-la aos outros, para que passem por essa mesma experiência? É um princípio importante receber, celebrar e repartir!

O alerta de Jesus serve para diversas áreas da nossa vida. Muitas vezes, não agimos porque esperamos em Deus, mas talvez seja Deus quem está esperando por você!

Nosso compromisso é não somente olhar os campos para que o crescimento continue se expandindo, mas também "arregaçar as mangas" e pôr as mãos no arado para que as nossas sementes lançadas caiam em boa terra e possam frutificar. Deus tem um destino extraordinário para a sua vida.

Quem é bem-sucedido sabe receber, celebrar e repartir.

@juniorrostirola

366 **DEVOCIONAL**
56/366

LEITURA BÍBLICA
MARCOS 4

PALAVRA-CHAVE
#COLHEITA

ANOTAÇÕES

NÃO TENHA MEDO

26
FEV
#CAFECOMDEUSPAI

"Deixo a paz a vocês; a minha paz dou a vocês. Não a dou como o mundo a dá. Não se perturbe o seu coração, nem tenham medo."

JOÃO 14.27

Não é porque você está passando pela tempestade que Deus saiu de cena.

@juniorrostirola

DEVOCIONAL 366
57/366

LEITURA BÍBLICA
SALMOS 25

PALAVRA-CHAVE 
#CONFIAR

ANOTAÇÕES

Vivemos em um mundo onde a falta de segurança tem tirado a nossa paz, por isso cada vez mais as pessoas se cercam de muros e grades a fim de se sentirem protegidas. Mas a verdade é que nem mesmo dentro de nossa casa estamos livres de que coisas ruins aconteçam.

Lembro-me de quando construímos a nossa primeira casa, em um bairro da cidade onde nasci. Aquela era a casa dos nossos sonhos, com um quarto para cada filho e uma edícula nos fundos para confraternizar com os amigos. Certo dia, entraram ladrões, mas eu e meu cunhado conseguimos surpreender os ladrões antes que fugissem, e no final um deles olhou para mim e fez ameaças.

Aquilo tirou a minha paz, e, não me sentindo mais seguro, principalmente em deixar minha família lá, precisei abrir mão da nossa casa. Eu falei com Michelle, minha esposa, e ela com muita serenidade disse: "Não importa; o mais importante é estarmos bem em família!".

Nós nos mudamos para um apartamento muito menor, mas um lugar onde nos sentíamos seguros e em paz. Sabíamos que seria um lugar de passagem, pois Deus logo iria restituir nossos sonhos. Sabemos que as circunstâncias contrárias muitas vezes tentam nos impedir de viver uma vida alegre e em paz.

Talvez o que esteja lhe tirando a paz hoje seja um medo, uma insegurança, um sonho não realizado, um trauma, uma dor, uma perda, uma rejeição ou até mesmo uma traição. Mas, independentemente do que o tem deixado sem chão, saiba que Deus sempre tem um lugar de refrigério para nos acolher e nos curar, a ponto de nos devolver a alegria e a paz de viver.

VOCÊ NÃO IMAGINA

Sendo agora revelada pela manifestação de nosso Salvador, Cristo Jesus. Ele tornou inoperante a morte e trouxe à luz a vida e a imortalidade por meio do evangelho.

2TIMÓTEO 1.10

27 FEV

#CAFECOMDEUSPAI

Neste exato momento, enquanto você lê este devocional, acredite, muitas pessoas são alcançadas pelo poder de Deus. O Pai está realizando maravilhas em diversos lugares do mundo. Talvez até na vida de pessoas à sua volta. Você consegue olhar para sua vida e ver o agir de Deus? Se prestarmos atenção, constataremos esse cuidado em todos os dias de nossa vida.

O evangelho é a boa notícia que pode transformar sua realidade, pois anuncia o fato de Deus precisar tornar-se homem para vir à terra, estabelecendo o padrão dos céus, em que a graça, a bondade e a misericórdia estão disponíveis em toda a essência. A partir disso, as portas se abrem para uma nova vida, segundo a vontade de Deus Pai.

Sabe aquela dor que muitas vezes parece querer voltar e você se controla para deixá-la guardada? Eu já tentei muitas vezes esconder a dor da rejeição, da orfandade, do medo e dos traumas. Sei exatamente o que é isso que tantas vezes o incomoda. Hoje é o dia em que Deus Pai quer trazer cura e paz ao seu coração para viver uma vida abundante.

Encorajo você a entregar todas as suas dores, aquilo que o aflige e lhe rouba a paz. Saiba que Deus o ama e tudo que ele quer é sarar suas feridas e trazer alívio e leveza para os seus dias. Permita que essa verdade se enraíze no seu coração, dando-lhe esperança, fé e tranquilidade, porque você sabe que há alguém no controle de todas as coisas.

Confie! Tudo o que ele mais deseja é ver você livre para uma vida plena e cheia de paz!

Somente em Deus podemos encontrar descanso, paz e alegria para nossa alma.

366 **DEVOCIONAL**
58/366

LEITURA BÍBLICA
SALMOS 26

PALAVRA-CHAVE
#CURA

ANOTAÇÕES

EXPRESSE GRATIDÃO

28
FEV

#CAFECOMDEUSPAI

Como é bom render graças ao SENHOR e cantar louvores ao teu nome, ó Altíssimo; anunciar de manhã o teu amor leal e de noite a tua fidelidade.

SALMOS 92.1,2

A gratidão o coloca em lugares que a ingratidão jamais lhe permitiria chegar!

@juniorrostirola

Você tem sido grato? Muitas vezes, lutamos e oramos para alcançar determinadas vitórias; então, quando elas chegam, comemoramos, mas pouco tempo depois nos acostumamos e deixamos de dar a devida importância ao fato, como se aquilo perdesse o valor.

Agir com gratidão é lembrar constantemente do que Deus fez e faz por nós todos os dias. Isso nos torna pessoas alegres e satisfeitas. O contrário também é verdadeiro. Quando pautamos nossa vida apenas no que desejamos e não temos, tornamo-nos egoístas, insensíveis e avarentos. Pessoas assim relacionam suas conquistas com a expectativa de que todos lhe deem atenção, as cubram de elogios e demonstrem aprovação, mas na verdade vivem com um enorme vazio, como se sempre lhes faltasse algo.

A Bíblia nos relata, no Antigo Testamento, que, quando o povo de Israel conquistava uma vitória, construía um altar no local utilizando pedras. O motivo dessa edificação era servir de memorial. Ou seja, quando estivessem caminhando por aquela região, lembrariam da vitória que Deus lhes der e demonstrariam gratidão e louvor.

Quando eu olho para a minha história de vida, não sou capaz de medir o quanto sou grato por tudo que o Pai fez por mim. Se eu não fizesse mais nada, a não ser expressar gratidão a Deus até o último dia de minha vida, ainda assim seria pouco.

E você, que tipo de memorial tem construído? Quero desafiá-lo, de hoje em diante, a ser ainda mais grato. Relembre tudo o que Deus fez, como ele o trouxe até aqui, e agradeça por isso e pelo que ainda ele fará por você.

DEVOCIONAL 
59/366

LEITURA BÍBLICA 
SALMOS 27

PALAVRA-CHAVE 
#MEMORIAL

ANOTAÇÕES

TRAVESSIAS DA VIDA

Logo em seguida, Jesus insistiu com os discípulos para que entrassem no barco e fossem adiante dele para o outro lado, enquanto ele despedia a multidão.

MATEUS 14.22

29 FEV

#CAFECOMDEUSPAI

Essa passagem nos mostra que, depois de Jesus ter multiplicado os pães e os peixes diante de uma multidão, ele dá uma ordem aos discípulos para que entrassem no barco e atravessassem para a outra margem, enquanto ele subiria ao monte para orar. Enquanto os discípulos faziam a travessia, levantou-se uma grande tempestade. Não é porque Jesus não estava no barco que ele não estava no controle da situação. Ele aparece logo em seguida e dá uma ordem para que o vento se acalmasse, levando os discípulos a saírem do mar revolto e desfrutarem de uma grande bonança.

Então, se hoje você está no meio de uma tempestade, se as circunstâncias à sua volta têm trazido medo e pavor, acalme seu coração. Entenda que não é porque você está no meio de uma tempestade que Jesus não está no controle. Eu quero que você se sinta encorajado hoje. Mesmo que a tempestade esteja no seu ápice, isso não quer dizer que Jesus saiu de cena. Assim como o Senhor foi em direção aos discípulos naquele dia, não os deixando desamparados, ele não vai desamparar você. Ele agirá no momento certo!

Durante muitos anos, me vi como numa grande tempestade, sem esperança de que chegaria o tempo da bonança, mas o Senhor foi fiel comigo, cuidou de mim e direcionou para que eu chegasse à outra margem e seguisse minha jornada. Assim também pode acontecer com você, bastando que confie que o Senhor não perdeu o controle e que tudo coopera para você viver um grande milagre. Jesus está em busca de homens e mulheres capazes de dormir em meio à tempestade. Creia, ele está no controle!

Seja qual for a tempestade da vida, viva com a certeza de que Jesus está no controle.

@juniorrostirola

366 DEVOCIONAL
60/366

LEITURA BÍBLICA
MARCOS 5

PALAVRA-CHAVE
#DESCANSAR

ANOTAÇÕES

NÃO PERMITA
QUE OS DIAS
NUBLADOS
FAÇAM VOCÊ
SE ESQUECER
DO QUE
DEUS LHE
PROMETEU.

@juniorrostirola

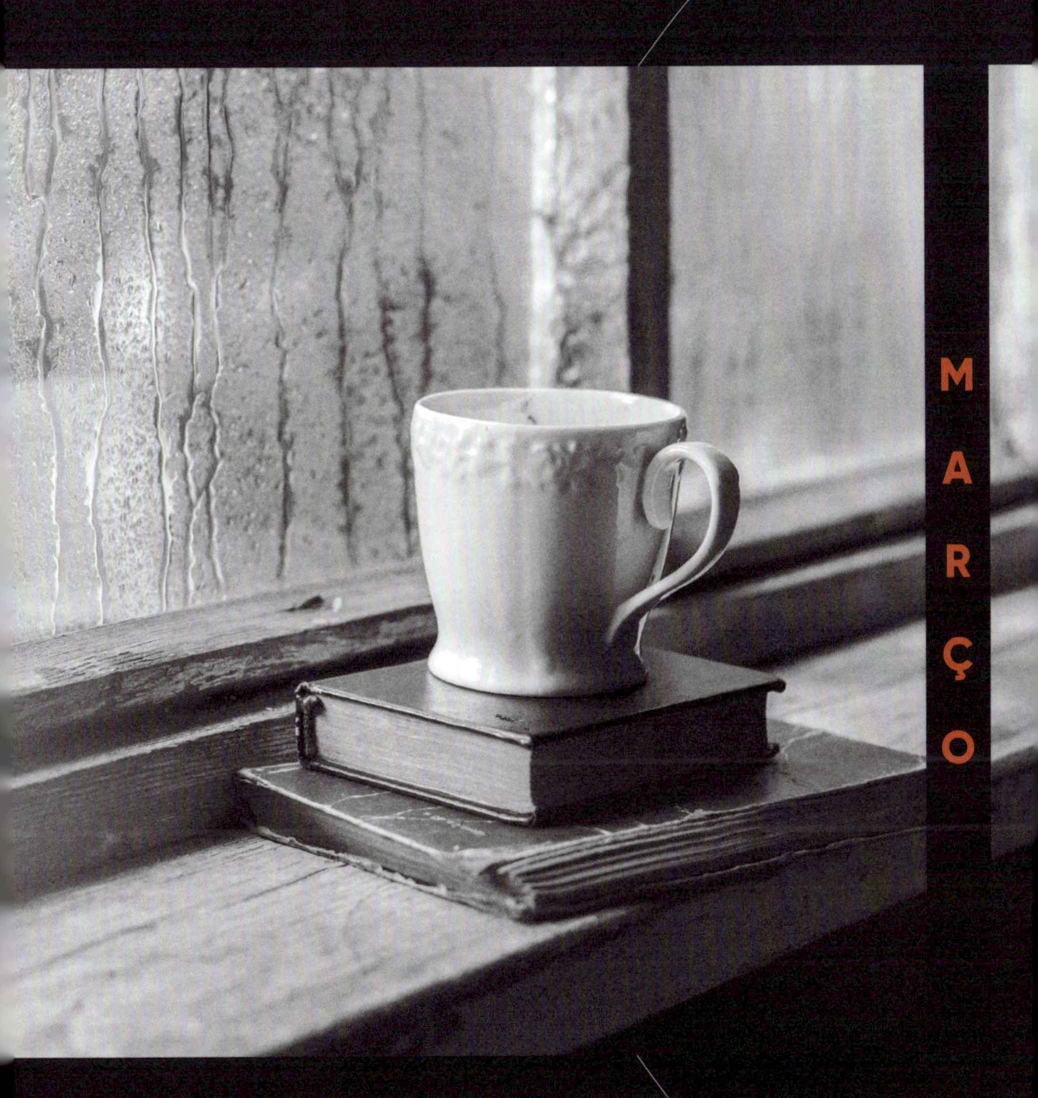

Assista o vídeo com a palavra
e oração para este mês.

café
com
Deus
pai

CONVERSANDO COM O PAI

"Se vocês permanecerem em mim, e as minhas palavras permanecerem em vocês, pedirão o que quiserem, e será concedido."

JOÃO 15.7

01
MAR

#CAFECOMDEUSPAI

Uma das maiores maravilhas que Deus nos concedeu é a possibilidade de conversarmos com ele por meio da oração. Como filhos, temos o total direito e liberdade de pedir; contudo, só receberemos se orarmos segundo a vontade de Deus.

Muitas vezes, fazemos da oração apenas um meio de pedir coisas a Deus, mas o fato é que devemos utilizá-la para nos relacionarmos com ele, e isso inclui falar e ouvi-lo. Devemos expressar nossa gratidão e amor, rasgando o coração para o Pai, contando a respeito de nosso dia, expectativas para o futuro e apresentando a ele nossos pedidos.

Quando oramos, estamos dizendo que ele é nossa prioridade. Saiba que o Pai tem diversas formas de responder-nos; portanto, nem sempre é do modo que imaginamos. Contudo, tenha a certeza de que ele nunca o deixará desamparado. Tenho aprendido que Deus faz do jeito dele e sempre muito melhor do que poderíamos imaginar.

Entendo que Deus ama tanto seus filhos que se alegra profundamente ao ser buscado em oração. Dessa forma, construímos mais intimidade, tornando-nos sensíveis à sua voz e, consequentemente, abrimos portas para uma vida relevante, caminhando no centro da vontade de Deus.

Você tem o hábito da oração? Ela é um dos princípios primordiais de uma vida íntima com Deus. Eu fico maravilhado ao lembrar que temos um Pai que deseja se relacionar conosco. Isso me leva a viver de fato a minha identidade, pois, quanto mais perto do Pai, mais convicto do meu propósito e destino eu fico. Saiba que nada mudará na sua vida se não houver intimidade. Quanto mais intimidade temos com Deus, mais provamos da sua vontade.

No secreto com Deus, você é gerado em verdade.

@juniorrostirola

366 DEVOCIONAL
61/366

LEITURA BÍBLICA
MARCOS 6

PALAVRA-CHAVE
#INTIMIDADE

ANOTAÇÕES

ELE CONHECE VOCÊ

No princípio era aquele que é a Palavra. Ele estava com Deus e era Deus. Ele estava com Deus no princípio.

JOÃO 1.1,2

02 MAR

#CAFECOMDEUSPAI

A vitória de amanhã começa com a escolha de confiar em Deus hoje!

@juniorrostirola

DEVOCIONAL 366
62/366

LEITURA BÍBLICA
MARCOS 7

PALAVRA-CHAVE
#IDENTIDADE

ANOTAÇÕES

Quando lemos essa passagem do Evangelho, fica muito claro para nós que Jesus estava presente ao lado de Deus Pai desde a criação do mundo.

Deus criou a terra para exibir a sua perfeição, o seu cuidado e o seu amor à humanidade. Somos criados por ele e dele, por mais que o opositor tente distorcer e nos distanciar dessa verdade. Deus é zeloso com a sua criação, e a obra feita por suas mãos é perfeita.

Certa vez, eu estava num encontro na prefeitura municipal da minha cidade e uma pessoa, sabendo que sou pastor, disse-me de forma muito ousada que Deus não conhece todos os nossos problemas, tampouco conhece a nós. Naquele momento, usei de muito cuidado com as minhas palavras ao responder-lhe, pois outras pessoas à nossa volta pararam o que estavam fazendo justamente para ouvir a minha resposta.

Eu lhe disse para olhar para as suas mãos e observar atentamente suas digitais em seus dedos. Afirmei que não há nenhuma outra pessoa na face da terra que possuísse uma digital igual a dela, nem mesmo seus parentes mais próximos. E complementei, dizendo: "Se Deus teve a capacidade de nos fazer cada um com uma digital específica, será que ele não nos conhece por completo? Naquele momento, aquela pessoa se convenceu de que temos um Deus que nos conhece por inteiro.

Talvez você já tenha duvidado de que Deus realmente conhece sua vida e sabe o que você está passando. Quero lhe afirmar que, além de conhecer você, ele o escolheu desde o ventre da sua mãe; ele sabe o que você está passando. Grandes são os planos dele para a sua vida.

SUPERE PELO PODER DA FÉ

Estava ele com cem anos de idade quando lhe nasceu Isaque, seu filho. E Sara disse: "Deus me encheu de riso, e todos os que souberem disso rirão comigo".

GÊNESIS 21.5,6

03
MAR
#CAFECOMDEUSPAI

Passaram-se muitos anos para que a promessa revelada por Deus a Abraão se cumprisse. Ele e Sara já estavam com idade avançada, por isso consideraram algo inusitado e engraçado uma mulher idosa dar à luz.

É possível que muitos anos atrás você tenha recebido um sonho que ardia em seu coração. Mas, por causa das dificuldades, você o abandonou e guardou no fundo de uma gaveta que não abre mais.

Saiba, porém que, apesar dos anos terem passado, e as páginas de seu livro estarem amareladas, o sonho ainda está lá. Não importa se irão rir de você, ou dizer que você é velho demais, ou, quem sabe, jovem demais para realizar esse sonho; se o Pai acendeu esse propósito em seu coração, é porque ele deseja realizá-lo para você. Então, lembre-se daquilo que enchia o seu coração de esperança tempos atrás, traga à tona os velhos sonhos que parecem ter naufragado.

Volte a sonhar os sonhos de Deus em sua vida, e, por mais que o tempo possa ter deixado você desanimado e cansado, o Pai lhe dará na hora certa tudo que ele prometeu. Não pare de sonhar, caso ainda não tenha acontecido o que você espera. Deus não tarda nem falha; antes, age no momento certo, em que estamos maduros e preparados para receber as bênçãos que ele tem para nós.

Você precisa entender quais são os propósitos que Deus tem para a sua vida e, com isso, superar as adversidades pelo poder da fé. Entenda que, com fé, o distante se torna próximo e o impossível se torna possível. Na perspectiva dos céus, milagres sempre estarão ao nosso alcance.

Um conquistador supera, por meio da fé, as oposições que tentam impedir suas conquistas.

@juniorrostirola

366 **DEVOCIONAL**
63/366

LEITURA BÍBLICA
MARCOS 8

PALAVRA-CHAVE
#SUPERAÇÃO

ANOTAÇÕES

QUEM TEM O FILHO TEM TUDO

Quem tem o Filho, tem a vida; quem não tem o Filho de Deus, não tem a vida.

1JOÃO 5.12

04
MAR

#CAFECOMDEUSPAI

Se um pai biológico tem os melhores planos para seus filhos, imagine Deus.

@juniorrostirola

DEVOCIONAL 366
64/366

LEITURA BÍBLICA
SALMOS 28

PALAVRA-CHAVE 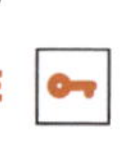
#HERANÇA

ANOTAÇÕES

Existe uma história que ouvi muito tempo atrás sobre um homem rico que perdeu seu filho na guerra e guardava com muito carinho um retrato que havia pintado de seu falecido filho em meio à sua enorme e valiosa coleção de pinturas.

Quando o homem faleceu, por não haver herdeiro para a fortuna, em seu testamento estava registrado que todos os seus bens deveriam ser leiloados. Mas, antes de iniciar os lances, o leiloeiro informou que o desejo do falecido homem era que a primeira obra a ser leiloada fosse um retrato simples, chamado de "O Filho". As várias pessoas que foram até o local desejando arrematar as obras valiosas ignoraram aquele retrato simples e não deram nenhum lance. Por isso, o retrato foi arrematado pelo mordomo do homem que havia falecido. Este, comovido com a lembrança de seu patrão, que olhava triste para aquela pintura todos os dias, deu o único lance.

Após o mordomo tê-lo arrematado, o leiloeiro declarou encerrado o leilão, e nesse momento todas as pessoas ficaram indignadas e atônitas tentando entender o motivo. Então, ele explicou que o falecido homem, em seu testamento, também havia determinado que a pessoa que arrematasse o retrato de seu filho levaria junto as demais pinturas e todo o seu patrimônio.

Essa história me ensina que quem tem o filho tem tudo. Temos por herança tudo o que pertence ao Pai. Em Jesus, temos acesso a todas as bênçãos de Deus e ao melhor para a nossa vida. Acima de tudo que o mundo possa oferecer, escolha o Filho, pois só nele você tem acesso ao Pai para desfrutar de uma vida abundante.

O GPS DA VIDA

Portanto, não sejam insensatos, mas procurem compreender qual é a vontade do Senhor.

EFÉSIOS 5.17

05
MAR

#CAFECOMDEUSPAI

Nos dias de hoje, é praticamente impossível viajar para um lugar desconhecido sem um GPS. Eu pessoalmente uso com frequência essa tecnologia, pois, nas vezes em que tentei não depender dela, o resultado foi um pouco desastroso: fiquei algumas horas perdido.

Quando se trata da nossa vida, os desafios e obstáculos são os mesmos. À medida que crescemos e amadurecemos, nossos pais direcionam nossos passos, fazendo que tenhamos o máximo de conforto de acordo com as condições que nossa família possui.

Em minha história de vida, lembro-me de que minha mãe sempre fez o máximo para direcionar os seus filhos. Foram valores que nortearam nossa infância e que prosseguem por toda a nossa vida.

Deus Pai, de igual forma, quer nos direcionar para que não fiquemos perdidos, vagando sem direção. Mas, assim como à medida que crescemos deixamos de dar ouvidos aos nossos pais, julgando que somos maduros o suficiente, assim também, muitas vezes, agimos de igual forma com Deus Pai. Tomamos as próprias decisões como se fôssemos donos da razão.

Como está a direção da sua vida? Qual caminho você tem trilhado? Você é direcionado por Deus ou por suas próprias escolhas?

Saiba que o Senhor não quer ser apenas um espectador em sua vida, mas se relacionar com você de forma genuína e intensa. Por isso, esteja atento aos direcionamentos dele, ainda que você não enxergue o final da curva ou pareça que não há uma saída. Quando Deus Pai está conosco, não andamos perdidos. Portanto, entregue o controle de sua vida nas mãos daquele que tem a direção correta, rumo aos seus melhores dias.

Sozinho, você pode chegar a algum lugar, mas nunca chegará aonde Deus deseja levar você!

@juniorrostirola

DEVOCIONAL
65/366

LEITURA BÍBLICA
SALMOS 29

PALAVRA-CHAVE
#DIREÇÃO

ANOTAÇÕES

DEIXE A LUZ ENTRAR

06
MAR
#CAFECOMDEUSPAI

Disse Jesus aos judeus que haviam crido nele: "Se vocês permanecerem firmes na minha palavra, verdadeiramente serão meus discípulos. E conhecerão a verdade, e a verdade os libertará".

JOÃO 8.31,32

Viver na luz é reconhecer que as trevas são inoperantes diante da grandeza de Deus.

@juniorrostirola

DEVOCIONAL 366
66/366

LEITURA BÍBLICA
SALMOS 30

PALAVRA-CHAVE
#LUZ

ANOTAÇÕES

Nos noticiários internacionais, talvez você já tenha ouvido falar de pessoas que foram sequestradas e permaneceram por muito tempo, às vezes até por anos, presas em porões, onde sofreram vários tipos de abusos. Por mais que um dia essas pessoas finalmente tenham sido resgatadas, as feridas geradas decorrentes daqueles dias permanecem em sua alma, e a memória dos momentos de horror se mantém vívida.

O fato é que muitos de nós estamos com nossa alma presa em lugares como esses, onde não permitimos que Deus entre. Talvez sua infância, adolescência ou juventude tenham sido sequestradas e colocadas em um lugar assim, onde você passou por dias difíceis, mas não consegue se abrir com as pessoas a respeito disso, pois são momentos que você não quer revisitar.

Essas emoções negativas podem acabar travando sua vida e impedindo você de prosseguir. Permita que Deus Pai abra esses porões da sua alma para que você seja liberto de tudo que o tem paralisado. Talvez você tenha trancado essas dores com cadeados, na expectativa de que não afetariam mais sua vida; contudo, entenda que elas invariavelmente deixam marcas que acabam influenciando você.

Quais áreas de sua vida estão em porões? Em 1João 1.5, a Bíblia diz que Deus é luz; portanto, ao se aproximar cada vez mais dele, você será completamente liberto e curado, e a escuridão será dissipada de sua vida por completo. Permita que a luz que vem de Deus Pai dissipe todas as dores e traumas que ainda insistem em permanecer na sua vida. Só assim, você viverá completamente livre.

TRILHE SUA JORNADA

Tu criaste o íntimo do meu ser e me teceste no ventre de minha mãe.

SALMOS 139.13

07
MAR

#CAFECOMDEUSPAI

Existe um ditado que diz que a grama do vizinho é mais verde. Esse dito popular pode se tornar verdade se, em vez de cultivarmos nosso jardim, ficarmos parados observando a grama do outro, ou seja, a prosperidade alheia, sendo consumidos pela inveja.

Lembro-me de quando eu era criança o quanto a orfandade desenvolveu um sentimento de inveja do meu vizinho, cujo pai era caminhoneiro. Sempre que o pai chegava de viagem, o colocava no colo enquanto dirigia o caminhão pela rua. Como eu queria ter um pai assim, pois durante muito tempo fiquei paralisado, olhando para o relacionamento deles.

Enquanto eu desejava viver a identidade de alguém que eu não era, me frustrava e via os sonhos que também não eram meus irem embora. Foi preciso uma decisão, um posicionamento para viver uma nova realidade. Decida assumir sua identidade, pois você não pode querer viver a vida do outro, assim como ninguém precisa apagar a luz do vizinho para iluminar a sua própria vida. Logo, eu não preciso viver os sonhos dos outros para ser feliz e ter uma vida realizada.

Talvez tudo o que você precise é descobrir sua identidade Deus Pai, para então enfrentar sua realidade a ponto de transformá-la. Entenda que sua identidade determina quem você é, quem você não é e em quem você irá se tornar. Então, ter a certeza dela é fundamental para não perder o foco durante a jornada, pois o caminho que precisamos seguir é único e é nosso.

Decida tirar um tempo para se relacionar e conversar com Deus. Peça que ele sonde o seu coração e molde sua identidade. Deus tem grandes planos para sua vida, e você precisa estar preparado para vivê-los.

Separe um momento diariamente para passar tempo de qualidade com Deus, tenha intimidade e viva o seu propósito aqui na terra.

@juniorrostirola

DEVOCIONAL
67/366

LEITURA BÍBLICA
MARCOS 9

PALAVRA-CHAVE
#PROPÓSITO

ANOTAÇÕES

TENHA UMA ATITUDE DE FÉ

08
MAR

#CAFECOMDEUSPAI

Você, mulher, é um reflexo do amor e da graça de Deus, parabéns pelo seu dia!

Lembre-se sempre que você foi criada com propósito e capacidade para realizar o extraordinário. Que Deus Pai continue a abençoá-la em todas as áreas da sua vida, hoje e sempre!

@juniorrostirola

DEVOCIONAL 366
68/366

LEITURA BÍBLICA
MARCOS 10

PALAVRA-CHAVE
#ATITUDE

Caminhe sobre a Palavra de Deus liberada sobre a sua vida.

Eli respondeu: "Vá em paz, e que o Deus de Israel lhe conceda o que você pediu".

1SAMUEL 1.17

O livro de 1Samuel inicia-se narrando a história de Ana, uma mulher estéril, constantemente provocada e humilhada por Penina, que possuía vários filhos. Por anos, Ana sofreu por causa disso.

A pior coisa na vida é você criar uma expectativa e as coisas não fluírem. Muitas pessoas acabam parando diante das circunstâncias contrárias.

Muitas pessoas diante de um cenário desanimador acabam desistindo. Ana tinha todos os motivos para desistir. Ela poderia ter permanecido deprimida e mergulhada na amargura e na melancolia. Poderia ter ficado triste, trancada em seu quarto. Mas essa não foi sua atitude. Em meio à dificuldade, ela levanta a cabeça e se move, fazendo algo extraordinário que mudaria toda a sua história.

Talvez você tenha andado angustiado, e as circunstâncias talvez tenham tentado parar você. Mas o Pai está ao seu lado e trabalhando a seu favor. Independentemente de em que área de sua vida esteja ocorrendo uma tempestade, creia! Deus não dorme nem cochila.

Chega o tempo na vida de Ana em que tudo muda diante do posicionamento dela de pôr a sua angústia aos pés de Deus, e ela finalmente pode se alegrar. Entenda que as decisões que você tomar hoje podem ecoar pelas futuras gerações, por isso é fundamental estar atento às suas escolhas.

Então, escolha: permanecer inerte, andando em círculos ao redor do seu problema, ou tomar uma atitude de fé e compartilhar com o Pai a sua angústia, chamando para lutar por você aquele que nunca perdeu nenhuma batalha.

ENTRE A DOR E A FELICIDADE

[...] a parteira lhe disse: "Não tenha medo, pois você terá outro menino". Já a ponto de sair-lhe a vida, quando estava morrendo, deu ao filho o nome de Benoni. Mas o pai deu-lhe o nome de Benjamim. Assim, morreu Raquel [...].

GÊNESIS 35.17-19

Você já passou pela experiência de tudo estar dando certo, estar no melhor momento e de repente tudo mudar? Sabe quando existem inúmeros motivos para se alegrar, mas uma notícia ofusca todos eles, a ponto de você ficar entre dois extremos: a felicidade e a tristeza?

Essa era a situação vivenciada por Jacó. A esposa que ele tanto amava, Raquel, estava perdendo a vida e, no mesmo momento, dando à luz um novo filho. Vida e morte estavam diante de seus olhos. E Jacó precisava reagir diante de uma situação tão grave e difícil. A resposta de Jacó foi pegar o diagnóstico ruim e responder com otimismo. A criança que se chamaria Benoni, que significa "filho da dor" , foi chamada por ele de Benjamim, "filho da alegria".

Não podemos impedir que coisas ruins aconteçam, todavia podemos escolher a forma como agiremos diante dessas situações. Não podemos fazer com que a nossa dor recaia sobre as outras pessoas, que é o que aconteceria se Jacó tivesse permitido que seu filho se chamasse Benoni; a criança, infelizmente, carregaria consigo a dor da morte da mãe, sentindo-se culpada pelo resto da vida.

Compreenda que está em suas mãos o poder de escolher como reagir ao que a vida lhe apresenta, não é uma tarefa simples, pois diante das adversidades da vida, é muito comum olharmos apenas para o que há de ruim, para a frustração da perda e o medo da derrota.

Compreenda que, com fé na presença de Deus Pai sempre ao seu lado, você terá força e serenidade para transformar toda a tristeza em alegria.

Suas escolhas poderão tirar ou manter você na promessa.

@juniorrostirola

DEVOCIONAL
69/366

LEITURA BÍBLICA
MARCOS 11

PALAVRA-CHAVE
#RESSIGNIFICAR

ANOTAÇÕES

DA MORTE NASCE A VIDA

10
MAR
#CAFECOMDEUSPAI

"Digo-lhes verdadeiramente que, se o grão de trigo não cair na terra e não morrer, continuará ele só. Mas, se morrer, dará muito fruto."

JOÃO 12.24

Quando morremos para as coisas terrenas, nascemos para as sobrenaturais.

@juniorrostirola

DEVOCIONAL 366
70/366

LEITURA BÍBLICA
MARCOS 12

PALAVRA-CHAVE
#RENASCIMENTO

ANOTAÇÕES

A germinação da semente de trigo nos ensina muitas coisas. Da morte nasce a vida. O grão de trigo enterrado na terra morre e então se rompe para a germinação. É assim que gera a planta, o pé de trigo. Só morrendo, dando-se a si mesmo, pode produzir fruto, cumprindo o propósito para o qual foi criado, chegando à nossa mesa como alimento para saciar a fome.

Aprendemos com esse exemplo que, quando morremos para as nossas vontades, quebramos o orgulho de sermos independentes e então assumimos a condição de filhos de Deus por meio do sacrifício de Jesus, pois só morrendo para as coisas do mundo as verdades geradas pelo Pai se tornam realidade em nossa vida.

Entenda que sua vida só tem sentido quando vivida no formato que Deus estabeleceu. Isso não quer dizer que todas as suas escolhas sejam ruins ou erradas, mas, se não estiverem no centro da vontade do Pai, nunca o satisfarão.

Talvez o grande desafio para esta estação em que vivemos seja justamente quebrar o orgulho que há em cada um de nós de viver do nosso jeito, sem buscar o que Deus Pai preparou para nós.

Eu convido você a abrir o seu coração para Deus e entregar aos pés dele tudo que o impede de viver uma vida plena, todos os traumas que a vida lhe causou, gerando em você certas feridas, ou pecados que você cometeu que precisam ser deixados, para que você viva as coisas do alto, entenda que Deus tem vida para você. Deixe morrer a semente do eu, para que ela possa germinar o propósito de Deus na sua vida.

O PODER DA GENEROSIDADE

"Por isso, não tenham medo. Eu sustentarei vocês e seus filhos." E assim os tranquilizou e lhes falou amavelmente.

GÊNESIS 50.21

11
MAR

#CAFECOMDEUSPAI

Generosidade não diz respeito apenas às boas obras, mas também à virtude de suportar com firmeza as adversidades da vida em benefício de outros. Assim é a generosidade de Deus; ele não se limita apenas a nos abençoar materialmente, mas em todas as áreas da vida.

Nessa passagem, vemos José agir inspirado por Deus, pagando o mal que os seus irmãos lhe fizeram com o bem, e o mais interessante na generosidade de José é que ele não apenas vê e se compadece de seus irmãos, mas acaba reconhecendo que Deus permitiu que ele passasse por situações difíceis para que agora pudesse ajudá-los.

Algo que costumo dizer é que a generosidade mostra como está o seu coração e tem o poder de impactar vidas. Atualmente, muitas pessoas têm se afastado umas das outras por desentendimentos, e isso ocorre até mesmo dentro das famílias. Esse afastamento cria rachaduras em lares e amizades, mas o fato é que a generosidade tem poder para restaurar tudo isso. Assim como José se reconciliou com seus irmãos por meio de um ato de amor e perdão, até então inesperado por eles, você também pode fazer o mesmo.

Nós que temos o brilho e a paz de Deus em nosso coração, devemos tomar atitudes que reflitam isso. Jesus diz em Mateus 5.9: "Bem-aventurados os pacificadores, pois serão chamados filhos de Deus". O fato é que o amor de Deus tem poder para restaurar.

Não permita que desentendimentos do passado criem rachaduras em sua vida. Seja generoso e pacificador. Deus Pai o está chamando para isso!

A generosidade não o torna melhor que ninguém, mas o faz mais parecido com Jesus!

@juniorrostirola

DEVOCIONAL
71/366

LEITURA BÍBLICA
SALMOS 31

PALAVRA-CHAVE
#RECONCILIAÇÃO

ANOTAÇÕES

A DIREÇÃO CERTA

12
MAR
#CAFECOMDEUSPAI

Quando chegaram à fronteira da Mísia, tentaram entrar na Bitínia, mas o Espírito de Jesus os impediu.

ATOS 16.7

Direção é mais importante que velocidade.

@juniorrostirola

DEVOCIONAL 366
72/366

LEITURA BÍBLICA
SALMOS 32

PALAVRA-CHAVE
#ROTA

ANOTAÇÕES

Quando Paulo estava em sua segunda viagem missionária, tinha a intenção de ir para um lugar chamado Bitínia, mas Deus o queria na Macedônia. É como se você fosse fazer uma viagem, já tivesse comprado a passagem aérea e reservado os assentos, mas de forma abrupta algo o impedisse e você precisasse mudar seu destino.

Saiba que muitas vezes uma porta fechada nos leva diretamente à vontade de Deus. É como um semáforo interior, sinalizando com a cor vermelha para não seguirmos na direção que pretendemos. Paulo, em seu coração, desejava ir para a região da Bitínia a fim de pregar o evangelho, mas essa não era a vontade do Pai. Talvez Paulo tenha se frustrado com isso, mas logo Deus lhe deu uma nova direção, e foi a partir desse lugar que o evangelho cresceu, frutificou e se espalhou por todo o mundo.

Aprendo que uma porta fechada pode gerar frustração no primeiro momento, mas, se nos mantivermos obedientes e confiantes, veremos que a promessa está logo à frente. Ainda que você esteja com a sensação de que perdeu uma boa oportunidade, compreenda que o Pai pode fechar portas para nos proteger e direcionar para coisas maiores.

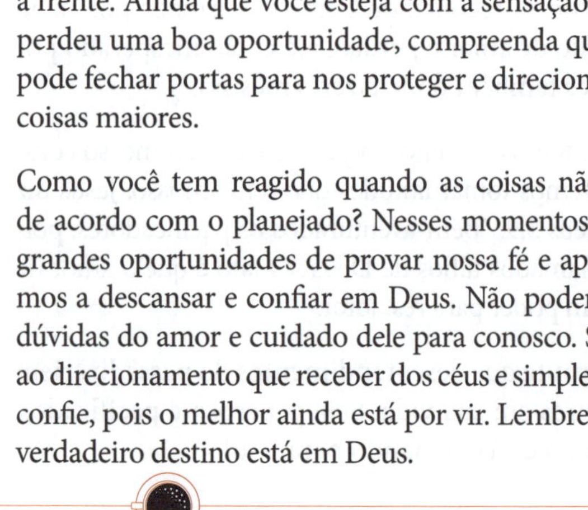

Como você tem reagido quando as coisas não saem de acordo com o planejado? Nesses momentos, temos grandes oportunidades de provar nossa fé e aprendermos a descansar e confiar em Deus. Não podemos ter dúvidas do amor e cuidado dele para conosco. Seja fiel ao direcionamento que receber dos céus e simplesmente confie, pois o melhor ainda está por vir. Lembre-se: seu verdadeiro destino está em Deus.

RENOVE O SEU CORAÇÃO

"Os olhos são a candeia do corpo. Quando os seus olhos forem bons, igualmente todo o seu corpo estará cheio de luz. Mas, quando forem maus, igualmente o seu corpo estará cheio de trevas."

LUCAS 11.34

13
MAR

#CAFECOMDEUSPAI

É comumente dito que os olhos são as janelas da alma, isso porque eles transmitem o que sentimos, do mesmo modo que uma janela aberta revela o que há no interior de uma casa.

Jesus, com isso, nos diz que ter bons olhos é simplesmente fruto de um coração puro. Não conseguimos esconder o que está dentro de nós. Tanto o olhar quanto as palavras que proferimos revelam exatamente o que há em nosso coração.

Palavras e olhares que expressam sentimentos negativos são apenas fruto de um coração que se encontra dessa forma. Reflita sobre aquilo que está saindo de seus lábios diariamente. São palavras positivas, de afirmação e paz a respeito de você e de outras pessoas? Caso não sejam, o problema é que sua boca fala do que está cheio o coração. Uma palavra mal colocada pode causar feridas que permanecem por muito tempo, por isso é necessário cuidado com o que proferimos.

Jesus passou pelas mais diversas dores e dificuldades, coisas que eu e você nem sequer conseguiríamos imaginar, mas em nenhum momento ele murmurou.

Por isso, devemos aprender com Jesus para termos nosso olhar renovado. Todo medo, toda desconfiança e fraqueza se vão, e você será inundado com tamanha paz, a ponto de só restar espaço para o amor, esse capaz de renovar sua mente e transformar sua vida.

Como está o seu coração? Que tipo de sentimentos você está cultivando? O que tem saído dos seus lábios? Receba hoje uma nova visão, fruto de um coração renovado por Deus Pai, e transborde por onde quer que você vá.

Sempre haverá renovo para um coração disposto.

@juniorrostirola

366 **DEVOCIONAL**
73/366

LEITURA BÍBLICA
SALMOS 33

PALAVRA-CHAVE
#RENOVAÇÃO

ANOTAÇÕES

O IMPOSSÍVEL É TEMPORÁRIO

14
MAR

#CAFECOMDEUSPAI

Porque vivemos por fé, e não pelo que vemos.

2CORÍNTIOS 5.7

Quando você crê que Deus faz, no tempo certo, você vive o sobrenatural.

@juniorrostirola

Você nunca alcançará seu destino permanecendo onde está. Por toda a Bíblia, vemos Deus responder a todos aqueles que se movem com fé.

Por exemplo, quando Elias encontrou a viúva, ela preparou uma refeição primeiro para o profeta, para que depois suas necessidades fossem atendidas, e isso fez toda a diferença em sua história.

Da mesma forma, a mulher que estava prestes a ter seus filhos tomados como escravos por causa de uma dívida de seu falecido marido, recebeu do profeta Eliseu a instrução de buscar todas as vasilhas que pudesse, e quando o fez, Deus as encheu com azeite.

Não foi diferente com Moisés que, ao esticar seu cajado sobre o mar Vermelho, as águas se separaram. Temos um outro exemplo: Abraão recebeu uma orientação e prosseguiu confiante de que Deus cumpriria as suas promessas. Ele precisou dar o primeiro passo, se movimentar em direção ao que o Pai lhe ordenou. Talvez você esteja esperando em Deus, mas já pensou na possibilidade de Deus estar esperando por você?

A Bíblia fala de muitos que agiram com fé e viveram o milagre. Isso me ensina que é impossível viver grandes milagres se não tivermos fé. Mesmo que o cenário seja contrário, Deus é capaz de mudar qualquer realidade.

Pense naquilo que o está afligindo: doenças na família, brigas, problemas no casamento, questões financeiras... Não importa o tamanho do seu problema, mas sim quanto você tem fé no Deus que transforma realidades. Aproxime-se ainda mais dele. Saiba que para quem crê em Deus Pai o impossível é temporário.

DEVOCIONAL 366
74/366

LEITURA BÍBLICA
MARCOS 13

PALAVRA-CHAVE
#MOVA-SE

ANOTAÇÕES

AS ESTAÇÕES DA VIDA

Para tudo há uma ocasião certa; há um tempo para cada propósito debaixo do céu: Tempo de nascer e tempo de morrer, tempo de plantar e tempo de arrancar o que se plantou.

ECLESIASTES 3.1,2

15
MAR

#CAFECOMDEUSPAI

Anos atrás, eu tinha um bom emprego e um bom salário. Então, chegou o tempo em que Deus falou comigo sobre deixar esse emprego e assumir o ministério que ele estava confiando em minhas mãos. Eu ouvi o Senhor dizer: "Este tempo está encerrado".

Em meu coração, eu sabia o que Deus estava falando, mas sentia um misto de entusiasmo e medo. Eu queria ir adiante, porém tinha medo de errar. Desejava ver o que Deus iria fazer, mas tinha receio de dar um passo em direção ao desconhecido.

Às vezes, Deus dá algo por encerrado, mas nós continuamos agarrados a isso. Então, finalmente obedeci e hoje desfruto de um ministério saudável que tem abençoado toda a nação e vários lugares do mundo.

Lembre-se de que Deus muda as coisas como e quando ele quer, a fim de nos levar a lugares inimagináveis. Precisamos entender que há tempo para todas as coisas, e respeitar isso nos colocará em lugares maiores do que os nossos sonhos.

Você pode estar vivendo hoje uma estação difícil ou agradável. Saiba, porém, que isto é certo: as estações vêm e vão, assim como o sol nasce e se põe todos os dias. Entenda que cada fase tem o seu valor, cada experiência tem o seu preço e sua recompensa. Somos formados no decorrer do caminho, com altos e baixos, ganhos e perdas, críticas e elogios, abraços e rejeições; de tudo devemos tirar proveito.

A questão é que não podemos ser dirigidos pelas estações em si, mas sim pelo que Deus deseja nos ensinar e nos direcionar em cada uma delas.

Viver a fase em que estamos nos prepara para a que virá.

@juniorrostirola

366 **DEVOCIONAL**
75/366

LEITURA BÍBLICA
MARCOS 14

PALAVRA-CHAVE
#AMADURECIMENTO

ANOTAÇÕES

ELE ESTÁ CUIDANDO DE VOCÊ

16
MAR
#CAFECOMDEUSPAI

Sabemos que Deus age em todas as coisas para o bem daqueles que o amam, dos que foram chamados de acordo com o seu propósito.

ROMANOS 8.28

Um conquistador se apropria das promessas de Deus sobre a sua vida.

@juniorrostirola

DEVOCIONAL 366
76/366

LEITURA BÍBLICA
MARCOS 15

PALAVRA-CHAVE
#CUIDADO

ANOTAÇÕES

Diversas vezes na Bíblia, Jesus diz: "Não se preocupe!", "Não fique ansioso!" ou "Tenham bom ânimo!". No entanto, simplesmente pedir a uma pessoa que está passando por momentos difíceis que pare de ficar preocupada e ansiosa raramente ajuda. Você já viu alguém escolher ficar ansioso? Então, por que Jesus diria isso às pessoas?

As palavras dele são muito mais profundas do que isso. Sua intenção é fazer-nos compreender que todas as coisas estão sob seu controle, por isso não há motivo para maiores preocupações; basta confiarmos em seu cuidado e provisão para a nossa vida.

Atualmente, muitos vem sofrendo com distúrbios de ansiedade em razão de estilo de vida, excesso de tarefas, entre tantos outros motivos. Provavelmente, você conhece alguém que enfrenta esses problemas ou que esteja passando por isso. Aprendo que, quando conseguimos depositar nossa confiança em Deus Pai e repousar sobre suas palavras, passamos a lidar melhor com todas as pressões que o mundo nos impõe.

A Bíblia diz que Deus provê os recursos necessários em abundância para a sobrevivência dos pássaros e até da erva do campo e conclui afirmando que obviamente ele se preocupa ainda mais com o sustento de todos os seus filhos.

O que tem tirado sua paz e o mantido ansioso? Ao olharmos para a Bíblia, temos a certeza de que Deus jamais nos abandona, e tudo acontece por um propósito maior, quando estamos alinhados ao coração do Pai. Creia em todas as promessas de cuidado que Deus liberou sobre a sua vida e lembre-se: tudo coopera para o seu bem!

NÃO SE DEIXE PARALISAR

E ele se pôs a chorar tão alto que os egípcios o ouviram, e a notícia chegou ao palácio do faraó.

GÊNESIS 45.2

17
MAR
#CAFECOMDEUSPAI

José nos ensina muito sobre perdoar. Quando ele está diante de seus irmãos, anos após estes o terem traído e vendido como escravo, agora ele ocupa um lugar de destaque, abaixo apenas do faraó. Por isso, José teria todo o poder para vingar-se dos irmãos que vieram até o Egito em busca de comida, mas a misericórdia prevaleceu sobre a ira, e José, em vez de ser tomado por um sentimento de rancor para com seus irmãos, sente compaixão em seu coração e, possivelmente lembrando-se de tudo pelo que havia passado, retira-se da presença de seus irmãos e chora.

O choro de José certamente não foi por causa de toda a dor que ele passou para chegar até ali, mas de alegria por ver a promessa do Senhor se cumprindo, mostrando-lhe que tudo, enfim, valera a pena, não só para ele, mas para um incontável número de pessoas que deixou de perecer com a fome graças aos direcionamentos dados pelo Senhor a José.

Quanto tempo perdemos guardando mágoa e rancor de quem algum dia nos fez algum mal! Ou remoendo as dores do passado, lambendo velhas feridas, sem deixá-las cicatrizar! A dor do passado pode nos fazer chorar, isso é inevitável, mas ela não pode nos paralisar. Precisamos avançar com fé, conscientes de que todos os escombros do nosso passado estão servindo para formar um alicerce firme para o nosso futuro.

Se o ontem foi dolorido, não significa que o amanhã o será. Tenha fé e confie no Senhor, pois ele lhe dará maturidade para aprender com as experiências do passado e a orientação necessária para viver um futuro abençoado segundo a vontade dele.

Deus prometeu prover a força, a energia e o poder de que você precisa para prosseguir.

@juniorrostirola

DEVOCIONAL
77/366

LEITURA BÍBLICA
MARCOS 16

PALAVRA-CHAVE
#AVANÇAR

ANOTAÇÕES

O TEMPO É HOJE

18
MAR
#CAFECOMDEUSPAI

Descobri que não há nada melhor para o homem do que ser feliz e praticar o bem enquanto vive.

ECLESIASTES 3.12

O presente momento é um presente de Deus.

@juniorrostirola

DEVOCIONAL 366
78/366

LEITURA BÍBLICA
SALMOS 34

PALAVRA-CHAVE
#TEMPO

ANOTAÇÕES

Quantas boas oportunidades já passaram em sua vida que não foram aproveitadas? Oportunidades de amar, de abraçar, de dizer "Pode contar comigo" ou "Quanto você é importante para mim". Sabe, hoje antes de escrever este devocional, recebi uma notícia ruim: um jovem membro da igreja que pastoreio partiu com apenas 19 anos. O que eu aprendo com isso é que não podemos deixar para amanhã o que podemos e devemos fazer hoje.

Da mesma forma, toda ideia genial, todo projeto inovador ou sonho permanecerá apenas no campo das ideias se não for dado o primeiro passo para pôr em ação. Acredito que um dos lugares que mais tem sonhos não realizados concentrados é o cemitério, pois ali, além dos mortos, jazem canções não compostas, livros não escritos, viagens não realizadas, declarações de amor nunca proferidas.

O que está paralisando sua vida? No meu caso, era a rejeição, que me impedia de ver dias melhores. Não seja paralisado por aquilo que o limita. Tenha a visão de alcançar novas oportunidades e viver o novo. Não deixe para depois. Abrace quem você ama, peça perdão e perdoe quem o magoou. Entenda que o perdão abre portas para inúmeros sentimentos bons. Só assim será possível viver em novidade de vida, aproveitando cada momento como único e especial, vivendo uma vida totalmente satisfeita, algo que somente o encontro com Jesus pode proporcionar.

Viva o hoje como se fosse o último dia da sua vida; afinal, o presente momento é um presente de Deus para você.

UM NOVO AMANHECER

Disse Deus: "Haja luminares no firmamento do céu para separar o dia da noite. Sirvam eles de sinais para marcar estações, dias e anos, e sirvam de luminares no firmamento do céu para iluminar a terra". E assim foi.

GÊNESIS 1.14,15

19
MAR

#CAFECOMDEUSPAI

Toda a maravilhosa criação do Universo não foi realizada por um movimento físico de Deus, mas, simplesmente pelo poder de suas palavras, cada parte da criação ganhou forma e obedeceu a toda ordem dada por ele.

Isso me faz pensar que o mesmo Deus cuja voz criou o Universo e tudo o que nele há nos chama de filhos, está perto de nós, busca um relacionamento conosco e cuida de cada detalhe da nossa vida. A mesma voz que me resgatou de uma vida de sofrimentos e angústias e me deu uma nova perspectiva, transformando toda a minha história e rompendo com todos os ciclos de derrota, foi a voz de Deus Pai.

Quando estamos alicerçados nele, temos a convicção de que, independentemente de quão difícil ou duro tenha sido nosso dia ou o momento que estamos enfrentando, sempre haverá um novo amanhecer. Quando pensamos que é o fim e simplesmente aguardamos o ponto final em nossa vida, ele nos mostra que era apenas uma vírgula, uma pequena pausa, para, ali na frente, nos conduzir ao extraordinário.

Independentemente do que você esteja enfrentando, se são dias bons ou maus, o fato é que Deus não muda; seu cuidado e amor continuam os mesmos. Creia que a mesma voz que trouxe à existência todo o Universo o chama de filho e hoje o convida para chegar ainda mais perto dele.

A partir de hoje, caminhe confiante e motivado, pois tudo está nas mãos do Pai; ele tem o melhor para a sua vida. Ainda que as circunstâncias estejam difíceis, o que são as dificuldades, perto da grandeza do nosso Deus? Acredite: há um novo amanhecer para a sua vida.

Não coloque um ponto final onde Deus ainda está escrevendo uma história com você.

@juniorrostirola

DEVOCIONAL
79/366

LEITURA BÍBLICA
SALMOS 35

PALAVRA-CHAVE
#AMANHECER

ANOTAÇÕES

REVISTA-SE DO NOVO

[A] serem renovados no modo de pensar e a revestir-se do novo homem, criado para ser semelhante a Deus em justiça e em santidade provenientes da verdade.

EFÉSIOS 4.23,24

20 MAR

#CAFECOMDEUSPAI

Hoje Deus está te dando a oportunidade de viver o novo.

@juniorrostirola

DEVOCIONAL 

80/366

LEITURA BÍBLICA 

SALMOS 36

PALAVRA-CHAVE 

#RENOVO

ANOTAÇÕES 

Independentemente de sua idade, certamente você, ao revisitar fotos antigas suas, deve ter se deparado com vários momentos marcantes de seu passado. Além de observar as mudanças físicas que o tempo lhe proporcionou, certamente observa também a diferença no modo como se vestia, podendo até mesmo ficar admirado com as coisas que eram moda anos atrás e que são estranhas hoje.

É muito interessante observar que nessa mensagem do apóstolo Paulo ele usa a expressão "revestir-se". Certamente a sua intenção era transmitir a compreensão da ideia de um ato semelhante a trocar de roupa, abandonar as vestes antigas e vestir roupas novas e limpas.

Convém entender esta importante verdade: primeiro, somos convidados a renovar nossa mente, para, depois, nos revestirmos de nossa nova identidade, ou seja, vivermos uma nova vida em Cristo.

No entanto, entenda que isso não ocorre instantaneamente; é necessário passar por diversas estações na vida, para que, à semelhança de uma ave que muda todas as suas penas e uma árvore que troca todas as suas folhas, também possamos ser transformados pelo Pai.

Isso significa que, enquanto você não se livrar daquilo que não condiz mais com sua nova identidade, será paralisado pelo passado e amedrontado pelo futuro, impedindo-o de romper. Dessa forma, você jamais abrirá espaço para receber o que o Pai tem de novo para a sua vida.

Para que esse processo aconteça, sua vida precisa ser edificada por Deus. Por isso, permita viver o novo, ser renovado em seus pensamentos e edificado para uma nova estação.

NÃO PULE PROCESSOS

Para tudo há uma ocasião certa; há um tempo certo para cada propósito debaixo do céu.

ECLESIASTES 3.1

21
MAR

#CAFECOMDEUSPAI

Quando eu era mais jovem, não via a hora de completar a maioridade para obter a minha carteira de habilitação para dirigir um veículo. Você se identifica com isso? Deixe-me confessar algo para vocês! Aos meus 17 anos, fui contemplado em um consórcio de uma moto já na segunda parcela; era tudo o que eu queria. Eu já vinha insistindo com Deus para receber aquele veículo. Creio que ele permitiu para me ensinar algo, pois no mesmo dia que a moto chegou, eu fui dar uma volta e a polícia me abordou. Para resumir, a minha tão sonhada moto mal chegou e precisei colocá-la à venda. Sabe por quê? Eu até sabia dirigir, mas, não tinha o direito ainda, pois não era o tempo adequado.

Analisando o versículo que lemos, entendemos a importância de vivermos cada estação em sua época determinada e assim participarmos do processo necessário para que tenhamos as conquistas esperadas. Com Deus, não tem jeito alternativo de alcançar os objetivos; há apenas a forma correta. Mais do que se preocupar com o nosso crescimento, ele quer que tenhamos maturidade para lidar com o peso das responsabilidades que nos são confiadas em cada estação da nossa vida.

Quais são os seus sonhos e projetos? Você tem respeitado o processo, para então alcançá-los? Ou a ansiedade o tem levado a tomar decisões precipitadas, que logo ali na frente irão frustrá-lo, assim como aconteceu comigo? Lembre-se: o processo é tão importante quanto a conquista. Quando reconhecemos isso, damos valor a cada momento na caminhada da conquista, pois temos a certeza de que a realização do nosso sonho chegará no tempo em que estivermos prontos e preparados para desfrutar.

Quem atropela o tempo não vê o cumprimento da promessa.

@juniorrostirola

366 **DEVOCIONAL**
81/366

LEITURA BÍBLICA
LUCAS 1

PALAVRA-CHAVE
#PROCESSOS

ANOTAÇÕES

O QUE VOCÊ TEM OUVIDO?

22
MAR
#CAFECOMDEUSPAI

Ele respondeu: "Antes, felizes são aqueles que ouvem a palavra de Deus e lhe obedecem".

LUCAS 11.28

As mentiras te paralisam, enquanto as verdades te libertam.

@juniorrostirola

DEVOCIONAL 366
82/366

LEITURA BÍBLICA
LUCAS 2

PALAVRA-CHAVE
#VERDADES

ANOTAÇÕES

Temos vivido um tempo em que ouvimos muitas vozes de todos os lados, mas nem todas são verdadeiras. Um grande exemplo disso são as *fake news*, a ponto de já não sabermos se a informação que nos chega é verdadeira, ou se o fato é real ou foi distorcido. Isso exige de nós cuidado redobrado. Para isso, precisamos checar a confiabilidade das fontes das informações que obtemos antes de formar qualquer opinião.

A pergunta que faço é: a quem você tem emprestado seus ouvidos? Quais mentiras você tem ouvido a seu respeito? A voz da dúvida, da crítica, da rejeição ou a voz de Deus? Talvez tenham dito que você não é merecedor, que não daria em nada, mas essas são informações falsas, *fake news* sobre a sua vida. Como lemos no versículo, há uma promessa. Quando ouvirmos a palavra de Deus e obedecermos a ela, seremos felizes, agraciados!

O Pai confiou a você tudo que é necessário para realizar grandes coisas; portanto, ouça o que ele tem a dizer a seu respeito e silencie as vozes contrárias. O fato é que já recebemos a melhor notícia de todas: Jesus ressuscitou e nos deu acesso ao Pai, tornando-nos filhos. Assim, já não importa mais o que pensam ou falam a meu e a seu respeito. O que de fato importa é como o Pai nos vê.

A partir de hoje, deixe de acreditar nas mentiras a seu respeito. Entre o que dizem e o que a Bíblia diz, fique com ela. E você? Por muito tempo, acabei crendo em mentiras e fui paralisado, mas, a partir do momento em que encontrei Jesus e passei a ouvir suas verdades, tudo mudou.

UMA NOVA DIREÇÃO

A vereda do justo é como a luz da alvorada, que brilha cada vez mais até a plena claridade do dia.

PROVÉRBIOS 4.18

23
MAR

#CAFECOMDEUSPAI

Desde que nascemos, durante todo o nosso processo de desenvolvimento somos submetidos a escolhas que a longo prazo impactarão nossa vida. Por isso, é muito comum que os pais, buscando o melhor para os seus filhos, os eduquem para que tomem as melhores decisões, de modo que seus caminhos os levem a uma vida abundante em Deus.

Eu sou pai de dois filhos biológicos, o João Pedro e a Isabella. Todas as vezes que faço uma observação a eles, não é para simplesmente criticá-los, mas sim com o intuito de corrigir e direcionar, a fim de que eles possam melhorar e ir além. Com Deus, não é diferente; ele deseja que trilhemos o caminho certo. No entanto, muitas vezes preferimos seguir os nossos próprios caminhos e fazer escolhas com base naquilo que achamos ser o melhor.

Quando jovem, eu não via nenhum caminho. Até conhecer Jesus, minha vida se resumia a escassez, vazio, dificuldade, medo e rejeição. Mas, a partir do momento em que entreguei minha vida totalmente a ele, aquele ciclo começou a mudar. O fato é que as coisas não mudaram da noite para o dia, mas o Espírito Santo foi me transformando, um passo de cada vez, com avanços diários e constantes, em pequenas entregas; aliás, isso permanece assim até hoje.

Quais caminhos você tem seguido? Aonde eles o têm levado? Sua vida só terá sentido quando Jesus for o centro, ou melhor, quando ele for tudo. Talvez até hoje você tenha ouvido seu próprio coração para tomar decisões, contudo eu o convido a ouvir e obedecer à nova direção que Deus está apontando para sua vida a partir de hoje.

A Palavra de Deus é luz e nos traz conforto e direção.

@juniorrostirola

366 **DEVOCIONAL**
83/366

LEITURA BÍBLICA
LUCAS 3

PALAVRA-CHAVE
#DIREÇÃO

ANOTAÇÕES

O MAIOR PRESENTE

24
MAR
#CAFECOMDEUSPAI

Pedro e João olharam bem para ele e, então, Pedro disse: "Olhe para nós!" O homem olhou para eles com atenção, esperando receber deles alguma coisa. Disse Pedro: "Não tenho prata nem ouro, mas o que tenho, isto lhe dou. Em nome de Jesus Cristo, o Nazareno, ande".

ATOS 3.4-6

Você bloqueia seus milagres quando permite que suas circunstâncias dominem a sua fé.

@juniorrostirola

Sabemos que milagres não ocorrem de uma hora para outra, ou a qualquer momento. Se fossem tão corriqueiros e fáceis, não seriam milagres.

Contudo, uma coisa é certa: os milagres nascem em meio a um cenário de crise, e o texto que lemos descreve exatamente essa realidade. Pedro e João estavam indo até o templo, e diante deles havia um homem passando por um momento difícil. Ele era paralítico e precisava de esmolas para sobreviver. Diz a Palavra de Deus que Pedro e João ofereceram a ele algo muito mais valioso que ouro e prata: o amor de Jesus.

Quando lemos a Bíblia, compreendemos que Deus não precisa de homens para realizar os milagres, porque ele é infinitamente poderoso. Mesmo assim, Deus decidiu confiar aos homens o privilégio de serem úteis para os seus propósitos.

Seria muito mais cômodo para Pedro e João simplesmente dar esmolas ou passar adiante do homem, mas pela fé enxergaram uma oportunidade para manifestar o amor de Jesus.

Algo que me chama atenção é o fato de o homem ter esperado apenas esmolas, mas recebeu muito além disso. Entenda que Deus, como Pai, ama surpreender seus filhos para vê-los bem. Saiba que ele tem os melhores pensamentos a seu respeito.

No dia de hoje, reflita. O que você tem pedido a Deus? Podemos pedir bênçãos materiais, e ele ama nos surpreender, mas o que são elas, perto de tudo o que Deus Pai pode oferecer? Saiba que, quanto mais intimidade temos com Deus, mais provamos da sua vontade e, consequentemente, dos seus milagres.

DEVOCIONAL 366
84/366

LEITURA BÍBLICA
LUCAS 4

PALAVRA-CHAVE
#MILAGRES

ANOTAÇÕES

O PAI ESPERA POR VOCÊ

Nisto consiste o amor: não em que nós tenhamos amado a Deus, mas em que ele nos amou e enviou seu Filho como propiciação pelos nossos pecados.

1JOÃO 4.10

25 MAR

#CAFECOMDEUSPAI

As verdades transformadoras que estavam no coração de Jesus foram reveladas na cruz. Ainda hoje, a cruz de Jesus Cristo pode fazer que você experimente uma restauração completa em sua vida. Todos os dicionários são unânimes ao definirem a palavra "restauração" como o ato de restabelecer, recompor, reparar e consertar.

Deus enviou seu Filho Jesus justamente para restabelecer o relacionamento do homem com ele. A Bíblia diz que quem vê o Filho vê o Pai, ou seja, Cristo é a expressão exata de Deus, e quanto a isso não há dúvidas.

Muitos acabam fazendo diversas suposições acerca de Deus e de como ele pensa ou é, mas o fato é que basta olharmos para a Bíblia para reconhecermos o caráter perfeito dele.

Para conhecer a fundo uma pessoa, é necessário passar tempo com ela, investindo em momentos e experiências, certo? É preciso saber que com Deus não é diferente; ele quer que você tenha seu próprio relacionamento e seja intencional em se aproximar. Quanto mais próximo você estiver dele, mais compreenderá desse amor.

Costumo dizer que, quanto mais relacionamento temos com Deus, mais provamos de sua vontade, mas o contrário também é verdadeiro. Quando estamos distantes do Pai, trilhamos caminhos perigosos.

Você anda distante de Deus? Entende que poderia estar mais próximo a ele? Saiba que há tempo para restauração; ele está de braços abertos esperando por você. Nada do que você fez, fará que ele o ame menos. Então, neste instante, corra para os seus braços; o Pai espera por você!

Tenha atitude de filho para receber tudo o que o Pai tem para lhe dar.

@juniorrostirola

366 **DEVOCIONAL**
85/366

LEITURA BÍBLICA
SALMOS 37

PALAVRA-CHAVE
#RELACIONAMENTO

ANOTAÇÕES

TIRE O ENTULHO

26
MAR
#CAFECOMDEUSPAI

Contudo, SENHOR*, tu és o nosso Pai. Nós somos o barro; tu és o oleiro. Todos nós somos obra das tuas mãos.*

ISAÍAS 64.8

As escolhas do passado podem definir seu futuro, a não ser que no presente você as ressignifique.

@juniorrostirola

DEVOCIONAL 366
86/366

LEITURA BÍBLICA
SALMOS 38

PALAVRA-CHAVE
#RESTAURAÇÃO

ANOTAÇÕES

Há muitos anos, quando eu tinha entre 16 e 17 anos, trabalhei como servente de pedreiro auxiliando o meu padrasto. Ele era um excelente construtor. Sempre que íamos iniciar uma obra, nós recebíamos a planta nas mãos. Quando chegávamos ao terreno, me lembro muito bem de que a primeira tarefa que ele definia era a de limparmos o terreno antes de iniciar a construção.

Era preciso remover todo o mato, toda a sujeira e todo o entulho que impedia a possibilidade de iniciar aquele projeto. Munido de um carrinho de mão, uma pá e uma enxada, removíamos todo o lixo do terreno, para então iniciar a fundação da obra.

Quando escrevia esta mensagem, o Pai me fez lembrar de toda essa situação que eu vivi anos atrás. Por meio disso, ele nos ensina que, para poder iniciar os projetos dele em nossa vida, é necessário que antes todo o entulho seja removido. É necessário que tudo que vem atrapalhando e impedindo o iniciar de uma grande obra seja removido. É bem comum guardarmos coisas em nosso coração que nos impedem de avançar, pois ocupam muito espaço em nossa vida.

Jesus tem pressa de agir em sua vida. Não é tempo de você ficar guardando entulho no seu coração. Hoje é tempo de liberar perdão, abandonar velhos hábitos e jogar fora todo o lixo. É tempo de viver em comunhão com Deus. Para que ele possa fazer sua obra, é preciso que você limpe o terreno. Decida hoje mesmo a preparar o seu terreno para Deus executar o projeto dele em você.

APENAS CONFIE

Desde aquele momento Jesus começou a explicar aos seus discípulos que era necessário que ele fosse para Jerusalém e sofresse muitas coisas nas mãos dos líderes religiosos, dos chefes dos sacerdotes e dos mestres da lei, e fosse morto e ressuscitasse no terceiro dia.

MATEUS 16.21

27 MAR

#CAFECOMDEUSPAI

Ao ouvir isso, os discípulos certamente ficaram chocados. A expectativa deles era que Jesus fosse como um rei que governasse a nação de Israel e expulsasse os romanos. Mas os planos eram muito maiores, pois envolviam todo o mundo, não simplesmente a resolução de problemas desta vida.

A mente dos discípulos estava limitada ao que estava diante de seus olhos. Eles não conseguiam conceber a ressurreição e a vida eterna. Foi necessário que Jesus morresse e ressuscitasse para que a obra dele fosse consumada. A Bíblia diz que, quando uma semente é plantada, é necessário que ela morra para que possa produzir frutos.

Às vezes, não entendemos por quê enfrentamos perdas, dificuldades e lutas. Particularmente, eu entendo que esse é um processo que nos aperfeiçoa para o cumprimento dos propósitos de Deus. Talvez você que me conhece apenas por este devocional possa até pensar: "O Junior não enfrenta dificuldades, problemas ou angústias". Saiba, porém que, assim como você, há dias em que eu não me sinto bem. Como Jesus, que no Getsêmani disse aos discípulos que sua alma estava angustiada, eu também algumas vezes me sinto assim; afinal de contas, não sou melhor do que você, que hoje está lendo este texto.

Entretanto, da mesma forma que Jesus conseguiu passar por tudo o que a Bíblia descreve, nós também conseguiremos, uma vez que estamos com ele.

Ele não o deixa só, desamparado ou esquecido. Levante a cabeça e saiba que coisas maiores estão por vir! Ele é perfeito em tudo o que faz. Simplesmente creia!

Tudo que falta em você e para você sobra em Jesus!

@juniorrostirola

366 **DEVOCIONAL**
87/366

LEITURA BÍBLICA
SALMOS 39

PALAVRA-CHAVE
#CONFIANÇA

ANOTAÇÕES

O SIM VOCÊ JÁ TEM!

Mas graças a Deus, que sempre nos conduz vitoriosamente em Cristo e por nosso intermédio exala em todo lugar a fragrância do seu conhecimento;

2CORÍNTIOS 2.14

28
MAR
#CAFECOMDEUSPAI

Deus está vendo você e isso é suficiente.

@juniorrostirola

DEVOCIONAL 366
88/366

LEITURA BÍBLICA
LUCAS 5

PALAVRA-CHAVE
#PERSEVERAR

ANOTAÇÕES

Certamente, antes de você pedir algo, seja um aumento no salário, seja o favor de um amigo, deve ter afirmado a seguinte frase: *Já sei que vou receber um 'não'!* Quero fazer você olhar por um outro ângulo:

O fato é que você já recebeu o "sim"! O "não" pode eventualmente vir, porque o Pai nem sempre irá nos dizer "sim". Mas, na verdade, você já foi escolhido por ele. Você já foi aceito, e o "sim" você já recebeu.

Não se trata de que os céus irão se abrir sobre você. Eles já estão abertos. Jesus morreu para que pudéssemos ter vida abundante.

Para a perfeita compreensão de quem nós somos em Deus, é necessário jamais falar novamente, de forma negativa, que não tem jeito, que já recebemos o "não" ou esperar por ele, que as portas nos foram cerradas antes, encaremos tudo de outra perspectiva: a de uma fé vitoriosa de que em Deus o "sim" é nosso.

Por que muitas vezes ficamos preocupados com a economia, com a política, com a possibilidade de uma nova pandemia e tantas outras coisas? Por que perdemos a paz tão facilmente?

É fato que precisamos ter certos cuidados, não podemos viver irresponsavelmente, mas isso não pode nos abalar e nos deixar paralisados pelo medo.

A nossa fé tem que estar no Pai. Uma fé vitoriosa significa você realmente descansar em Deus, confiando piamente que você tem o "sim" dele quando seus planos estão alinhados com os céus. Então, não se contente com o "não" dado pelo mundo, se você tem o "sim" de Deus exclusivamente para você.

AMOR QUE CONSTRANGE

"Porque Deus tanto amou o mundo que deu o seu Filho Unigênito, para que todo o que nele crer não pereça, mas tenha a vida eterna."

JOÃO 3.16

29
MAR

#CAFECOMDEUSPAI

O amor de Deus é como um vasto oceano, que nos cerca de compaixão e misericórdia. O Senhor nos encontra quando nos vemos rodeados pela escuridão e nos protege o tempo inteiro. O seu amor é maior que a escuridão, a dor, o medo, a falta ou a rejeição. Ele é a esperança para os desanimados e a paz para os oprimidos.

Ele percorre distâncias. É impossível cairmos tão longe a ponto de ele não poder nos resgatar; ou corrermos tão depressa que ele não consiga nos alcançar. Não somos capazes de nos esconder de maneira que ele não nos encontre. Seu amor é melhor que a vida, é mais forte que a morte. Se desistimos, o amor do Pai continua nos chamando de volta. Quando falhamos, ele é capaz de nos perdoar e restaurar. O amor lança fora todo medo; ele nos encoraja e fortalece. Ele é intenso e capaz de penetrar o fundo da nossa alma e saciar o nosso coração por completo. A revelação desse amor ocorre à medida que nos entregamos a ele e o buscamos de todo o coração.

O Pai anseia nos mostrar essa faceta de seu amor, mas isso só é possível se nos dedicarmos ao relacionamento com ele.

Estamos na iminência de celebrar uma das datas mais importantes do cristianismo. A Páscoa representa o renascimento, nos faz lembrar que Jesus pagou um alto preço para nos resgatar: sofreu o suplício de uma morte agonizante na cruz do Calvário.

O que impede você de entregar toda a sua vida a Jesus neste dia? Não há altura nem profundidade que nos separe do amor do Pai; portanto, confie sem reservas, pois você só viverá em plenitude quando o seu coração estiver completamente inundado pelo amor do Pai.

O amor de Jesus nos alcança, e a fé nele nos salva e nos libera para uma vida de paz.

@juniorrostirola

366 **DEVOCIONAL**
89/366

LEITURA BÍBLICA
LUCAS 6

PALAVRA-CHAVE
#AMOR

ANOTAÇÕES

ELE É COM VOCÊ

30
MAR
#CAFECOMDEUSPAI

Tendo despedido a multidão, subiu sozinho a um monte para orar. Ao anoitecer, ele estava ali sozinho, mas o barco já estava a considerável distância da terra, fustigado pelas ondas, porque o vento soprava contra ele.

MATEUS 14.23,24

Em Deus, as circunstâncias nunca serão maiores que as vitórias.

@juniorrostirola

DEVOCIONAL 366
90/366

LEITURA BÍBLICA
LUCAS 7

PALAVRA-CHAVE
#PROSSIGA

ANOTAÇÕES

Momentos difíceis fazem parte da vida. Essa é uma realidade a que todos estamos sujeitos. É como se os desertos da vida fossem uma escola na qual, diante das mais diversas dificuldades, aprendemos grandes lições, que podem nos fortalecer.

Diante desse fato, precisamos entender que isso não significa que estamos sendo testados, castigados ou coisa parecida; apenas estamos vivendo o processo de crescimento e aprendizado para que a cada dia sejamos pessoas melhores.

Compreenda que, mesmo nos momentos mais difíceis da sua vida, Deus não o abandonou. Ainda quando você não conseguia enxergar, Jesus estava lá.

O produto mais valioso que pode ser obtido da oliveira é o azeite, mas, para obtê-lo, o fruto passa por um processo de prensa, extraindo o que há de melhor dele. Entendo que conosco não é diferente: circunstâncias contrárias muitas vezes são necessárias para nos esmagarem e extraírem de nós o que há de melhor, pois assim alcançaremos nossa melhor versão em Deus.

Você se sente esmagado pelas circunstâncias e ventos contrários?

Jesus não abandonou seus discípulos; ele os socorreu. Ele chegou no momento certo. Portanto, levante a cabeça e prossiga. Saiba que você não está só.

“O próprio Senhor irá à sua frente e estará com você; ele nunca o deixará, nunca o abandonará. Não tenha medo! Não se desanime!” (Deuteronômio 31.8).

Independentemente dos problemas, das lutas, dos dias difíceis, Deus é quem vai à frente. Não importam as circunstâncias, Deus é maior que tudo.

ENTREGUE O SEU IMPOSSÍVEL

[Jesus] Disse-lhes então: "A minha alma está profundamente triste, numa tristeza mortal. Fiquem aqui e vigiem comigo".

MATEUS 26.38

31
MAR

#CAFECOMDEUSPAI

Os discípulos estavam ao lado de Jesus quando vários milagres aconteceram, ouviram diversos ensinamentos valiosos, mas também testemunharam momentos de tristeza, viram Jesus chorar a morte de seu amigo Lázaro, e estavam ao seu lado na última ceia, sentindo toda a tensão de saber que o tempo dele em seu meio estava prestes a ter um fim.

No jardim de Getsêmani, quando a fragilidade de Jesus estava à vista de todos, acho que deve ter sido difícil presenciar esse momento, onde Cristo está caminhando para os seus últimos instantes na terra, e os discípulos estão enfrentando essa estação complicada em sua vida. Talvez a expectativa deles fosse que Jesus reinasse em Israel, expulsando os romanos, mas vê-lo ser preso por eles e morto parecia não fazer sentido e os abalou fortemente.

Talvez em algum momento você tenha vivido situações assim, em que esperava que tudo fosse um pesadelo apenas. Nessas condições, não podemos permitir que o desespero tome conta e nos leve a decisões precipitadas, como ocorreu com Pedro, o qual, ao prenderem Jesus, cortou a orelha do servo do sumo sacerdote. Contudo, não seria necessário resistir, porque ao terceiro dia de sua morte, como Cristo prometera, ele ressuscitou, e aquilo que parecia dor, trevas e tristeza tornou-se alegria, paz e salvação para toda a humanidade.

Deixe-me lhe dizer algo neste dia: ainda que o cenário ao seu redor pareça desolador, lembre-se de que para Jesus não há impossíveis. Não há doença, escassez, dificuldade ou improbabilidades que sejam maiores que ele. Então, não há o que temer! Entregue o seu impossível hoje mesmo àquele que nem mesmo a morte pôde deter.

Quando Jesus está presente, o natural do céu passa a ser acessível.

@juniorrostirola

366 **DEVOCIONAL**
91/366

LEITURA BÍBLICA
LUCAS 8

PALAVRA-CHAVE
#INTERVENÇÃO

ANOTAÇÕES

QUANDO VOCÊ **SABE** QUEM VOCÊ É EM DEUS, A OPINIÃO ALHEIA NÃO O **PARALISA**.

@juniorrostirola

ABRIL

Assista o vídeo com a palavra
e oração para este mês.

café
com
Deus
pai

VOCÊ É O QUE DEUS DIZ

"Vocês têm olhos, mas não veem? Têm ouvidos, mas não ouvem? Não se lembram?"

MARCOS 8.18

01
ABR

#CAFECOMDEUSPAI

Para onde você tem olhado nestes dias? O que você tem visto? Muitas vezes, nossa visão está ofuscada ou obstruída para o que realmente importa. Talvez os seus olhos estejam focados em alguém que o feriu e hoje você vive carregando o fardo do rancor. Porque o não perdoar é prejudicar-se a si mesmo, e a falta de perdão paralisa.

Tudo em que focamos cresce, por isso a importância de focarmos naquilo que é bom, mas muitos escolhem focar em coisas que não edificam e acabam gerando dores para si mesmos. Tudo que o Inimigo quer é que você se distraia e perca realmente a razão de viver.

Lembro-me de que, quando criança, uma das mentiras em que eu acreditava era que meu pai não me amava por causa da cor dos meus olhos, que são claros, iguais aos da minha mãe, diferentes dos dele. Minha vontade era não ter aqueles olhos, a ponto de muitas vezes tentar arrancá-los.

Quando me entreguei a Deus, aprendi que ele me fez exatamente do jeito que planejou. Ele soprou nos meus ouvidos as verdades que eu não conhecia a meu respeito, fortalecendo-me, a ponto de eu não acreditar mais nas mentiras que vinham me paralisando.

Se você permanecer focado nas mentiras, será prejudicado e permanecerá estagnado. Tudo que o Senhor quer é que venhamos a focar no que realmente é importante.

O que tem tomado a sua atenção? Quais as mentiras que estão soando em teus ouvidos que o impedem de focar naquilo que realmente importa?

Você não é a mentira que um dia disseram a seu respeito. Você é exatamente o que Deus Pai diz que você é. Você é filho. Simplesmente desfrute desta verdade!

Tudo aquilo que você focar, irá crescer em sua vida.

@juniorrostirola

366 **DEVOCIONAL**
92/366

LEITURA BÍBLICA
SALMOS 40

PALAVRA-CHAVE
#IDENTIDADE

ANOTAÇÕES

FAÇA A SUA PARTE

02
ABR
#CAFECOMDEUSPAI

"Mas para o SENHOR isso ainda é pouco; ele também entregará Moabe nas suas mãos."

2REIS 3.18

A sua atitude é o primeiro passo para grandes conquistas.

@juniorrostirola

DEVOCIONAL 366
93/366

LEITURA BÍBLICA
SALMOS 41

PALAVRA-CHAVE
#AGIR

ANOTAÇÕES

No versículo que lemos, temos a história de três reis que se juntaram para vencer um inimigo em comum, que estava ameaçando Israel. Após entrarem em acordo, mobilizaram seus exércitos, prepararam-se e marcharam em direção à batalha, a fim de vencer a nação de Moabe.

Apesar de terem feito sua parte, a vitória não seria conquistada pela força de seus guerreiros ou por sua organização militar, mas sim pelas mãos de Deus. Do mesmo modo, caso não tivessem se posicionado para guerrear, é possível que tivessem sido surpreendidos e vencidos. Ou seja, entendo que a vitória sempre vem de Deus, mas é necessário preparo e posicionamento de nossa parte.

Costumo dizer que, se o seu sonho é viajar para fora do país, sua obrigação é ao menos ter providenciado o passaporte; Deus nos ama e deseja fazer grandes coisas em nossa vida, mas existe uma parte que é de nossa responsabilidade; não a negligencie.

Qual é a parte que lhe cabe na concretização de seus sonhos? Quando passei a ter consciência do meu chamado para a obra de Deus, me matriculei para cursar teologia, sabendo que era necessário que eu fizesse a minha parte. Apesar disso, saiba que você não alcançará seus sonhos sozinho, pois a última palavra sempre vem de Deus.

O que você tem pedido a Deus? Eu o convido a avaliar seus sonhos. É tempo de se posicionar em relação ao que está ao seu alcance, perseverar em oração, se entregar totalmente ao Pai, e ele o guiará. Você precisa se mover no extraordinário e não aceitar nada menos que isso. Sonhos também dizem respeito a ações; então, mova-se!

VOLTE A SONHAR

Então Jessé mandou chamá-lo, e ele veio. Ele era ruivo, de belos olhos e boa aparência. Então o SENHOR disse a Samuel: "É este! Levante-se e unja-o". [...] e, a partir daquele dia, o Espírito do SENHOR apoderou-se de Davi. [...].

1SAMUEL 16.12,13

03
ABR

#CAFECOMDEUSPAI

Aprenda a enxergar o impossível no possível de Deus.

@juniorrostirola

A vida está tão atrelada aos dilemas do cotidiano que, ao falarmos em sonhos para as pessoas, a primeira coisa que lhes vêm à mente são as dificuldades que se encontram no caminho. Mas nós precisamos ser diferentes; afinal, a vida está relacionada a sonhos. Logo, quem deixa de sonhar deixa de viver!

Davi apascentava ovelhas e era o menos notável e mais improvável da sua casa, mas ele já nascera com o DNA de rei para realizar grandes coisas! Deus já havia projetado para Davi uma vida de sucesso, mesmo não sendo reconhecido pelos da sua casa. Quando ungido, não imaginava a dimensão do seu reinado, mas mesmo assim ele foi fiel a Deus. Mesmo passando por vários momentos difíceis, não perdeu de vista a promessa que havia sobre a sua vida.

Deus escolheu Davi antes do seu nascimento, e isso não é diferente com você. Deus tem um propósito para cada um. No caso de Davi, o propósito era ser rei de Israel, e o seu, qual é? Entenda que a razão pela qual Deus permitiu você vir a este mundo foi para cumprir um propósito. Antes de nascermos, Deus já havia escrito todos os dias da nossa história. O que precisamos é deixá-lo dar sentido e direção aos nossos dias.

Os sonhos de Deus para você são extraordinários e impactarão o seu destino, direcionando a cada dia os seus planos para que tudo faça sentido.

O que tem impedido você de sonhar? Às vezes, as dores da vida são tantas que nem sonhar você consegue. Não deixe a rotina criar raízes e impedir você de sair de onde está para alcançar o seu destino. Comece hoje a enxergar os milagres dentro das suas impossibilidades.

366 **DEVOCIONAL**
94/366

LEITURA BÍBLICA
SALMOS 42

PALAVRA-CHAVE
#ESCOLHIDO

ANOTAÇÕES

FÉ OUSADA

Ele me perguntou: "Filho do homem, estes ossos poderão tornar a viver?" Eu respondi: "Ó Soberano SENHOR, só tu o sabes".

EZEQUIEL 37.3

04
ABR
#CAFECOMDEUSPAI

Viver pela fé é arriscado, mas viver sem fé é fatal!

@juniorrostirola

DEVOCIONAL 366
95/366

LEITURA BÍBLICA
LUCAS 9

PALAVRA-CHAVE
#OUSADIA

ANOTAÇÕES

É admirável a sinceridade de Ezequiel, pois diante dessa visão reconheceu que só Deus poderia trazer vida para aqueles ossos. Ele vivia em meio aos cativos e sentia na pele o sentimento de incapacidade que dominava os israelitas por causa do pesado jugo dos babilônios, causando imensa humilhação.

É difícil conservar a confiança quando estamos cercados de pessoas desanimadas. É impressionante o número de pessoas pessimistas, pois não dão um passo sem explicações prévias, ao contrário da fé, que não interroga nem calcula, mas simplesmente confia e avança.

Como é difícil continuar acreditando quando pessoas pessimistas estão ao nosso redor. Por isso, eu decidi andar próximo de pessoas que tenham uma fé maior do que a minha, porque, quando eu for compartilhar algo, elas irão alimentá-la.

Nestes anos como pastor, eu já encontrei muitas pessoas pessimistas, inclusive durante vários momentos em que, caminhando sobre uma promessa, elas vieram com palavras de desencorajamento, até mesmo declarando que eu não conseguiria, porém decidi confiar e avançar.

Isso me ensina que é preciso confiar em Deus, mas que também é preciso agir, na certeza de que o Senhor está efetivamente conosco. Com Deus é assim: primeiro você dá um passo, depois ele cria o chão.

Não dá para viver a fé permanecendo em lugares conhecidos e que aparentemente são seguros; é necessário arriscar.

O fundamento da fé não é a irracionalidade, mas o fato de que a nossa vida é sustentada em Deus, que pode fazer o impossível.

EU ENTREGO TUDO A ELE

Desde os tempos antigos ninguém ouviu, nenhum ouvido percebeu, e olho nenhum viu outro Deus, além de ti, que trabalha para aqueles que nele esperam.

ISAÍAS 64.4

05
ABR

#CAFECOMDEUSPAI

Quando passamos a confiar em Deus e nas suas promessas, o impossível torna-se possível por meio da fé, e tudo muda.

Você já percebeu como há pessoas que têm uma visão limitada, e quantas vezes somos tentados a viver da mesma forma, por olharmos somente com os nossos olhos físicos, crendo só até onde a vista alcança? Contudo, se tivermos fé, podemos ir além, pois nossa vista é a maior inimiga da nossa visão.

Enquanto eu me mantinha somente olhando para a realidade do meu lar, não conseguia enxergar nenhuma perspectiva de vida; no entanto, um encontro com Deus Pai me possibilitou ver que nele tudo era possível, que minha casa poderia ser um lar de paz e que inclusive as minhas feridas poderiam ser curadas.

O fato é que Deus trabalha em nosso favor, e isso é lindo. Como pai, me esforço ao máximo para oferecer um lar de paz para a minha família, gerando em meus filhos segurança e confiança, onde eles podem contar comigo em tudo, porque sabem que tenho os melhores pensamentos para eles.

Com Deus não é diferente: quando confiamos nossa vida a ele temos acesso aos seus planos. Pois os planos do Pai são de paz, prosperidade, esperança e um futuro promissor.

Como está sua vida? O que tem bloqueado sua visão de um amanhã melhor?

Sua entrega a Deus Pai determinará o seu amanhã, e sua vida será completamente transformada para enfrentar as circunstâncias contrárias com uma visão de fé e confiança. Desfrute da paz que só o Pai pode lhe dar.

Se não houver expectativa e fé, os céus não trarão.

@juniorrostirola

DEVOCIONAL
96/366

LEITURA BÍBLICA
LUCAS 10

PALAVRA-CHAVE
#ENTREGA

ANOTAÇÕES

HORA DE AGIR

06
ABR
#CAFECOMDEUSPAI

Simão respondeu: "Mestre, esforçamo-nos a noite inteira e não pegamos nada. Mas, porque és tu quem está dizendo isto, vou lançar as redes".

LUCAS 5.5

Sua ação será determinante para o seu milagre.

@juniorrostirola

DEVOCIONAL 366
97/366

LEITURA BÍBLICA
LUCAS 11

PALAVRA-CHAVE
#POSICIONE-SE

ANOTAÇÕES

Muitas vezes, acordamos com a sensação de que a nossa vida é vazia, e logo somos invadidos pelo desânimo para até mesmo nos levantar da cama, sem entender o motivo.

É normal passar por um ou outro dia dessa forma, considerando que temos enfrentado cada vez mais desafios nos dias de hoje. Mas, quando essa situação se torna recorrente e não conseguimos mais lidar com essa circunstância, isso é muito grave, porque a nossa vida fica paralisada.

Eu já passei por isso e aprendi que a única alternativa para romper com esse estado de estagnação é tomar uma decisão em Deus Pai. Mas, antes de tudo, você precisa entender que uma decisão é algo totalmente distinto de um sentimento; por isso, quando decidimos algo, afirmamos nosso posicionamento e não damos espaço para o desânimo ou a tristeza paralisar-nos.

Existem muitas promessas de Deus para você, mas alcançá-las passa pela sua decisão pessoal. Então, defina o que domina a sua vida e rompa com o que o impede de viver os milagres de Deus. É preciso posicionar-se em fé e obediência, assim como Simão Pedro fez.

Mesmo que você não entenda, obedeça, pois a fé é sobre dar passos antes de ver o chão. Muitas vezes, você pode até ser criticado por isso, mas algo que aprendi é não viver por elogios nem por críticas, mas sim por aquilo que o Pai diz.

Assim como Pedro, que fez o que aparentemente não fazia sentido, mas pela fé experimentou um milagre, agarre-se nas palavras de Jesus, rompa com qualquer desânimo ou estagnação e viva além do que hoje os seus olhos podem ver.

O PRAZER DE SER QUEM SOU

Pois Deus não nos deu espírito de covardia, mas de poder, de amor e de equilíbrio. Portanto, não se envergonhe de testemunhar do Senhor, nem de mim, que sou prisioneiro dele, mas suporte comigo os meus sofrimentos pelo evangelho, segundo o poder de Deus.

2TIMÓTEO 1.7,8

07
ABR
#CAFECOMDEUSPAI

Os desafios que enfrentamos são capazes de medir a nossa capacidade de resistir, perseverar e até mesmo liderar diante das adversidades, assim como a maneira de você ver o mundo determinará o poder das suas conquistas. Saiba então que as suas decisões de hoje determinarão o seu futuro.

Quando aceitei Jesus como meu único Senhor e Salvador, tinha 13 anos. Talvez você nem fosse nascido, pois estou falando do ano 1993, uma época em que ser cristão era mais difícil do que hoje. Lembro-me de que todas as vezes em que ia ao culto eu sempre levava comigo minha Bíblia, e houve uma época em que alguns outros adolescentes me xingavam e me batiam pelo simples fato de eu passar por aquele caminho para ir à igreja.

Hoje, ao ler esse texto de Paulo a Timóteo, me veio essa lembrança, pois precisei suportar as adversidades para testemunhar Cristo em minha vida. Talvez você até possa ter sido criticado por estar lendo este devocional, na busca de maior intimidade com Deus Pai, mas quero chamar sua atenção neste dia para o fato de que não devemos nos envergonhar de testemunhar o que Jesus fez em nossa vida.

Todas aquelas afrontas foram importantes em meu crescimento como cristão. Tenho sido edificado em Deus, fortalecido em meio às lutas e desafiado a prosseguir. Portanto, não desista de levar uma vida com Deus, avançando nos seus sonhos e vivendo os seus propósitos. O maior fracasso da vida não está em morrermos, mas em desistirmos, em ficarmos parados com medo do que pode acontecer ou do que podem falar. Não se trata de tentar, pois quem tenta nunca realiza. Então, faça!

Seja um espelho que reflete a glória de Deus para o mundo.

@juniorrostirola

DEVOCIONAL
98/366

LEITURA BÍBLICA
LUCAS 12

PALAVRA-CHAVE
#TESTEMUNHAR

ANOTAÇÕES

CRESCENDO NO DESERTO

08
ABR
#CAFECOMDEUSPAI

Esperarei pelo SENHOR, que está escondendo o seu rosto da descendência de Jacó. Nele porei a minha esperança.

ISAÍAS 8.17

Às vezes, Deus não muda as circunstâncias porque quer usar as circunstâncias para mudar você.

@juniorrostirola

DEVOCIONAL 366
99/366

LEITURA BÍBLICA
SALMOS 43

PALAVRA-CHAVE
#TRANSFORMAÇÃO

ANOTAÇÕES

Quando vemos uma criança passando certa dificuldade, seja para subir o degrau de uma escada, seja em qualquer outra atividade, temos o hábito de correr para ajudá-la, não é verdade? Mas tentar resolver os problemas de uma criança em sua fase de desenvolvimento pode acabar impedindo que ela crie a maturidade que lhe permitirá ter maior autonomia para tomar as melhores decisões em fases mais avançadas da vida.

Podemos fazer um paralelo com a vida cristã: por que quando estamos passando por dificuldades, Deus não vem prontamente nos tirar da tribulação e devolver-nos a tranquilidade? A resposta é muito semelhante! Isso prejudicará nosso amadurecimento e nos impedirá de conseguir lidar com situações que exigirão mais de nós a frente. Precisamos entender que quanto maiores os nossos sonhos, igualmente grandes serão as responsabilidades que virão com eles.

Nos momentos de ventos contrários, temos uma linda oportunidade: louvar a Deus em meio as lutas. Essa atitude demonstra um coração ensinável e maduro. Entenda que todos passamos por lutas, que apesar de difíceis nos ensinam grandes lições. Elas não mudam o caráter de Deus, mas podem moldar o nosso.

Você tem passado por momentos difíceis? Saiba que justamente nessas circunstâncias Deus quer o impulsionar, de modo que você possa ir ainda mais longe, tocando em todas as promessas que ele tem para sua vida. Confie e seja paciente, Deus trabalha para aqueles que depositam sua confiança nele!

SEJA FILHO

Jesus continuou: Um homem tinha dois filhos. O mais novo disse ao seu pai: 'Pai, quero a minha parte da herança'. Assim, ele repartiu sua propriedade entre eles.

LUCAS 15.11,12

09
ABR
#CAFECOMDEUSPAI

A parábola do filho pródigo é uma linda história que nos ensina o funcionamento do Reino dos céus. Esse pai representa Deus, e esses dois filhos, tanto o que sai de casa quanto o que fica, ambos podem nos representar em certas ocasiões. Assim como eles, podemos estar perdidos, tanto longe quanto dentro de casa, quando não temos intimidade com o Pai.

Independentemente de como foram os seus pais terrenos, se foram assertivos ou se falharam, se você compreender a paternidade de Deus, conseguirá descobrir o seu propósito e seguirá rumo à sua jornada na terra. A vida passará a ter valor e sentido.

Entretanto, primeiramente é preciso que você reflita acerca do que tem dirigido a sua vida, pois todo indivíduo tem a sua vida dirigida por algo. Pode ser medo, trauma, rejeição, abuso e tantas outras dores. Entenda que todos nós fomos feitos para desfrutar da paternidade de Deus. Quando isso ocorre, descobrimos o propósito de nossa vida, e esse propósito nos lança ao nosso destino.

Se você não recebeu uma boa referência em casa, isso dificulta você ter um bom relacionamento com o Pai eterno. Aliás, é possível que você não consiga chamar Deus de Pai, justamente por estar com sua alma em frangalhos por marcas do seu passado.

Saiba que o meu pai não fez nada para mudar minha realidade; foi preciso um passo meu, um posicionamento meu, para viver uma nova vida, que é fruto de um convite para receber Jesus. Isso me possibilitou remover as dores do passado, cicatrizar as feridas na alma e viver uma vida livre do medo, reconhecendo que Deus é Pai.

Quem é filho não se limita às coisas pequenas desta vida.

@juniorrostirola

DEVOCIONAL
100/366

LEITURA BÍBLICA
SALMOS 44

PALAVRA-CHAVE
#FILIAÇÃO

ANOTAÇÕES

VEJA ALÉM

"Se o SENHOR se agradar de nós, ele nos fará entrar nessa terra, onde há leite e mel com fartura, e a dará a nós. Somente não sejam rebeldes contra o SENHOR. E não tenham medo do povo da terra, porque nós os devoraremos como se fossem pão [...]."

NÚMEROS 14.8,9

10 ABR

#CAFECOMDEUSPAI

A sua vista pode ser a maior inimiga da sua visão.

@juniorrostirola

DEVOCIONAL 366
101/366

LEITURA BÍBLICA
SALMOS 45

PALAVRA-CHAVE
#VISÃO

ANOTAÇÕES

Após ser liberto da escravidão no Egito, o povo de Deus peregrinava pelo deserto. Bem próximo da terra que o Senhor lhes havia prometido, Moisés enviou doze homens para espiar a terra. Dez deles voltaram informando ser impossível tomar aquela terra, ao passo que somente dois, Josué e Calebe, deram um parecer animador e, além disso, ficaram revoltados com a falta de fé daqueles outros.

Como resultado da perseverança desses dois, Deus os recompensou grandemente. É preciso que todos nós tenhamos cuidado para não vivermos de forma pessimista, a ponto de perder a promessa de Deus em nossa vida por causa da murmuração e falta de fé.

Em minha trajetória como pastor, tive um grande desafio anos atrás, quando fomos direcionados por Deus para a construção do atual templo da Igreja Reviver. O desafio era enorme, impossível aos olhos humanos. Mas nos mantivemos firmes na promessa, com a certeza de que venceríamos. Assim como Josué e Calebe, precisamos visualizar com os olhos da fé o que para os outros era inalcançável. Dessa forma, avançamos com ousadia e coragem para uma grande conquista.

Então, por mais difíceis que pareçam os desafios à sua frente e por mais intransponíveis que pareçam as muralhas que o cercam, esteja atento ao que Deus lhe tem falado. Silencie todas as vozes de pessimismo e murmuração ao seu redor e ouça no silêncio o que o Pai lhe fala, as estratégias que ele lhe dá e as direções que ele lhe aponta, rumo às promessas que ele tem para você. Dê passos no invisível e conquiste o impossível.

VIVA ALÉM DOS SEUS ERROS

Eu o instruirei e o ensinarei no caminho que você deve seguir; eu o aconselharei e cuidarei de você.

SALMOS 32.8

11
ABR
#CAFECOMDEUSPAI

É possível que em algum momento da vida você tenha pensado: "Como eu gostaria de ter a mesma maturidade ou mentalidade que possuo hoje quando me vi em meio àquela situação". Na vida, passamos por muitas experiências que nos ensinam e com os anos nos pomos a refletir sobre atitudes e ações que teríamos adotado de forma diferente no passado, não é mesmo?

Geralmente a gente erra tentando acertar e acaba tomando certas decisões que julgávamos serem as mais corretas; no entanto, por falta de sabedoria e instrução, acabamos errando. Às vezes, carregamos o fardo da culpa no coração por termos errado, ficando presos em pensamentos de que gostaríamos de voltar ao passado, que por sua vez não pode ser mudado, e aí entramos num ciclo de autocondenação que nos prende ao passado, impedindo-nos de desfrutar o presente e prejudicando o nosso futuro.

Se você vive essa realidade, hoje é dia de mudanças! Deixe-me dizer: não há nada de errado que você tenha feito que fará Deus o amar menos. O fato é que ele o ama incondicionalmente! Quando você entende isso, a sua perspectiva muda e você compreende que o passado não volta, mas com a leveza de que com Deus é possível viver o presente de forma totalmente diferente e apontar para um futuro extraordinário.

Permita-se ser cuidado por aquele que nunca o deixará e que, como um Pai amoroso, estará sempre pronto a lhe estender a mão. Deus deseja ensinar e direcionar você, a fim de que tome a partir de agora as melhores e mais assertivas decisões.

Suas decisões em Deus hoje o colocarão no propósito amanhã.

@juniorrostirola

DEVOCIONAL
102/366

LEITURA BÍBLICA
LUCAS 13

PALAVRA-CHAVE
#ACONSELHAMENTO

ANOTAÇÕES

PRONTO A OUVI-LO

12
ABR
#CAFECOMDEUSPAI

"Senhor", disse Pedro, "se és tu, manda-me ir ao teu encontro por sobre as águas". "Venha", respondeu ele. Então Pedro saiu do barco, andou sobre a água e foi na direção de Jesus.

MATEUS 14.28,29

Sem dar ouvidos a Deus você nunca descobrirá o seu propósito.

@juniorrostirola

Quando eu ainda tinha treze anos, com uma vida sofrida, fui pela primeira vez a uma igreja evangélica. Lembro-me como se fosse hoje. O pastor naquela noite estava ministrando uma palavra: que Deus é amor! No final daquela mensagem, ele fez um apelo, para que todos que quisessem se entregar totalmente a Deus viessem à frente. Eu venci a timidez e fui até a frente do altar com a vida totalmente destruída. Naquele momento, eu chorava muito, e Deus falou fortemente ao meu coração: "Você é um filho amado!".

Foi simples a fala de Deus, mas ela mudou toda a minha vida. Eu aprendi que as coisas simples funcionam. Quando Pedro pede a Jesus que lhe permitisse andar sobre as águas, a resposta do Mestre foi uma única palavra: "Venha!".

A resposta de Jesus foi simples, mas o fato é que nós, seres humanos, complicamos o que é simples. Precisamos atentar para o fato de que é na simplicidade que o Pai fala conosco.

Temos uma forte tendência de complicar as coisas, como se pela simplicidade Deus não se fizesse presente, ou não viesse a ouvir o que temos para expressar.

Naquele dia, Jesus se aproximou do barco e numa resposta simples deu autoridade para Pedro caminhar sobre as águas.

De igual forma, Jesus está próximo de você; aliás, ele está exatamente ao seu lado neste momento, esperando você dizer algo. O que acha de fazer exatamente agora como Pedro: expressar por meio de palavras simples aquilo que está no seu coração?

Sua vida é preciosa e importante, e ele está pronto para ouvi-lo.

DEVOCIONAL 366
103/366

LEITURA BÍBLICA
LUCAS 14

PALAVRA-CHAVE
#INTIMIDADE

ANOTAÇÕES

CORAGEM PARA VENCER

O SENHOR é a minha luz e a minha salvação; de quem terei temor? O SENHOR é o meu forte refúgio; de quem terei medo?

SALMOS 27.1

13 ABR

#CAFECOMDEUSPAI

O medo é uma pequena palavra, mas que pode gerar impactos muito negativos em nossa vida. Todos os dias, ao acordar, nos deparamos com problemas a serem resolvidos e situações a enfrentar. No entanto, não podemos permitir que esse sentimento tome nosso coração e acabe nos levando à paralisia.

Você sabia que ao longo da Bíblia podemos observar grandes atos de coragem e ousadia que foram precedidos por medo e insegurança? Ou seja, entendo que muitas vezes sentimos certa insegurança em alguns momentos na vida, mas o que não pode acontecer é esse sentimento nos paralisar e acabar nos impedindo de prosseguir. Jonas, ao receber de Deus sua missão de ir até a cidade de Nínive, fugiu amedrontado, indo para a direção oposta à que Deus lhe havia determinado.

Do que você tem medo? O que gera insegurança em você? Saiba que você foi formado por Deus para grandes vitórias, mas para isso é necessário passar por grandes batalhas. Você é capacitado para enfrentar com fé e coragem todas as tempestades. Entenda que você nunca esteve sozinho. Seu Deus é muito maior do que os seus medos e sua insegurança; ele luta com você.

Você não pode desistir! Existem situações em sua vida para serem vencidas hoje! Não é hora de desespero. Lembre-se de que o amor de Deus Pai é sobrenatural e imensurável. Ele faz você suportar todas as situações que o possam abater. Portanto, inicie seus dias com ímpeto e coragem para enfrentar seus medos, tendo plena convicção de que ele está com você em todas as suas batalhas.

Silencie a voz do medo e descubra seu potencial em Deus.

@juniorrostirola

DEVOCIONAL
104/366

LEITURA BÍBLICA
LUCAS 15

PALAVRA-CHAVE
#CORAGEM

ANOTAÇÕES

SONHADO POR DEUS

Então disse Deus: "Façamos o homem à nossa imagem, conforme a nossa semelhança."

GÊNESIS 1.26a

14
ABR
#CAFECOMDEUSPAI

Você tem o DNA de Deus, com todas as possibilidades de realizar grandes coisas.

@juniorrostirola

DEVOCIONAL 366
105/366

LEITURA BÍBLICA
LUCAS 16

PALAVRA-CHAVE
#REALIZAR

ANOTAÇÕES

Quando Deus criou o homem, ele lhe deu vida ao compartilhar o seu próprio fôlego. Ou seja, ao nos criar, o Pai colocou em nós a sua própria essência, o seu DNA. Somos imagem e semelhança de Deus. Você tem noção do potencial que carrega em seu interior?

Veja bem, quando vemos uma grande árvore, é difícil imaginar que um dia ela foi apenas uma pequena semente. E aí eu aprendo algo: mesmo sendo pequena e parecendo insignificante, ela sempre carregou a essência de algo muito maior. Toda semente é uma promessa, mas, quando plantada em terra fértil, ela germina, cresce, floresce e frutifica, a ponto de reproduzir milhares de vezes o que há dentro dela. Se uma semente carrega algo tão extraordinário, imagine eu e você, que somos a imagem e semelhança de Deus Pai e carregamos o seu DNA!

Assim como uma semente só frutifica em terra fértil, nós só iremos frutificar se estivermos plantados em Deus. Por isso, é muito importante você ser íntimo do Pai, para de fato cumprir o propósito que ele tem para você na terra.

Talvez você se sinta perdido, incapaz de realizar grandes coisas, se diminui por causa de uma vida sofrida, onde as circunstâncias o levaram a acreditar em muitas mentiras a seu respeito.

Hoje Deus fala fortemente ao seu coração, afirmando quem você é nele. Ainda que você se sinta insignificante e pequeno como uma semente que pode muitas vezes passar despercebida e até mesmo pisada por muitos, entenda que Deus jamais perdeu ou perderá você de vista. Nele você é celebrado, amado, importante e aceito. Você foi sonhado por ele!

ELE ESCOLHEU VOCÊ

Mas Deus demonstra seu amor por nós: Cristo morreu em nosso favor quando ainda éramos pecadores. Como agora fomos justificados por seu sangue, muito mais ainda, por meio dele, seremos salvos da ira de Deus!

ROMANOS 5.8,9

15 ABR

#CAFECOMDEUSPAI

Tenha atitude de filho para receber tudo que o Pai deseja entregar a você.

@juniorrostirola

Sempre que precisamos comprar um presente para alguém, seja pelo Natal, seja pelo seu aniversário ou qualquer outro motivo, somos tomados pela dúvida do que seria mais bem recebido pela pessoa que iremos presentear. Cada vez que eu vou presentear alguém, sempre procuro dar o melhor, mas o fato é que, se o presente for para seus filhos, sua mãe ou sua esposa, você terá um cuidado ainda maior na escolha, não é verdade?

Com isso, quero dizer que, como seres humanos, acabamos agindo com favoritismo com algumas pessoas, em detrimento de outras, por questões de proximidade e afeto, por exemplo. Mas o fato é que Deus não é assim; ele deu o que tinha de melhor sem distinção, escolha ou favoritismo.

A maior expressão de amor que a humanidade já viu foi a de Deus entregar seu próprio filho para sofrer na cruz por nós, a fim de que obtivéssemos vida. Ele é o maior presente de Deus para mim e para você, é a fonte que nos conduz à paz, ao equilíbrio, ao amor e à vida eterna.

Ele o escolheu e se entregou por você; portanto, lembre-se de que você é precioso e importante para o Pai. Não creia na mentira de que você não é amado ou desejado, porque aquele que criou todo o Universo sonhou com você e traçou propósitos lindos para sua vida. Deus não tem filhos favoritos e separou você para grandes coisas.

Você se sente esquecido, não escolhido ou deixado de lado? Deus Pai jamais deixou de se importar com você! Ele lhe entregou seu melhor e o escolheu; portanto, o Pai espera o mesmo de nós. Confie a Deus seu tempo, seus pensamentos e toda a sua vida, pois ele o ama e tem o melhor para você.

366 **DEVOCIONAL**
106/366

LEITURA BÍBLICA
SALMOS 46

PALAVRA-CHAVE
#ESCOLHIDO

ANOTAÇÕES

NÃO PERCA O FOCO

16
ABR
#CAFECOMDEUSPAI

Como Ana orava silenciosamente [...] Eli pensou que ela estivesse embriagada e lhe disse: [...] "Abandone o vinho!" Ana respondeu: "Não se trata disso, meu senhor. Sou uma mulher muito angustiada. [...] eu estava derramando minha alma diante do SENHOR".

1SAMUEL 1.13-15

O que nós alimentamos irá determinar nossos sentimentos, atitudes e destino.

@juniorrostirola

DEVOCIONAL 366
107/366

LEITURA BÍBLICA
SALMOS 47

PALAVRA-CHAVE
#ESSÊNCIA

ANOTAÇÕES

É muito comum as pessoas julgarem pela aparência. Existe até um ditado que diz que uma imagem vale mais do que mil palavras, ou seja, uma primeira impressão errada pode desencadear uma série de preconceitos acerca de uma pessoa.

Ana orava em silêncio, pois ela estava em intimidade com Deus, e isso fez que o sacerdote Eli viesse a ter um conceito errado acerca da atitude dela.

Todos nós, em algum momento da nossa vida, fomos tratados de forma injusta por causa de uma impressão errada que tiveram a nosso respeito.

Certa vez, uma pessoa me criticou nas redes sociais por eu ter passado por ela em um laboratório de exames clínicos e não cumprimentá-la. Não me recordo do incidente, mas deduzo que, por causa do jejum para fazer o exame, eu me sentia desconfortável e um pouco distraído, por isso possivelmente não percebi a pessoa no laboratório. Ela criou essa imagem distorcida de mim por causa de um único incidente mal interpretado, pois sempre que posso faço questão de cumprimentar e apertar a mão de todos que encontro.

Mas isso não me abalou, assim como Ana não se abalou pelo julgamento errado, não perdendo o seu foco, que era adorar a Deus. Da mesma forma, meu maior desejo é que você não se abale quando alguém o julgar mal, pois as pessoas não conseguem enxergar o nosso coração ou os nossos sentimentos, por isso estão limitadas ao que veem. Então, não desanime nem deixe de adorar ao Pai, pois ele, sim, conhece o seu coração e jamais o julgará mal ou será injusto com você.

ELE NÃO ESQUECEU DE VOCÊ

O chefe dos copeiros, porém, não se lembrou de José; ao contrário, esqueceu-se dele.

GÊNESIS 40.23

17 ABR

#CAFECOMDEUSPAI

Há certos momentos em que parece que nossos sonhos ficam distantes e inatingíveis. A vida nem sempre facilita quando buscamos algo que desejamos muito. Mas não desanime, não abaixe a cabeça nem se intimide, mesmo que tenha a sensação de que todo o seu esforço foi em vão, porque isso não é verdade.

O fato é que na vida nada se consegue sem sacrifício ou custo. Não conquistamos nada cruzando os braços e deixando coisas inacabadas, não é mesmo? Por vezes, acabamos dominados pelo medo e permitimos que a paz e a alegria vão embora. Mas entenda que a luta que você tem travado é um trajeto obrigatório entre o objetivo e a tão desejada vitória.

Eu mesmo enfrentei várias lutas em minha vida. Muitas vezes, tive a sensação de tudo estar perdido, mas em Jesus havia uma saída, que eu não conhecia. Houve momentos em que questionei por quê havia nascido, por quê tudo era tão difícil para mim, pois nada na minha vida fazia sentido. Eu estava longe do potencial que tinha em Deus; na verdade, nem mesmo sabia que havia um potencial em mim naquela época. Mas existia um caminho de vitória que eu ainda não conhecia, e, quando passei a conhecê-lo, tudo mudou.

Você já se sentiu esquecido ou abandonado? Hoje entendo que não podemos escolher o nosso passado, mas podemos decidir onde queremos permanecer em nosso presente, transformando, assim, nosso futuro. Em Deus Pai, há uma vida de aceitação e vitória, como um filho e herdeiro. Tome posse dessa verdade de Deus para a sua vida e caminhe hoje como um vencedor!

Nos momentos mais difíceis, Deus deu sentido à minha vida.

@juniorrostirola

366 **DEVOCIONAL**
108/366

LEITURA BÍBLICA
SALMOS 48

PALAVRA-CHAVE
#ESPERANÇA

ANOTAÇÕES

IMPROVÁVEIS

18
ABR
#CAFECOMDEUSPAI

Já envelhecido, de idade avançada, Davi fez do seu filho Salomão rei sobre Israel. Ele reuniu todos os líderes de Israel, bem como os sacerdotes e os levitas.

1CRÔNICAS 23.1,2

A visão humana te limita a enxergar problemas, mas a visão dos céus te leva a enxergar o extraordinário.

@juniorrostirola

DEVOCIONAL 366
109/366

LEITURA BÍBLICA
LUCAS 17

PALAVRA-CHAVE
#CHAMADO

ANOTAÇÕES

Davi percebe que seu tempo está acabando. Então, ele reúne toda a corte de Israel. Chegara o momento da transição. Davi precisava deixar o seu reinado e empoderar aquele que estaria em seu lugar. Acredito que todos estavam preocupados, pois a escolha afetaria grandemente o curso da história de uma nação.

Com isso, vemos Davi nomear Salomão como seu sucessor. A Palavra nos revela que Davi entende que Salomão é a pessoa escolhida por Deus para sucedê-lo, mas, humanamente falando, esse seu filho era um improvável: não possuía em si condições para ser rei, não estava preparado para tal responsabilidade. Mas Deus ama usar os improváveis para suas grandes obras.

Isso serve para nos mostrar que não existem impossíveis para Deus e que todos nós, independentemente de nossas limitações, podemos servir de instrumentos para a obra do Pai neste mundo.

Eu mesmo sou a pessoa mais improvável para ter escrito este devocional para você. Minha história não é diferente das outras milhares de pessoas que tiveram um lar disfuncional, uma trajetória de dor e medo. No entanto, um encontro foi o início do processo da minha nova realidade. Passei a ter uma vida edificada em Deus, que me fez alcançar e viver o propósito para o qual nasci.

Não pense que sua limitação o impedirá de alcançar os propósitos de Deus. Tenha fé e, como todos os improváveis usados pelo Pai, esteja pronto para responder ao chamado do Senhor com o seu: "Eis-me aqui!". Lembre-se: você tem um chamado que vai muito além de suas limitações e fraquezas, pois elas não são o que define você.

A VERDADEIRA ALEGRIA

Batam palmas, vocês, todos os povos;
aclamem a Deus com cantos de alegria.

SALMOS 47.1

19
ABR
#CAFECOMDEUSPAI

Muitas vezes, somos tentados a acreditar que a alegria está nas coisas. Ter muito dinheiro e bens, conquistá-los por trabalho exaustivo, e fazer de tudo para alcançar os objetivos, custe o que custar. Nesse ciclo, muitos gastam sua vida inteira. Este é o padrão terreno.

Já o padrão dos céus nos diz o contrário. Você é feliz quando passa a entender quem é, para o que nasceu e para onde vai. Ser verdadeiramente bem-sucedido é caminhar com Deus e viver de acordo com o chamado que ele tem para a sua vida.

O fato é que estudar, trabalhar e se dedicar para alcançar objetivos é algo bom, que deve fazer parte de nossa vida; contudo, é necessário saber que não encontraremos felicidade plena nessas coisas. Quando nossas prioridades estão em desequilíbrio, o que é bom acaba tornando-se ruim e nos afastando da verdadeira alegria.

Não há nada melhor do que acordar pela manhã e saber que você não vive apenas para você mesmo, mas para cumprir um propósito gerado em Deus. Saber que por ele sua vida e família são cuidadas e conduzidas a viver novos sonhos, conquistas e realizações.

A verdadeira alegria nunca estará em uma conta bancária cheia, mas em um coração preenchido pelo amor de Deus. Temos todos os motivos para celebrar, pois o Pai está cuidando de nossa vida e nos conduzindo a um futuro promissor ao seu lado; basta escolhermos caminhar com ele e desfrutar de sua intimidade. Quanto mais intimidade temos com Deus, mais provamos da sua vontade.

Sucesso não é algo a ser alcançado; é seu estado de ser; é seu propósito traçado por Deus.

@juniorrostirola

366 **DEVOCIONAL**
110/366

LEITURA BÍBLICA
LUCAS 18

PALAVRA-CHAVE
#ALEGRIA

ANOTAÇÕES

HÁ MILAGRES PARA VOCÊ

20
ABR

#CAFECOMDEUSPAI

No dia em que Elcana oferecia sacrifícios, dava porções à sua mulher Penina e a todos os filhos e filhas dela. Mas a Ana dava uma porção dupla, porque a amava, mesmo que o SENHOR a houvesse deixado estéril.

1SAMUEL 1.4,5

O agora é a melhor época para se apropriar do novo de Deus

@juniorrostirola

DEVOCIONAL 366
111/366

LEITURA BÍBLICA
LUCAS 19

PALAVRA-CHAVE
#PROSSEGUIR

ANOTAÇÕES

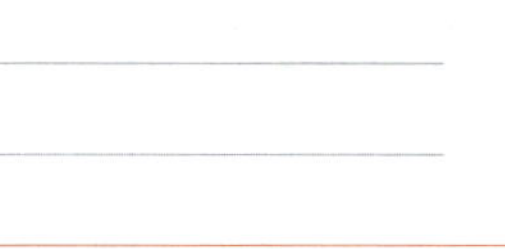

Usando a linguagem empregada pelo apóstolo Paulo, Ana possuía um espinho na carne; ela vivia angustiada, pois sonhava ter um filho, mas isso lhe era impossível por ser estéril.

Durante esse período da vida de Ana, que podemos interpretar como de grande desolação e tristeza, a primeira coisa a notar é que Ana não tinha o milagre que tanto almejava, pois a Bíblia nos mostra que Deus a fizera estéril, e a vontade dele é soberana.

Eu comparo isso ao tratamento que dispensamos aos nossos filhos, sendo detentores das vontades primordiais da vida deles, definindo a hora de eles brincarem, comerem, tomarem banho e dormirem. Determinamos o momento certo para cada uma dessas coisas porque sabemos que é o melhor para os nossos filhos, mesmo muitas vezes desagradando-lhes quando eles querem ficar acordados até mais tarde, ou provocando o protesto deles quando não lhes permitimos comer guloseimas em demasia. E a nossa resposta para os insistentes questionamentos de nossos filhos às vezes se resume num simples: "Porque sim!"

Talvez você esteja perguntando a Deus o porquê de as coisas estarem acontecendo desta forma e ouça um "porque sim" de resposta. Então, tenha fé e observe que, assim como Ana contava com o amparo de seu marido, Elcana, existem pessoas com quem você pode contar hoje; e, assim como o não que Ana recebia nesse momento da vida tornou-se um testemunho de milagres em sua trajetória, você também provará do milagre, e todas as portas fechadas se abrirão diante de você, mediante o poder de Deus. Creia nisso!

OLHE PARA O ALTO

Portanto, já que vocês ressuscitaram com Cristo, procurem as coisas que são do alto, onde Cristo está assentado à direita de Deus. Mantenham o pensamento nas coisas do alto, e não nas coisas terrenas.

COLOSSENSES 3.1,2

21
ABR

#CAFECOMDEUSPAI

Como têm sido os seus dias? Nem todos os dias da nossa vida são fáceis, não é verdade?

Na sua jornada, você viverá deslealdade, injustiças, traições, decepções e circunstâncias contrárias que podem até fazê-lo pensar que não conseguirá resistir. Mas, independentemente do que você passar, existe algo que você precisa fazer: olhar firmemente para o alto de onde lhe vem o socorro.

Pedro passou por uma experiência que nos ensina que devemos estar focados no que é realmente importante. Quando caminhava sobre as águas em direção a Jesus, acabou se distraindo ao desviar o olhar dele, focando na força do vento, e consequentemente começou a afundar.

O plano de Deus para nós é que vivamos uma vida plena, em equilíbrio e harmonia, com os olhos sempre nas coisas do alto; essa é a advertência que lemos no versículo acima.

Muitas vezes, as situações vão nos levando para o lado oposto, as pressões vão desviando o nosso foco de Jesus, e os ventos contrários tentam fazer você olhar para trás. Mas permaneça com os olhos fitos em Jesus, pois só assim você não afundará no mar da vida.

Proteja o seu coração do desânimo, da tristeza e da dúvida, limitando tudo aquilo que o faz perder o foco. Cale as vozes contrárias para conseguir ouvir a voz de Jesus. Tenha sua mente renovada em Cristo e se desfaça de todos os pensamentos que desencadeiam o medo, a angústia, as possibilidades ruins, as mágoas e os ressentimentos.

Se a jornada estiver pesada, manter o seu olhar firme em Jesus o salvará. Sempre existirá uma saída quando os seus olhos estiverem fitos apenas no Salvador Jesus.

Para viver o sobrenatural você precisa abandonar toda a distração e focar em Jesus.

@juniorrostirola

366 **DEVOCIONAL**
112/366

LEITURA BÍBLICA
LUCAS 20

PALAVRA-CHAVE
#FOCO

ANOTAÇÕES

DECIDA SER QUEM DEUS PLANEJOU QUE VOCÊ SEJA

22
ABR
#CAFECOMDEUSPAI

Vocês planejaram o mal contra mim, mas Deus o tornou em bem, para que hoje fosse preservada a vida de muitos.

GÊNESIS 50.20

A vida às vezes nos machuca, mas em todo tempo Deus nos cura.

@juniorrostirola

DEVOCIONAL
113/366

LEITURA BÍBLICA
SALMOS 49

PALAVRA-CHAVE
#CURADO

ANOTAÇÕES

Um dos maiores medos dos irmãos de José era que ele nunca os perdoasse pelo mal que lhe haviam feito. Nessa passagem, observamos que José teve uma atitude de misericórdia, ao dar aos seus irmãos a certeza de que ele os havia perdoado.

Eles planejaram o mal contra José, mas Deus o transformou em bem. O fato é que todas as coisas cooperam para o bem daqueles que amam a Deus. Em minha vida, não foi diferente. A rejeição fez que por muito tempo eu sofresse de diversas formas, por longos anos. Isso é algo terrível, pois, quando ocorre com crianças e adolescentes, gera feridas que podem ser levadas por toda a vida.

Assim como Deus Pai esteve comigo e guardou minha vida, ele também está com você. Transformou o que era meu motivo de humilhação e dor em testemunhos que ajudam pessoas a vencerem seus traumas.

Quero encorajá-lo a não se prender à sua dor; entregue-a para Deus, pois ele irá utilizá-la para que o nome dele seja glorificado, como fez comigo.

Precisei passar por diversos processos para que minha dor fosse cicatrizada e curada. Mas foi necessário deixar de lado a amargura, o ressentimento e a falta de perdão e dar lugar ao amor de Deus Pai.

Talvez a vida o tenha machucado, mas o importante é não permitir que essa dor o leve à amargura e à dureza de coração, pois pessoas feridas ferem. Entenda que sua melhor versão está em Deus, amando, perdoando e deixando ser curado por ele.

Levante a cabeça, creia que o Pai está com você e saiba que nele sua maior dor se tornará seu maior testemunho.

O SEGREDO DA FELICIDADE

Cada um cuide, não somente dos seus interesses, mas também dos interesses dos outros. Seja a atitude de vocês a mesma de Cristo Jesus.

FILIPENSES 2.4,5

23 ABR

#CAFECOMDEUSPAI

Se você deseja ser feliz, lembre-se sempre de que Deus tem uma verdade vitoriosa para a sua vida. O segredo é simples e verdadeiro, muito mais descomplicado do que você imagina. Você deseja ser feliz nos seus relacionamentos? Trate bem as pessoas, tenha empatia por elas, tenha interesse pelas necessidades delas, não só pelas suas. Se você levar a carga de uma pessoa, vai descobrir o segredo da felicidade ao olhar nos olhos dela iluminados pela gratidão.

Todos queremos alcançar a felicidade, mas poucos desejam pegar a toalha e a bacia, assim como Jesus, para lavar os pés de seus discípulos. Se você quer liderar, sirva! Se deseja crescer, sirva! E, se almeja ser feliz, sirva!

O segredo para a felicidade nos relacionamentos pode estar bem mais perto do que você imagina. Pode começar com você perdoando aquele parente distante, com quem há muito tempo você deixou de se relacionar por desentendimentos de opinião ou convivência, ou as pessoas ao seu redor, ajudando-as a mudar de vida e vencer seus obstáculos. Também pode começar estendendo as mãos à sua mãe, ao seu pai, ou quem sabe ao seu cônjuge, os quais, cansados de mais um dia de trabalho, ainda têm tarefas domésticas para realizar; surpreenda-os realizando em seu lugar.

Dedique seu tempo para ouvir as outras pessoas, dê atenção a como elas têm se sentido. Não existe receita mais poderosa na terra para os relacionamentos do que essas que foram ensinadas a nós por Jesus.

Eu o desafio a tomar hoje uma atitude de ajuda, empatia e amor para com o seu próximo, algo que você nunca tenha feito antes. Após fazer isso, sinta o amor de Jesus transbordando em você.

Servir ao próximo o faz mais parecido com Jesus.

@juniorrostirola

366 **DEVOCIONAL**
114/366

LEITURA BÍBLICA
SALMOS 50

PALAVRA-CHAVE
#DEDICAÇÃO

ANOTAÇÕES

SAIBA QUEM VOCÊ É

Vendo a fé que eles tinham, Jesus disse ao paralítico: "Filho, os seus pecados estão perdoados".

MARCOS 2.5

24
ABR
#CAFECOMDEUSPAI

Até que você saiba quem é, jamais poderá cumprir o seu propósito.

@juniorrostirola

DEVOCIONAL 366
115/366

LEITURA BÍBLICA
SALMOS 51

PALAVRA-CHAVE
#FILIAÇÃO

ANOTAÇÕES

O que você pensa a seu respeito? Nosso valor pessoal vem de Deus e do que ele diz sobre nós. Contudo, constantemente olhamos ao redor e nos comparamos a outras pessoas, o que pode acabar distorcendo nossa identidade.

Jesus, ao falar com o paralítico, inicia a frase chamando-o de filho. Você tem noção do poder que há em uma palavra? Aquele homem fazia muitos anos via-se acometido de uma deficiência e, sem dúvida, também possuía diversas feridas na alma. Jesus, antes de operar o milagre, apresenta-lhe a sua filiação, amando-o.

Deus faz a obra por completo em nossa vida. Sua intervenção atinge todas as áreas. Não há vazio no coração que não venha a ser preenchido pelo seu amor, quando permitimos que ele entre e faça morada. Desde cura física à restauração emocional, não há situação improvável para Deus Pai; esteja certo disso.

Quantas decisões erradas você já tomou buscando aceitação, como, por exemplo, ir a lugares que não convém, tomar decisões contrárias a suas convicções e crenças, apenas para sentir-se parte de algo. Talvez você viva desta maneira ainda, mas o fato é que, quando reconhece quem é aos olhos de Deus, tudo muda. Jamais conseguiremos saber quantas pessoas estavam naquela casa testemunhando o milagre, mas Jesus olhou diretamente para aquele enfermo.

Assim como aquele homem, que teve por meio de Jesus a compreensão de que era filho, saiba que você também é.

O único que precisa aceitá-lo já o fez, e esse alguém é Jesus. Não tenha uma visão distorcida acerca de você mesmo e não despreze seu valor pessoal. Você é filho!

COMO ESTÁ O SEU INTERIOR?

Então disse Deus: "Façamos o homem à nossa imagem, conforme a nossa semelhança."

GÊNESIS 1.26a

25
ABR
#CAFECOMDEUSPAI

No mundo inteiro, as pessoas estão cada dia mais preocupadas com a imagem. Percebemos isso especialmente nas mídias sociais, onde há uma grande preocupação com a aparência que é transmitida.

Sabemos que temos em nós a imagem e semelhança de Deus, e isso precisa estar evidente em nossa própria vida, porque foi para isso que fomos criados, para expressar a glória de Deus.

Enquanto escrevia este devocional, lembrei-me de que dias atrás fui comer uma maçã. Aparentemente, ela não tinha nenhum defeito, nada que me impedisse de degustá-la, mas, quando a cortei ao meio, tinha uma pequena mancha que indicava que internamente estava estragada.

O que eu quero ilustrar com isso? Muitas vezes, estamos como aquela maçã: exteriormente, tudo parece muito bem, sem problemas, mas o nosso interior está comprometido, com marcas, dores, traumas, feridas, rejeições e todo tipo de mazela que sinaliza que não estamos efetivamente bem. O grande problema é que mascaramos nossos conflitos em fotos que mostram apenas o exterior, quando na verdade tudo de que precisamos é cura, renovo, paz e refrigério para a nossa alma.

Se você está assim, machucado, angustiado, ferido ou traumatizado com algo em sua vida, saiba que, se permitir, o mesmo Deus que disse "façamos o homem à nossa imagem, conforme a nossa semelhança" pode sarar essa dor, curar esse trauma e secar as lágrimas que somente em sua intimidade são expostas. Tudo o que você precisa é ser sincero com você mesmo, reconhecendo qual área da sua vida precisa de uma intervenção de Deus, para que você possa viver uma vida de verdade por dentro e por fora.

Quando entregamos nosso interior a Deus, o nosso exterior reflete a sua imagem.

@juniorrostirola

DEVOCIONAL
116/366

LEITURA BÍBLICA
LUCAS 21

PALAVRA-CHAVE
#ESSÊNCIA

ANOTAÇÕES

CELEBRE AS CONQUISTAS

26
ABR
#CAFECOMDEUSPAI

Como é feliz aquele que não segue o conselho dos ímpios, não imita a conduta dos pecadores, nem se assenta na roda dos zombadores! Ao contrário, sua satisfação está na lei do SENHOR, e nessa lei medita dia e noite.

SALMOS 1.1,2

O salmista foi enfático em mostrar que as bênçãos de Deus não são incompletas ou pela metade, mas amplas e abrangentes na vida de todo aquele que segue os preceitos divinos.

Então, quando você observa que a vida de outra pessoa prospera grandemente, ao passo que você permanece estagnado, é sinal de que alguma coisa em sua vida está desalinhada. E, se você se sente indignado por causa disso, esteja certo de que a serpente já inoculou o seu veneno.

Costumo dizer que é mais fácil encontrarmos cem pessoas com quem chorar as nossas dores do que uma para celebrar conosco as nossas conquistas. Eu me questionei sobre o porquê disso, e o Pai me revelou que isso se deve ao fato de vivermos muito mais na carne do que no espírito. Ou seja, temos olhado mais para este mundo do que para as coisas eternas. E, quando vivemos na carne, ficamos cegos para as coisas espirituais. É necessário compreender primeiro as coisas espirituais e, depois, as carnais.

Ao viver de modo inverso, pondo as coisas carnais em primeiro lugar, somos alvos fáceis do Inimigo. Então, precisamos estar em um nível em que, ao vermos o nosso próximo prosperar, devemos nos alegrar. Se você tem celebrado a conquista de alguém, está no caminho certo, e seu coração é bom.

Não se deixe tomar pelo sentimento de que a conquista alheia é imerecida. Servir a Deus e ajudar o próximo em suas conquistas é motivo de alegria. Pois com esse coração você prosperará por todos os lados, rompendo e vivendo o sobrenatural de Deus em sua vida.

Tenha visão daquilo que Deus tem para você.

@juniorrostirola

DEVOCIONAL 366
117/366

LEITURA BÍBLICA
LUCAS 22

PALAVRA-CHAVE
#CELEBRAR

ANOTAÇÕES

O DEUS DA PAZ

[Disse Jesus:] *"Deixo a paz; a minha paz dou. Não a dou como o mundo a dá. Não se perturbe o seu coração, nem tenham medo".*

JOÃO 14.27

27
ABR
#CAFECOMDEUSPAI

Ao fazer essa declaração depois da sua morte e ressurreição, Jesus escolheu falar a respeito de paz e mostrar quanto ela é importante.

Muitas pessoas não têm paz na vida, porque ainda precisam aprender a confiar em Deus. Mas até alguns cristãos ainda não desfrutam de uma paz consistente porque simplesmente não ouviram a voz do Espírito Santo e acabaram se perdendo no caminho, por vários motivos, como, por exemplo, uma oração não respondida e um ente querido que partiu — ventos contrários que se levantaram, que acabaram não entendendo, pois ouviram a voz da mentira de que Deus as havia abandonado.

Às vezes, nós causamos a nossa própria infelicidade porque não confiamos o bastante. Queremos sempre que Deus mude as circunstâncias que nos afligem, mas ele está mais interessado em nos transformar do que em transformar a nossa situação. Muitas pessoas têm fé para pedir a Deus que as livre de alguma coisa, mas não têm fé suficiente nele para enfrentar coisa alguma. Jó disse: "Embora ele me mate, ainda assim esperarei nele" (Jó 13.15a).

Ele sabe o que é melhor para nós, e precisamos entender que em todo tempo Deus é bom. "'Porque sou eu que conheço os planos que tenho para vocês', diz o Senhor, 'planos de fazê-los prosperar e não de causar dano, planos de dar a vocês esperança e um futuro'" (Jeremias 29.11). Precisamos confiar que Deus é total e completamente justo, o que significa que ele sempre tem a solução, se decidirmos depender dele.

Não desista só porque Deus não fez no seu tempo. O tempo dele sempre será o melhor.

@juniorrostirola

DEVOCIONAL
118/366

LEITURA BÍBLICA
LUCAS 23

PALAVRA-CHAVE
#PAZ

ANOTAÇÕES

A OBEDIÊNCIA O COLOCARÁ NA PROMESSA

28
ABR
#CAFECOMDEUSPAI

Por isso naquele dia Moisés me jurou: 'Certamente a terra em que você pisou será uma herança perpétua para você e para os seus descendentes, porquanto você foi inteiramente fiel ao SENHOR, o meu Deus'.

JOSUÉ 14.9

Para viver novas realidades em Deus, você precisará andar na vontade dele.

@juniorrostirola

Após finalmente o povo de Deus ter conquistado a terra prometida, era hora de enfim dividir as posses. Calebe, por sua vez, lembrou a Josué da promessa sobre sua vida e pediu sua parte que havia sido prometida por Moisés, e assim Josué concedeu-lhe Hebrom por herança.

Deixe-me perguntar-lhe: você se lembra das promessas de Deus sobre sua vida?

O que garantiu a Calebe receber a promessa foi sua obediência e fidelidade. Da mesma forma, para você receber tudo aquilo que Deus prometeu, é preciso ser fiel e obediente. Disso dependerá o cumprimento da promessa em sua vida.

O grande problema é que muitas vezes não sabemos respeitar o tempo e acabamos trocando o louvor por murmuração, diferentemente de Calebe, que esperou 45 anos para possuir a terra que lhe havia sido prometida, e um detalhe importante: não sem antes ter ainda que lutar para se apropriar dela.

Que tal trocar o problema por uma posição de louvor? Troque a murmuração e a reclamação pelo louvor; isso vai mudar a sua vida e a sua história de forma extraordinária.

Não estou querendo de forma alguma questionar os problemas que você tem enfrentado, pois só quem os experimenta sabe o tamanho do desafio. Eu mesmo já vivi muito tempo assim, pensando tanto no problema que não conseguia enxergar a solução, e muitas vezes a solução estava justamente onde sempre esteve, numa atitude de paz e tranquilidade oriunda de uma expressão de louvor e ação de graças.

Mantenha-se fiel a Deus, sabendo que, se ele prometeu, é fiel e justo para cumprir.

DEVOCIONAL
119/366

LEITURA BÍBLICA
LUCAS 24

PALAVRA-CHAVE
#PERSEVERAR

ANOTAÇÕES

AMOR QUE CONSTRANGE

Jesus olhou para ele e o amou.

MARCOS 10.21a

29
ABR

#CAFECOMDEUSPAI

Ao longo da minha caminhada como cristão, em diversos momentos enquanto eu orava e meditava na Palavra, perguntei a mim mesmo como seria o olhar de Jesus enquanto esteve aqui na terra. Os relatos bíblicos nos permitem visualizar tamanha compaixão, misericórdia e, acima de tudo, o amor que Jesus praticou.

Jesus olhava para todos com amor e compaixão. Ele nos ensinou o amor verdadeiro, que não exige nada em troca, não busca sua própria glória ou vantagem, mas simplesmente ama e se entrega totalmente. Um amor que constrange nossa maneira de ser e agir. Aliás, não é tão fácil expressar amor quando, por exemplo, somos contrariados ou após passar por uma situação difícil no trânsito, não é verdade?

O único modelo de amor perfeito que temos é o de Jesus; por isso, desfaça-se dos padrões que você tem recebido da sociedade em relação a como amar e expressar esse sentimento pelas pessoas. Muitas vezes, amar é perder para que o outro ganhe; é sofrer algum dano para que seu próximo não o receba; é doar-se e amar até mesmo aquele que deseja o seu mal. É um padrão totalmente diferente do que aprendemos no decorrer da vida. O fato é que, sem Cristo, esse padrão é inalcançável.

Como você tem olhado para as pessoas ao seu redor? Indiferença e apatia jamais fariam parte do olhar de Jesus. Ou você tem olhado com compaixão e amor, buscando transmitir aquilo que você recebeu de Cristo? Entenda que fomos imensamente amados, para amar imensamente, independentemente de qualquer circunstância. Mesmo que tenham errado com você, compreenda que você não nasceu para amaldiçoar, mas sim para amar intensamente!

Sempre que você faz algo para o seu próximo, você é inserido na vitória dele.

@juniorrostirola

DEVOCIONAL
120/366

LEITURA BÍBLICA
SALMOS 52

PALAVRA-CHAVE
#AMAR

ANOTAÇÕES

UM SALTO PARA O MILAGRE

30
ABR
#CAFECOMDEUSPAI

Disse Pedro: "Não tenho prata nem ouro, mas o que tenho, isto lhe dou. Em nome de Jesus Cristo, o Nazareno, ande". Segurando-o pela mão direita, ajudou-o a levantar-se, e imediatamente os pés e os tornozelos do homem ficaram firmes.

ATOS 3.6,7

Quando você está debaixo da Palavra de Deus, você vive o milagre.

@juniorrostirola

DEVOCIONAL 366
121/366

LEITURA BÍBLICA
SALMOS 53

PALAVRA-CHAVE
#MILAGRE

ANOTAÇÕES

Você já parou para pensar que a nossa vida é composta de inúmeros milagres, uma quantidade tão grande que não conseguimos contar. Aí você pode pensar: *Mas em minha vida não vi nenhum até hoje.* Será que não viu mesmo?

A sua concepção no ventre de sua mãe, seu nascimento, seu crescimento, suas oportunidades de conquista, as pessoas que estenderam a mão a você... — esses são apenas alguns milagres de uma imensa lista que todos nós temos.

Nunca pense que Deus se esqueceu de você. Na passagem citada, vemos uma linda história: um aleijado de nascença que diariamente era colocado na porta do templo para esmolar, ao abordar os discípulos Pedro e João pedindo-lhes uma esmola, recebeu mais do que pedira; teve a sua vida transformada. É possível que em todos os anos que precederam o seu milagre esse homem tenha testemunhado inúmeras pessoas entrando e saindo do templo curadas, libertas e ricamente abençoadas, enquanto ele permanecia ali, à margem, vivendo de migalhas, sem ver o dia da bênção chegar para ele.

Talvez você possa pensar assim: *Já vi tanta gente alcançar o milagre, mas não consigo presenciar o milagre em minha vida e desfrutar de tudo aquilo que muitos estão desfrutando.*

Tudo que Deus Pai está esperando é a sua atitude. Atitude de acreditar, de confiar. Muitas vezes, Deus não muda as circunstâncias, porque ele quer usar as circunstâncias para mudar você. Então, observe os acontecimentos sob uma nova perspectiva e deixe Deus fazer a transformação necessária em sua vida, começando a fazer isso hoje.

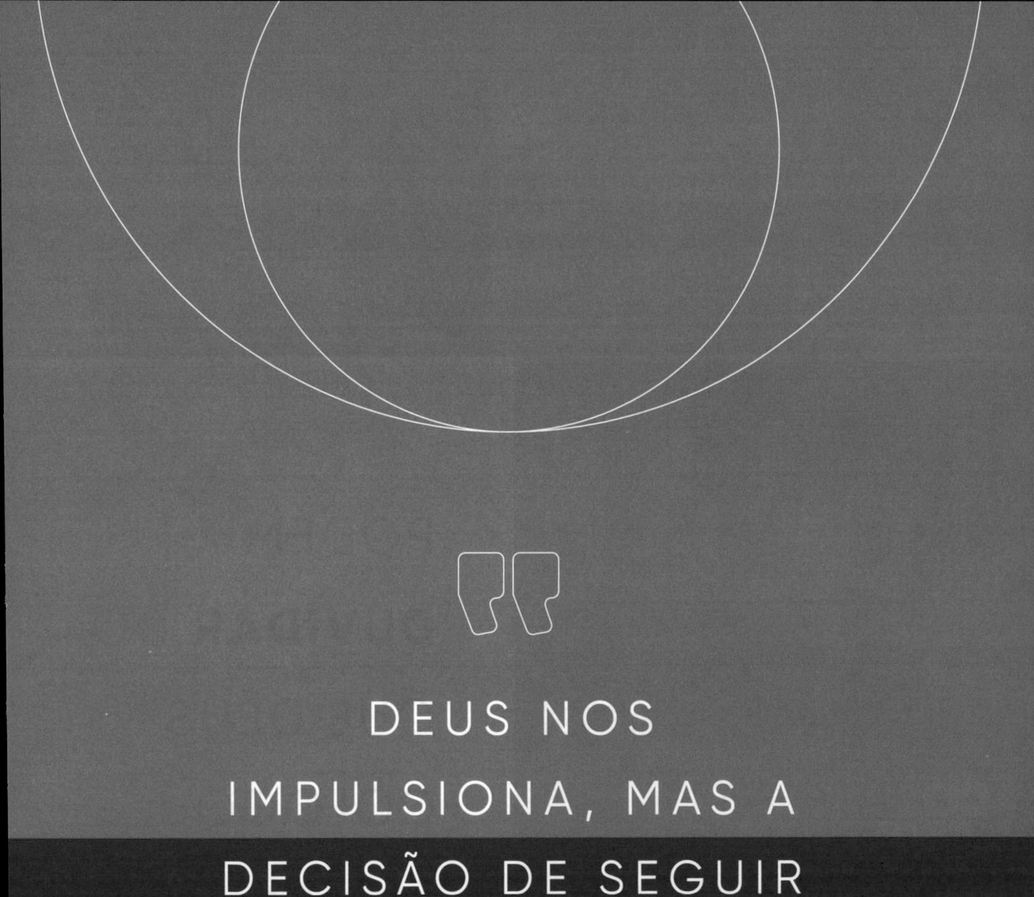
DEUS NOS
IMPULSIONA, MAS A
DECISÃO DE SEGUIR

PODEM **DUVIDAR** DO QUE DEUS COLOCOU EM MINHAS MÃOS. QUEM **NÃO PODE TER** DÚVIDA SOU EU

@juniorrostirola

MAIO

Assista o vídeo com a palavra
e oração para este mês.

café
com
Deus
pai

CAPACITADO POR DEUS

"Eu escolhi Bezalel [...], e o enchi do Espírito de Deus, dando-lhe destreza, habilidade e plena capacidade artística."

ÊXODO 31.2,3

01
MAI
#CAFECOMDEUSPAI

Bezalel foi um homem cheio do Espírito Santo. Ele foi capacitado por Deus para confeccionar os objetos que seriam postos no tabernáculo. Sendo empoderado com habilidades de uma área que provavelmente ele não dominava, passou a exercer esse ofício de forma extraordinária, mediante o Espírito de Deus.

É comum ouvirmos que Deus não escolhe os capacitados, mas capacita seus escolhidos, e podemos ver isso na vida de várias pessoas improváveis, como Noé, que não sendo mencionada nenhuma experiência como construtor ou carpinteiro, foi empoderado por Deus a construir a arca que salvou sua família do dilúvio.

Deus nos amou e nos escolheu para um propósito grandioso: dar frutos eternos. Talvez você pense que a sua vida não faz sentido ou que você nunca fez nada de muito importante pela sociedade por não ter capacidade.

Entenda que Deus o escolheu para um propósito, pois todos nós temos um importante papel a cumprir, contudo precisamos abrir o coração para que o Espírito Santo possa despertar em nós os dons e habilidades desse importante trabalho. Não se diminua dizendo que você não é capaz, que você não consegue, que as coisas para você são mais difíceis.

Decida confiar plenamente no Senhor hoje, independentemente dos desafios e das críticas que você vem enfrentando. Entenda que você é um filho amado, uma filha amada, e que Deus tem os melhores planos para a sua vida, incluindo o seu trabalho. Decida hoje se entregar a Deus sem reservas e entender que nele tudo é possível. Ele tem o prazer de desenvolver e capacitar cada um de nós para viver coisas maiores.

A obediência paralisa aquilo que está paralisando você.

@juniorrostirola

DEVOCIONAL
122/366

LEITURA BÍBLICA
SALMOS 54

PALAVRA-CHAVE
#OBEDECER

ANOTAÇÕES

VOCÊ NUNCA ESTEVE SÓ

02
MAI

#CAFECOMDEUSPAI

"O próprio SENHOR irá à sua frente e estará com você; ele nunca o deixará, nunca o abandonará. Não tenha medo! Não desanime!"

DEUTERONÔMIO 31.8

Deus Pai nos dá a força e o entendimento necessários para vencermos nossos desafios diários.

@juniorrostirola

DEVOCIONAL 366

123/366

LEITURA BÍBLICA

JOÃO 1

PALAVRA-CHAVE

#PROSSIGA

ANOTAÇÕES

Vez ou outra, você se sente desanimado? Como se por um momento a vida perdesse a cor e sentimentos de desprezo e abandono tomassem o seu coração? Esse deserto da alma pode acabar nos acometendo. O fato é que ninguém está livre disso. Contudo, algo que não podemos permitir é condicionar esses sentimentos à ausência de cuidado de Deus com a nossa vida, fazendo-nos acreditar na mentira de que ele está alheio aos nossos sofrimentos e que estamos entregues à própria sorte. Isso não é verdade.

Vivemos em um mundo com diversas mazelas ocasionadas por más escolhas humanas; então, as pessoas irão acabar errando com você em algum momento. Mas não podemos condicionar isso à falta de cuidado de Deus. Saiba que você é único e especial para ele. Como diz o texto que lemos, ele jamais o abandonará, mas irá à sua frente durante a caminhada da sua vida e o sustentará em bom ânimo para prosseguir!

Apenas creia nessa linda promessa da Bíblia. Ninguém jamais conseguirá amar você na mesma medida que Deus o ama, dado o tamanho do sentimento dele em relação a cada um de nós.

O Pai sempre o tem sustentado pela mão. Saiba que ele o trouxe até aqui. Portanto, entenda que você nunca estará só. Independentemente da rejeição humana que você possa ter sofrido, ele nunca se esqueceu de você.

Você tem se sentido rejeitado ou sozinho? Ou já se sentiu assim? A partir de hoje, entenda que Deus Pai já saiu à sua frente, preparando o caminho e livrando-o de todo o mal. Você jamais estará abandonado; portanto, siga com confiança. Saiba que você tem um Pai que cuida de forma integral da sua vida.

NÃO ANDE NA CONTRAMÃO DA VIDA

Então fizeram sinais a seus companheiros no outro barco, para que viessem ajudá-los;

LUCAS 5.7a

03 MAI

#CAFECOMDEUSPAI

A nossa habilidade de comunicar-se nos permite compreender os sinais emitidos pelas pessoas, sem que palavras precisem ser pronunciadas. Muitas vezes, um gesto ou uma simples mudança de expressão pode nos falar mais do que muitas palavras, assim como um aceno de mão pode muitas vezes substituir um "oi" de alguém.

Por isso, os sinais não são limitações, pois servem para a nossa comunicação. E observar os sinais é ser sábio e prudente. Por exemplo, ao dirigirmos, é fundamental observar os sinais, para que haja segurança tanto para você quanto para as demais pessoas.

Agora deixe-me perguntar: você tem observado os sinais que a vida lhe apresenta? Você precisa pensar nisso! Em especial, ao tomar as decisões que podem impactar grandemente a sua vida.

Esteja atento aos sinais que Deus lhe tem dado. Assim como quem dirige sem respeitar as sinalizações e sem parar nos sinais vermelhos pode acarretar um acidente, não ficar atento aos sinais de Deus pode levá-lo a viver uma vida com graves problemas.

Diante de uma escolha que você esteja prestes a fazer, o Pai vai sinalizar para uma decisão correta, pois ele sabe que andar desatento o expõe a vários riscos e às demais pessoas ao redor, podendo até custar a vida. Por isso, decida não andar na contramão da vontade de Deus.

Quando ignoramos os sinais dados por Deus, podemos pagar um preço amargo, ao passo que, se estivermos atentos e obedientes aos apontamentos dados por ele, temos a confiança de uma trajetória segura pela jornada da vida.

Se você atentar aos sinais de Deus, ele o conduzirá a caminhos seguros.

@juniorrostirola

DEVOCIONAL
124/366

LEITURA BÍBLICA
JOÃO 2

PALAVRA-CHAVE
#ATENÇÃO

ANOTAÇÕES

O PODER DAS PALAVRAS

04
MAI
#CAFECOMDEUSPAI

O tolo dá vazão à sua ira, mas o sábio domina-se.

PROVÉRBIOS 29.11

Não use suas palavras para descrever o problema. Use-as para transformar realidades.

@juniorrostirola

DEVOCIONAL 366
125/366

LEITURA BÍBLICA †
JOÃO 3

PALAVRA-CHAVE
#SABEDORIA

ANOTAÇÕES !

Alguma vez você já falou além do que deveria? Tenho percebido como a cultura atual tem feito as pessoas desejarem desesperadamente ser ouvidas; no entanto, parece que poucos estão dispostos a ouvir. Muitas vezes, mesmo sem conhecer nada sobre o assunto, acabamos tendo uma opinião formada, não é verdade?

Grande parte das brigas e problemas em relacionamentos, seja de ordem familiar ou conjugal, se dá pelo fato de as pessoas não conseguirem refrear suas palavras, e com isso, acabam magoando quem amam.

Aprendo com esse versículo que lemos quanto é sábio compreender quando é o momento de falar, sempre considerando o bem-estar do próximo. Isso não significa deixar de confrontar ou corrigir, mas, se realmente for necessário, fazê-lo com empatia e amor.

Talvez você não saiba, mas eu luto contra a timidez. Por muitos anos, eu não conversava tranquilamente com as pessoas; aliás, se chegasse num ambiente com muitas pessoas, normalmente eu me isolava. O simples fato de expor os meus pensamentos era assustador.

Em meu caso, não me calava pelo fato de ser sábio, mas sim por ter medo do que pensariam a meu respeito. Por outro lado, vejo pessoas falarem muito, buscando ser ouvidas, expondo tudo o que pensam sem medir as consequências, o que pode acabar causando diversos problemas.

Você tem conseguido refrear suas palavras? Seja sábio e use-as para declarar vida e expressar amor ao próximo. Palavras são armas poderosas, capazes de levar vida por onde quer que você passe. Então, seja sábio e ponderado em suas palavras a partir de hoje.

PROCESSOS NECESSÁRIOS

Fira-me o justo com amor leal e me repreenda,

SALMOS 141.5a

05
MAI

#CAFECOMDEUSPAI

Todos nós somos dotados de uma grande quantidade de emoções, que são divididas em dois grupos: positivas e negativas. Ambas são importantes para nós, tanto para a sobrevivência quanto para um desenvolvimento bem-sucedido, até porque não nascemos prontos; somos moldados pelos processos.

Cada um de nós tem uma história, uma trajetória. Então, nunca meça a sua vida com a régua da vida de outra pessoa. Seja único e siga o caminho que Deus Pai escolheu para você. Muitas vezes, o ato de sermos confrontados nos induz a mudança, transformação, aprendizado e melhora. No primeiro momento, pode doer, mas os processos são necessários para o nosso crescimento.

Talvez em sua adolescência você quisesse ficar na rua brincando até tarde da noite, mas sua mãe o repreendia, porque isso poderia ser perigoso, mas você ingenuamente desconhecia esse perigo. Hoje você reconhece que foi um ato de amor e cuidado da sua mãe para com você, não é mesmo? Da mesma forma, no texto que lemos o salmista reconhece a necessidade de ser advertido, para que melhore e aprenda a cada dia.

Por isso, caminhe ao lado de pessoas que o aconselhem e amparem, de modo que reconheçam suas qualidades e o impulsionem, mas, quando for necessário, também confronte você, sempre visando seu crescimento e amadurecimento.

Com quem você tem caminhado? Saiba que, à medida que somos ensinados, amadurecemos e nos tornamos aptos a ir além e viver os grandes propósitos que o Pai tem para cada um de nós. Ao receber um apontamento, não escolha o ressentimento, e sim o crescimento.

Quando Deus o confronta, é apenas para o direcionar ao propósito.

@juniorrostirola

DEVOCIONAL
126/366

LEITURA BÍBLICA
JOÃO 4

PALAVRA-CHAVE
#MATURIDADE

ANOTAÇÕES

ESCOLHAS QUE VÃO ALÉM DE VOCÊ

Os filhos são herança do Senhor, uma recompensa que ele dá. Como flechas nas mãos do guerreiro são os filhos nascidos na juventude.

SALMOS 127.3,4

06
MAI

#CAFECOMDEUSPAI

As escolhas assertivas que você fizer no presente deixarão um legado futuro de excelência.

@juniorrostirola

DEVOCIONAL 366
127/366

LEITURA BÍBLICA
SALMOS 55

PALAVRA-CHAVE
#DECIDIR

ANOTAÇÕES

A filosofia ensina que somos fruto do meio em que vivemos, como se cada um de nós fosse uma colcha de retalhos montada a partir do ambiente e das pessoas que nos cercam ao longo da vida.

Nasci em um lar totalmente desestruturado, por causa das alterações de humor que o álcool causava no meu pai, transformando-o em um homem violento com todos, fazendo que até mesmo meus três primeiros irmãos não sobrevivessem muito tempo.

Por causa disso, certa vez uma pessoa me perguntou se eu guardava rancor de meu pai, e eu lhe respondi que nunca guardei mágoa do meu pai, pois, apesar de tudo, a minha mãe sempre disse que havia bondade nele, que o que o deixava daquele jeito era o álcool.

A minha maneira de enxergar a minha família mudou graças à minha mãe. Apesar de não ter uma família perfeita, eu podia ver de fato um propósito, algo bom. Essa foi uma das coisas que a minha mãe sempre me ensinou, por isso sou muito grato a ela.

Em alguns dias comemoraremos o dia das mães, e como sou grato, tenho plena certeza de que sou resultado das escolhas que a minha mãe fez, diante das circunstâncias e da fala dela a respeito do meu pai. Pois, se eu houvesse nutrido ódio e mágoa dele, certamente não teria o coração que eu tenho hoje e com certeza não estaria no lugar em que estou.

Não podemos escolher o que os outros farão a nós, mas podemos, sim, escolher a forma de reagir, absorver e catalisar as experiências que a vida nos dá. Se estamos onde estamos hoje, entendamos que tudo isso foi fundamental para chegarmos até aqui e seguirmos em direção ao nosso destino em Deus.

A DEPENDÊNCIA GERA ABUNDÂNCIA

Se não for o SENHOR o construtor da casa, será inútil trabalhar na construção. Se não é o SENHOR que vigia a cidade, será inútil a sentinela montar guarda.

SALMOS 127.1

07 MAI

#CAFECOMDEUSPAI

Tudo na vida exige um planejamento prévio, desde um passeio no final de semana no qual traçamos o itinerário para escolher o melhor caminho, até coisas mais duradouras e grandiosas, como uma reforma na casa, em que planejamos e fazemos orçamentos antes de pô-la em prática. Na vida com Deus, não é diferente: precisamos que ele esteja no centro de nossa vida e, para encontrá-lo nessa viagem, o nosso GPS é a sua Palavra.

Quando a Palavra de Deus deixa de ser a bússola na navegação pelos mares tempestuosos da vida, tudo se torna perigoso. Então, precisamos cuidar da nossa casa; tudo precisa estar amarrado com laços fortes, com o cordão de três dobras, não consistindo somente na união de um homem e uma mulher, mas, sim, um homem, uma mulher e Deus.

Existem pessoas que aos olhos humanos tem tudo, mas, na verdade, não têm nada. A maior necessidade dos lares não é de mais dinheiro ou conforto, e sim mais da presença de Deus. Porque nada tem valia se não houver a presença de Deus.

Só quando entreguei minha vida a Jesus é que pude enxergar o grande vazio que existia dentro de mim. Minha vida só passou a ter sentido após esse encontro com Deus como um Pai de amor que me acolheu e me fez ver quem eu era de verdade.

Quando mergulhei de corpo, alma e espírito, tudo começou a mudar. Então, para que você consiga ser bem-sucedido em todas as áreas de sua vida, se entregue sem reservas. Viver na luz é reconhecer que as trevas são inoperantes diante da grandeza de Deus.

Não seja governado pelos seus pensamentos, seja governado pelos céus!

@juniorrostirola

DEVOCIONAL
128/366

LEITURA BÍBLICA
SALMOS 56

PALAVRA-CHAVE
#ENTREGA

ANOTAÇÕES

O CONTROLE DAS EMOÇÕES

08
MAI

#CAFECOMDEUSPAI

Sejam todos prontos para ouvir, tardios para falar e tardios para irar-se.

TIAGO 1.19b

A renovação que você quer está na mudança de vida que você precisa!

@juniorrostirola

DEVOCIONAL 366
129/366

LEITURA BÍBLICA
SALMOS 57

PALAVRA-CHAVE
#PACIÊNCIA

ANOTAÇÕES

O que você faz quando algo realmente o tira do sério? Explode imediatamente, ou consegue controlar as suas emoções?

Abraham Lincoln tinha um hábito interessante nesses momentos. Ele escrevia uma carta onde colocava toda a sua frustração e indignação no papel. Momentos depois, quando já estava mais calmo, relendo a carta, percebia que muito daquilo não fazia sentido e, então, a finalizava, escrevendo: "jamais assinada, jamais enviada".

Esse exemplo me ensina e me inspira muito sobre domínio próprio, porque muitas vezes nosso ego fala mais alto e nos induz a pôr o que pensamos para fora de qualquer maneira, com aquele péssimo pensamento de "não levarei desaforo para casa". Mas o fato é que pagar na mesma moeda não nos assemelha em nada a Jesus.

Imagine se sempre que as pessoas perdessem a paciência imediatamente pusessem para fora toda a sua indignação. Viver em um lar onde há alguém que facilmente é tomado pela ira é muito difícil.

Infelizmente, essa foi a realidade em que eu e minha família vivemos durante a minha infância e adolescência, onde todos nós estávamos sempre com medo dos ataques de fúria do meu pai por causa do vício do álcool. Contudo, ter passado anos por essa difícil situação me ensinou o valor de ter paz no lar.

Neste dia, peça a Deus que lhe conceda domínio próprio para enfrentar as situações de conflito e dedique-se a isso. Espere, não haja no calor do momento. Tome um copo d'água, escreva uma carta, respire fundo, use a estratégia que preferir, só não perca o controle. Afinal, toda verdade dita sem amor perde a razão.

VOCÊ É ENSINÁVEL?

Depois de rejeitar Saul, levantou-lhes Davi como rei, sobre quem testemunhou: "Encontrei Davi, filho de Jessé, homem segundo o meu coração; ele fará tudo o que for da minha vontade".

ATOS 13.22

09
MAI

#CAFECOMDEUSPAI

Davi é uma das pessoas de maior destaque na Bíblia. O que mais se destaca em sua trajetória não são seus feitos heroicos, vitórias militares ou seus múltiplos talentos como músico e salmista, mas ter recebido a honra de ser reconhecido como o "homem segundo o coração de Deus".

Saul reinou antes de Davi, mas durante a sua caminhada ele acabou tomando decisões erradas, não se arrependeu, e o orgulho tomou conta de sua vida. Isso me ensina que Deus tem planos lindos para cada um de nós, mas o fato de eles prosperarem ou não é da nossa responsabilidade.

Uma das características mais importantes que fizeram de Davi um homem que tanto agradou a Deus foi seu coração quebrantado. Ele não era perfeito, cometeu diversos erros, erros que a Bíblia não omite, mas prontamente se arrependia e não reincidia em suas más decisões.

O orgulho e a teimosia nos impedem de chegar ainda mais perto de Deus. Pessoas com o coração ensinável, ainda que cometam erros, estão prontas para rapidamente aprender e mudar.

Toda vez que o Senhor percebe em nós esse coração quebrantado, sensível, ensinável e em constante transformação, ele se agrada, ouve nosso clamor e nos perdoa.

Na vida, estamos sujeitos a cometer erros. Quando permitimos, eles fazem parte do processo de aprendizagem e amadurecimento. O problema está em não ouvir a Deus e permanecer no engano. As suas escolhas têm correspondido ao que Deus espera de você? Lembre-se: o Senhor não despreza um coração humilde e quebrantado.

Seja humilde para reconhecer seus erros, inteligente para aprender com eles e sábio para corrigi-los.

@juniorrostirola

366 **DEVOCIONAL**
130/366

LEITURA BÍBLICA
JOÃO 5

PALAVRA-CHAVE
#HUMILDADE

ANOTAÇÕES

COMO A SI MESMO

10
MAI
#CAFECOMDEUSPAI

"O segundo é este: 'Ame o seu próximo como a si mesmo'. Não existe mandamento maior do que estes."

MARCOS 12.31

A felicidade também está em servir ao próximo.

@juniorrostirola

DEVOCIONAL 366
131/366

LEITURA BÍBLICA
JOÃO 6

PALAVRA-CHAVE
#COMPAIXÃO

ANOTAÇÕES

Trabalhar é uma missão muito importante dada por Deus a todos nós. Seja qual for a sua área de atuação, ele deseja que você trabalhe com foco e determinação, dando o seu melhor, porque tudo o que fazemos, fazemos primeiramente para Deus.

Em 2008, a cidade em que resido foi assolada por uma grande enchente. Foram dias com a cidade submersa, e os cidadãos que tiveram suas casas atingidas pelas águas ficaram abrigados em casas de parentes, amigos ou até mesmo em alojamentos disponibilizados pela prefeitura. Lembro-me de que, quando as águas baixaram e a cidade começou a ser limpa, logo retornei às atividades de trabalho; mesmo assim, fiz da minha casa um lugar para arrecadação de itens que serviriam para auxiliar as famílias atingidas.

Tudo que fiz foi sem que ninguém me pedisse, nem porque recebesse com isso qualquer remuneração, mas já naquela época eu entendia que precisava ter um olhar de empatia pelo próximo.

Minha pergunta para você neste dia é: o que você está fazendo pelo seu próximo? Aprendi que a vida na Terra não é sobre mim, mas sobre Deus e as pessoas. A rua em que eu morava na época também foi atingida, mas isso não foi um empecilho; pelo contrário, me mostrou que, mesmo passando por situações difíceis, podemos ter um olhar de compaixão para com o nosso próximo.

Aprendi na vida que é melhor dar do que receber. Certamente você tem algo que pode fazer e contribuir para o Reino de Deus na terra. O Pai espera de você uma atitude que venha demonstrar empatia e amor. A vida ganha outro sentido quando passamos a olhar além de nós mesmos.

ACERTE O ALVO

[E] lhe disse: "Abra a janela que dá para o leste e atire". O rei o fez, então Eliseu declarou: "Esta é a flecha da vitória do SENHOR*, a flecha da vitória sobre a Síria! Você destruirá totalmente os arameus, em Afeque".*

2REIS 13.17

11
MAI
#CAFECOMDEUSPAI
Se Deus falou não importa o cenário, ele cumprirá.
@juniorrostirola
366 DEVOCIONAL
132/366
LEITURA BÍBLICA
JOÃO 7
PALAVRA-CHAVE
#OBEDIÊNCIA
ANOTAÇÕES

Nessa passagem, vemos o profeta Eliseu em seus últimos suspiros declarar profeticamente que o rei Jeoás era como uma flecha, empoderando-o para o direcionamento que Deus liberou sobre a sua vida. Cada flecha que era lançada pela janela simbolizava o número de vitórias que ele teria sobre seus inimigos.

Uma flecha não toma direção por conta própria, mas sim pelo arqueiro que a lançou. Da mesma maneira, a habilidade do lançador define se ela irá acertar o alvo ou não, bem como a distância que irá alcançar. Aprendo que, como flechas, somos lançados por Deus em direção à sua vontade, para o lugar e da forma que ele bem deseja.

Quando nos colocamos à disposição de Deus e nos submetemos ao seu tratamento e cuidado, passamos a viver os sonhos dele para nossa vida, e ele não erra o alvo. Somos lançados ao destino estabelecido e vivemos vitórias extraordinárias.

As mãos de Deus Pai o levarão a atingir distâncias inimagináveis. Para isso, basta entregar a Deus o controle de sua vida, compreendendo que somos como flechas. Submeta-se e reconheça que, lançado por ele, você pode ir muito mais longe. Mas o fato é que uma flecha precisa ser constantemente afiada pelo arqueiro. Minha pergunta é: você tem se submetido ao tratamento de Deus? Entendo que é necessário passar por processos para que possamos acertar o alvo.

Hoje eu o convido a confiar e suportar os processos. Entenda que Deus está gerando em você a condição de ser mais assertivo e ir ainda mais longe. Seja resiliente e submeta-se à vontade do Pai. Então, prepare-se para vitórias inimagináveis.

VOCÊ NÃO É A SUA CIRCUNSTÂNCIA

Tu, Senhor, guardarás em perfeita paz aquele cujo propósito está firme, porque em ti confia.

ISAÍAS 26.3

12
MAI

#CAFECOMDEUSPAI

O que você chama de dor Deus chama de treinamento, para você chegar aonde tem que chegar.

@juniorrostirola

DEVOCIONAL 366
133/366

LEITURA BÍBLICA
JOÃO 8

PALAVRA-CHAVE
#SUPERAÇÃO

ANOTAÇÕES

A fé em Deus nos dá força para superar nossos sofrimentos emocionais, aumentando a nossa resistência. Jesus, enquanto esteve na terra em forma humana, não sentiu apenas dor física, mas também emocional. O fato é que, enquanto vivermos nesta terra, não estaremos isentos de passar por sofrimentos. Entendamos que a felicidade não exclui o sofrimento; a felicidade depende de como vamos enfrentá-lo. Foi o que Jesus ressaltou na sua própria vida.

Tentar evitar o sofrimento não nos levará a uma vida mais feliz, mas a forma de enfrentar toda situação contrária nos conduzirá a uma vida mais significativa e cheia de esperança.

Se estamos aqui na terra, é porque temos um propósito e uma missão de vida que recebemos do Pai. Ainda que a situação não seja a melhor, podemos amadurecer e sair fortalecidos.

As estatísticas apontam para muitas pessoas que sofrem de ansiedade, depressão ou algo semelhante, e muitas vezes elas vivem com profundas dores na alma. O fato é que em meio à dor muitos acabam virando as costas para Deus, achando que foram abandonados ou esquecidos e desistem de continuar, voltando-se completamente para o problema.

Apegue-se a esta verdade: um momento não define toda a sua vida; é apenas uma condição passageira. Portanto, não permita que a dor faça morada em seu coração. Saiba que nesses momentos devemos nos apegar ainda mais a Deus e confiar nele. Ele concederá paz e descanso enquanto você aguarda a manhã chegar.

A LEVEZA DE ESTAR NELE

Não andem ansiosos por coisa alguma, mas em tudo, pela oração e súplicas, e com ação de graças, apresentem seus pedidos a Deus. E a paz de Deus, que excede todo o entendimento, guardará o coração e a mente de vocês em Cristo Jesus.

FILIPENSES 4.6,7

13
MAI

#CAFECOMDEUSPAI

Pode ser que falar de paz em nossos dias seja algo desafiador. Talvez você tenha começado o seu dia angustiado e triste. Notícias desagradáveis parecem chegar sem nenhum aviso. Ou aquilo que você planejou ocorreu de forma diferente. Só posso lhe dizer que nem sempre você entenderá o porquê.

Tem coisas que Deus não nos fala: primeiro porque o Pai é soberano e sabe o que é melhor para cada um de nós; segundo, porque ele conhece nossa estrutura e maturidade, ou seja, que não estamos prontos para ouvir tudo. Isso revela que devemos confiar nele, só confiar.

Em que você tem depositado sua confiança? Precisamos entregar nosso destino nas mãos daquele que pode todas as coisas e que não mediu esforços para doar o seu único Filho para morrer na cruz do Calvário em nosso lugar. É mais do que um ato de fé; é confiar que o Criador sabe exatamente o que é melhor para a nossa vida.

Parece muito fácil falar sobre não ficarmos ansiosos, e de fato é mais fácil falar do que agir. Em minha caminhada, tenho visto que nós mesmos nos sabotamos; declaramos confiar em Deus Pai e esperar o tempo, mas nossas atitudes revelam o contrário.

Reflita sobre qual circunstância o tem levado a viver angustiado, longe de uma vida alegre e de paz. O que o tem impedido de encontrar leveza nos seus dias?

Não sou perfeito nem perito em andar livre da ansiedade, mas diariamente tenho aprendido com Deus que o melhor é confiar e esperar o seu agir.

Qual é sua escolha? Confiar e entregar, ou permanecer ansioso levando um peso sobre os ombros? Eu já decidi: vou permanecer tranquilamente no afago dos seus braços. Vamos juntos?

Jesus morreu a nossa morte para vivermos a sua vida.

@juniorrostirola

DEVOCIONAL
134/366

LEITURA BÍBLICA
SALMOS 58

PALAVRA-CHAVE
#DESCANSO

ANOTAÇÕES

MÃOS À OBRA!

Então eu lhes disse: Vejam a situação terrível em que estamos: Jerusalém está em ruínas, e suas portas foram destruídas pelo fogo. Venham, vamos reconstruir os muros de Jerusalém, para que não fiquemos mais nesta situação humilhante.

NEEMIAS 2.17

14
MAI
#CAFECOMDEUSPAI

Deus nos impulsiona, mas a decisão é nossa de seguir.

@juniorrostirola

DEVOCIONAL 366
135/366

LEITURA BÍBLICA
SALMOS 59

PALAVRA-CHAVE
#RECONSTRUÇÃO

ANOTAÇÕES

Já viajei para alguns lugares do mundo e pude perceber grandes diferenças em organização, clima e conduta das pessoas. Com isso, observei que cada cidade é um retrato do seu povo, e o povo é um retrato de cada cidade. Se você encontra uma cidade mal cuidada e suja ou repleta de jardins floridos, isso reflete o comportamento das pessoas que moram ali.

Quando Neemias chega à cidade de Jerusalém, ele percebe que ela estava em ruínas; só restavam destroços, e os muros haviam sido derrubados. Ao visualizar todo aquele cenário de destruição, Neemias primeiramente analisou. A destruição que ele viu nas edificações de Jerusalém era a mesma que habitava no coração das pessoas que viviam ali. A ausência de muros e portas e os escombros por toda parte demonstravam a falta de perspectiva para um amanhã melhor. Seus moradores pareciam apáticos a tudo aquilo; no passado haviam sido submetidos a conflitos e subjugados por outro povo, por isso estavam mais focados em suas muitas dores, traumas e perdas.

Há algo em ruínas dentro de você necessitando de reconstrução? Neste dia, eu o convido a visualizar sua vida no profundo. Talvez ainda haja escombros do passado ao seu redor, e o seu coração está em pedaços por causa até de memórias que o machucaram e o paralisam até hoje.

Assim como Neemias, ouça a voz de Deus Pai, que o chama para se posicionar! Entenda que é hora de levantar a cabeça, arregaçar as mangas e ir à obra! Deus quer transformar esse cenário de destruição. Tudo o que você precisa é entender que ele está com você e o fará vitorioso, guiando-o para um lugar tranquilo e cheio de paz.

JUNTOS À MESA

[...] juntos participavam das refeições, com alegria e sinceridade de coração.

ATOS 2.46

15 MAI

#CAFECOMDEUSPAI

Hoje celebramos o Dia Internacional da Família!

Entenda que embora nenhuma família seja perfeita, é preciso valorizar e fortalecer os laços familiares com amor. Convido você a dedicar um tempo de qualidade à sua família hoje! E aos que estão longe, envie uma mensagem para demonstrar o quanto são importantes na sua vida!

@juniorrostirola

DEVOCIONAL
136/366

LEITURA BÍBLICA
SALMOS 60

PALAVRA-CHAVE
#FAMÍLIA

A nossa casa é o ambiente onde não precisamos nos preocupar com as convenções e protocolos sociais, podendo relaxar e sermos quem realmente somos, por isso lhe pergunto: como está a sua casa? Como é o ambiente que se respira por lá? Ao fim de um dia de trabalho ou estudo, quando chega a hora de ir para casa, qual a sensação que lhe vem? Vontade de correr para casa ou de correr de casa? Já parou para pensar sobre a razão disso?

Até os meus quatorze anos, nunca tivemos a oportunidade de fazer uma refeição sequer com todos os integrantes da família reunidos à mesa, pois em virtude da violência que o meu pai exercera contra a nossa família, esse ambiente de comunhão que a mesa proporciona não existia.

Apesar de não ter uma referência paterna em minha caminhada, em que o meu referencial de família era disfuncional, quando recebi Jesus em minha vida como Salvador, as suas verdades passaram a germinar em meu coração. Nele surgiu a possibilidade de viver uma nova vida, inclusive sonhar com uma família, onde ao redor da minha mesa estariam minha esposa e filhos.

Hoje vejo lares quebrados e disfuncionais. Para restaurá-los, é preciso primeiro identificar a causa da ruptura que gera a falta de paz. Convide Jesus e permita que ele habite em sua casa, tornando sua casa um lar.

Muitas vezes, tudo que precisamos é nos dedicar junto àqueles que estão conosco, olhando diretamente nos olhos, amando e exercendo o perdão quando necessário. Família: um projeto de Deus!

A solução para as suas necessidades não é encontrada em brigas e lutas, mas na comunhão à mesa.

NÃO SONHE SOZINHO

Àquele que é capaz de fazer infinitamente mais do que tudo o que pedimos ou pensamos, de acordo com o seu poder que atua em nós, [...].

EFÉSIOS 3.20

16
MAI
#CAFECOMDEUSPAI

Quando sonhamos sozinhos, limitamos a grandeza de sonharmos junto com Deus.

@juniorrostirola

DEVOCIONAL 366
137/366

LEITURA BÍBLICA
JOÃO 9

PALAVRA-CHAVE
#SONHOS

ANOTAÇÕES

Você sabia que um ser humano sonha em média entre cinco e seis vezes por noite? Normalmente nos lembramos de apenas um deles ou até de nenhum. Os sonhos fazem parte da nossa vida, mas o fato é que não sonhamos apenas dormindo; sonhamos também acordados.

Projetar o futuro, fazer planos, enfim sonhar, é o que nos move e aponta para o futuro que desejamos viver, não é mesmo? Uma pessoa que não sonha corre o risco de ficar paralisada hoje, por não saber aonde quer chegar amanhã. Algo que tenho aprendido é que Deus nos dá sonhos, mas eles nunca são exclusivamente para nós. Ele sempre deseja utilizar nossa vida para abençoar os que estão ao redor. Reflita a respeito de seus sonhos. Quando se realizarem, abençoarão os que estão à sua volta? Fique atento, porque temos a tendência de buscar satisfazer apenas nossas vontades, mas Deus não age assim.

Deus Pai sempre faz infinitamente mais do que podemos imaginar, pelo fato de que ama abençoar e surpreender seus filhos, como lemos no versículo. Contudo, ele faz isso por meio do seu poder que atua em nossa vida. Ou seja, aprendo que, quando nossos sonhos estão alinhados com a vontade do Pai, eles se realizam e vão muito além de nossa compreensão! Não faz sentido sonhar sozinho quando temos um Deus que sonha conosco.

Você tem sonhado? Pergunte a Deus se estes são os sonhos dele também e passe a sonhar com ele! Dessa forma, você os verá se concretizando e indo muito além do que você poderia ter imaginado um dia.

MUDE O SEU MODO DE PENSAR

Escuta a minha oração, ó Deus, não ignores a minha súplica; ouve-me e responde-me! Os meus pensamentos me perturbam, e estou atordoado.

SALMOS 55.1,2

17 MAI

#CAFECOMDEUSPAI

Existem muitas teorias sobre nossa capacidade mental e muitas possibilidades de estudo a respeito. Nesse salmo, escrito por Davi, podemos compreender a noção da necessidade do rei de Israel, que pedia a Deus que ouvisse a sua oração, pois seus pensamentos o afligiam e lhe causavam sofrimento.

Não é novidade para ninguém que muitas pessoas são torturadas por pensamentos perturbadores, e talvez você esteja passando por isso. Mas há oportunidade de fazer o seu hoje ser um dia melhor que ontem, com perseverança e fé.

Você não pode se sentir derrotado sem ao menos tentar fazer que a oportunidade aconteça. Assuma sua posição de vencedor.

Deus não nos criou com falhas, mas dotados de conhecimentos, e isso, sim, pode nos conduzir em direção ao sucesso ou ao fracasso. Fazemos escolhas com nossa mente que mudam os circuitos de nosso cérebro.

Você tem a capacidade neurológica de mudar seus pensamentos e ações, e isso nada tem a ver com positivismo ou boas vibrações, mas é a capacidade dada pelo Criador de mudar a atmosfera que rege o seu dia a dia.

Com seus pensamentos, você pode determinar se seu dia vai ser bom ou não, pode controlar a reclamação e determinar se cada situação vivenciada o fará crescer ou aprender algo novo.

Deus quer transformar os seus pensamentos. Decidir por uma mente renovada pela Palavra de Deus é decidir pela vida!

@juniorrostirola

366 **DEVOCIONAL**
138/366

LEITURA BÍBLICA
JOÃO 10

PALAVRA-CHAVE
#PENSAMENTOS

ANOTAÇÕES

SEJA VOCÊ

18
MAI

#CAFECOMDEUSPAI

Como são preciosos para mim os teus pensamentos, ó Deus! Como é grande a soma deles!

SALMOS 139.17

Quando você sabe quem você é em Deus, a opinião alheia não o paralisa.

@juniorrostirola

DEVOCIONAL 366
139/366

LEITURA BÍBLICA
JOÃO 11

PALAVRA-CHAVE
#IDENTIDADE

ANOTAÇÕES

Aquilo que pensam a seu respeito não o incomoda ou o afeta profundamente? Quando focamos no que dizem sobre nós, acabamos sendo dirigidos por opiniões, o que pode acabar nos paralisando. Costumo dizer que aquilo que você foca cresce.

Quando somos dirigidos pelo que os outros irão pensar, anulamos a nós mesmos. Nossa identidade é deturpada, e nos tornamos pessoas superficiais, que não conseguem revelar sua verdadeira essência, pois a todo momento estão buscando se adaptar a padrões externos para se sentirem aceitos ou parte de um grupo.

O versículo que lemos enfatiza a importância que o salmista dá aos pensamentos de Deus, e é com isso que de fato devemos nos preocupar! Procuremos agradá-lo e agir de acordo com o seu chamado para servir-lhe. Ele o criou de forma única, para um propósito singular; portanto, não se compare nem se deixe levar, mas concentre-se nos pensamentos de Deus.

Quando andamos muito com uma pessoa, acabamos nos tornando parecidos com ela, não é verdade? A intimidade com Deus produz esse mesmo efeito em nós. Acabamos nos parecendo com ele. Digo isso para que você saiba que sua verdadeira identidade está em Deus. Nele você encontra sua melhor versão, não a busca incessante em agradar e se parecer com outros para se inserir; portanto, descubra quem você é, aproximando-se dele.

Você tem sido dirigido por pensamentos alheios? A partir de hoje, entenda que sua real identidade está em Deus Pai e somente nele. Importe-se com os pensamentos dele a seu respeito e viva de forma livre e original aquilo que ele o criou para ser.

DO COMUM AO EXTRAORDINÁRIO

"Mas receberão poder quando o Espírito Santo descer sobre vocês, e serão minhas testemunhas em Jerusalém, em toda a Judeia e Samaria, e até os confins da terra."

ATOS 1.8

19
MAI

#CAFECOMDEUSPAI

Era o dia de Pentecoste. O povo celebrava essa grande festa. Muitas nações estavam reunidas em um único lugar. E foi esse dia que Deus escolheu para enviar o Espírito Santo sobre os seus discípulos.

Todos nós, quando declaramos que a nossa vida está entregue a Jesus, somos selados pelo Espírito Santo, como uma valiosa carta, que só pode ser aberta pelo destinatário, que é a pessoa mais importante, Jesus.

Quando você entrega totalmente sua vida a Jesus, ele passa a habitar em você por meio do Espírito Santo. Podemos ver o seu agir na vida de muitas pessoas, não só nas Escrituras, mas também ao nosso redor. Pessoas que têm a vida transformada, pessoas improváveis que são empoderadas para feitos extraordinários, superando todas as expectativas humanas.

É muito importante compreendermos o amor de Deus, que escolheu habitar em nós, preenchendo assim todo e qualquer espaço vazio em nossa alma. Só conseguimos falar sobre o agir de Deus em nossa vida quando de fato permitimos ao Senhor fazer morada em nosso coração.

O que mudou minha realidade não foi um prêmio milionário numa loteria, mas passar a ser habitação do Espírito Santo quando recebi Jesus em minha vida. Assim como atletas assinam grandes e importantes contratos, no dia em que aceitei Jesus assinei o maior contrato que poderia firmar.

E você, quer firmar também esse contrato? Sua vida só alcançará a plenitude do propósito quando você se entregar a Deus sem reservas. Receba Jesus, e tenha sua realidade transformada.

Em Jesus encontramos o propósito da vida.

@juniorrostirola

DEVOCIONAL
140/366

LEITURA BÍBLICA
JOÃO 12

PALAVRA-CHAVE
#MUDANÇA

ANOTAÇÕES

QUANDO ELE É TUDO

20
MAI
#CAFECOMDEUSPAI

Assim, quer vocês comam, quer bebam, quer façam qualquer outra coisa, façam tudo para a glória de Deus.

1CORÍNTIOS 10.31

Se Deus está no centro, tudo ao redor faz sentido.

@juniorrostirola

DEVOCIONAL 366
141/366

LEITURA BÍBLICA
SALMOS 61

PALAVRA-CHAVE
#PRIORIDADE

ANOTAÇÕES

Deus nos criou para refletir a sua glória aqui na terra; por isso, tudo perde o sentido quando não envolvemos o Pai em todos os momentos de nossa vida. O apóstolo Paulo chama nossa atenção para realizarmos até mesmo as coisas mais simples tendo Deus como foco.

Certamente após a leitura deste devocional você fará outras atividades, como ir para o trabalho, a escola, a faculdade, o lazer, realizar algo com a família ou até mesmo ir dormir. Saiba que, independentemente da atividade que vier a ser realizada, tudo precisa ser para a glória de Deus.

Neste momento em que eu estou aqui escrevendo, o Senhor precisa ser glorificado por meio da minha dedicação e de todo o time que trabalha comigo para que as mensagens contidas neste devocional alcancem a sua vida.

Muitas vezes, fomos ensinados a separar nossas atividades, como se Deus não se importasse com o que fazemos em determinados momentos do dia. Mas a grande verdade é que ele está interessado em 100% da sua vida.

Pare por um instante e traga à memória o que ultimamente mais o tem ocupado. Deus tem estado com você nas suas prioridades?

Se Deus não faz parte disso, ouso dizer que você tem desperdiçado seu tempo com algo que não o levará a cumprir o propósito de Deus e se sentir realizado. Portanto, aproveite para refletir sobre onde suas escolhas o têm levado e se o Senhor tem estado com você. De nada vale se Deus não estiver no centro de tudo. Não dê mais nenhum passo sem a presença dele.

ELE ESTÁ CHAMANDO VOCÊ

O SENHOR voltou a chamá-lo como nas outras vezes: "Samuel, Samuel!" Samuel disse: "Fala, pois o teu servo está ouvindo".

1SAMUEL 3.10

21
MAI

#CAFECOMDEUSPAI

Deus fala conosco de diversas maneiras, e ouvi-lo é uma decisão pessoal. Quando decidimos por isso, passamos a viver uma nova realidade.

Existem artigos que falam a respeito do impacto da voz paterna para o bebê. É interessante saber o quanto a prática de conversar com a criança ainda no ventre é estimulante e influencia a vida dela após o nascimento.

No texto de hoje, o pequeno Samuel não soube reconhecer que o próprio Deus o estava chamando. Nas primeiras tentativas, Samuel não compreendia o que estava ocorrendo, pois aquela foi a primeira vez que ele teve essa experiência. Àquela altura, o sacerdote Eli já era idoso e disse-lhe para responder da seguinte forma ao ser chamado por Deus: "Fala, pois o teu servo está ouvindo" — a partir daí, o diálogo entre Samuel e Deus Pai passou a acontecer.

Aprendo que Deus quer se relacionar intimamente conosco, de modo que possamos reconhecer sua voz, independentemente do lugar em que estejamos ou do barulho à nossa volta. Como um pai que busca ter intimidade com o filho, para aconselhar e cuidar, assim é Deus para conosco. Quando meu filho era criança, brincávamos de esconde-esconde, uma simples brincadeira, mas que contribuía para que eu fosse ainda mais próximo dele.

Você tem ouvido a voz de Deus? Quando ele o chama, você o reconhece? Deus não está interessado apenas em assistir você, mas em se relacionar intimamente; portanto, evite as distrações que têm tentado impedir você de viver essa verdadeira intimidade e prepare-se para ser surpreendido pela voz de Deus Pai.

Decida ouvir a voz de Deus e, se preciso, mude a rota.

@juniorrostirola

DEVOCIONAL
142/366

LEITURA BÍBLICA
SALMOS 62

PALAVRA-CHAVE
#OUÇA

ANOTAÇÕES

COMPARTILHE BOAS NOTÍCIAS

22
MAI

#CAFECOMDEUSPAI

Então, deixando o seu cântaro, a mulher voltou à cidade e disse ao povo: "Venham ver um homem que me disse tudo o que tenho feito. Será que ele não é o Cristo?"

JOÃO 4.28,29

Você sabia que hoje é o Dia do Abraço e alguém deseja contagiar você com amor?

Sim, Deus Pai tem proteção em um abraço quentinho para você. Que você também estenda os seus braços em amor a todos que fizerem parte do seu dia. Presenteie alguém com um abraço e uma palavra de carinho, tornando o dia da pessoa melhor!

@juniorrostirola

DEVOCIONAL 366
143/366

LEITURA BÍBLICA
SALMOS 63

PALAVRA-CHAVE
#COMPARTILHAR

No texto que lemos, a mulher samaritana tem um encontro com Jesus. Após ele ter mostrado a ela que de fato era o Messias, ela sai pela cidade para testemunhar isso a todos, que prontamente vão até Jesus e confirmam a autenticidade do seu testemunho. Entendo que, quando recebemos boas notícias, assim como essa mulher, queremos compartilhá-las o mais rápido possível, não é mesmo?

Certa vez, saí de férias. Enquanto estávamos no hotel, eu e minha família buscávamos interagir com os demais hóspedes nos momentos de recreação, e acabei jogando vôlei com outros que ali estavam. Foi uma experiência incrível, pois em pouco tempo já estávamos criando laços de amizade.

Por mais que naquele momento eu estivesse de férias, descansando de toda a agitação da vida pastoral, não perdi o propósito, porque em todo momento em meu coração o Espírito Santo falava que aquelas pessoas não precisavam de um colega de esportes, mas sim de um abraço e de uma palavra de encorajamento.

Foi extraordinário atender o Espírito de Deus, pois no final de cada partida havia um momento em que conversávamos um pouco, e nessa oportunidade eu podia falar para eles do meu chamado e deste devocional. Aonde quer que eu vá, sempre carrego alguns dos meus livros, e nessa ocasião pude presenteá-los com o Café com Deus Pai. Então, percebi como as pessoas estão sedentas de terem suas vidas abraçadas por Deus.

Se como a mulher samaritana você teve sua vida transformada pelo Senhor, seja pela leitura deste devocional, seja por uma palavra liberada em sua vida, compartilhe o amor que o alcançou e seja canal de bênção, porque muitos estão com sede de Deus!

Seja luz no dia escuro de alguém.

VOLTE A SONHAR

Em seu coração o homem planeja o seu caminho, mas o SENHOR determina os seus passos.

PROVÉRBIOS 16.9

23
MAI

#CAFECOMDEUSPAI

Não deixe o barulho da opinião alheia abafar quem você é.

@juniorrostirola

Quando éramos crianças, tínhamos vários sonhos, desde os mais mirabolantes, como ser um super-herói ou um astronauta, até os mais realistas, como ser policial ou bombeiro. Entretanto, quando chegamos à fase adulta, os sonhos e as prioridades foram mudando. Agora sonhamos com uma carreira promissora, uma casa própria, um casamento e filhos. Seja qual for o tempo e o sonho, sempre existirão oposições.

Quando sonhos são interrompidos, diversas dores e fragilidades emocionais podem se instalar na vida. Mas considero a frieza espiritual a pior de todas. A essa altura, você se afasta de Deus, perde a alegria e abre portas para o mal entrar em sua vida.

Tudo que o Inimigo deseja é encontrar uma vida sem propósito para que ele possa deformar totalmente a identidade de filho, levantando as mais diversas dúvidas e afastando você totalmente do propósito de Deus.

Por vezes, quando você decide seguir Jesus, acaba recebendo julgamentos, que são como flechas lançadas contra você, tentando afastá-lo dele. Mas você não deve permitir que o atinjam. Lembre-se: sua luta não é contra pessoas, mas contra o mal.

Se em algum momento pessoas interferiram e paralisaram os sonhos que Deus lhe deu, hoje lhe faço um convite: reavive os seus sonhos! Não permita que sua vida seja paralisada por críticas. O único que deve apontar a direção em que você deve trilhar é Deus Pai.

A partir de hoje, tenha plena certeza de que Deus é quem determina seus passos; não são as vozes da crítica, mas sim a voz do Pai. Portanto, volte a sonhar!

366 **DEVOCIONAL**
144/366

LEITURA BÍBLICA
JOÃO 13

PALAVRA-CHAVE
#SONHOS

ANOTAÇÕES

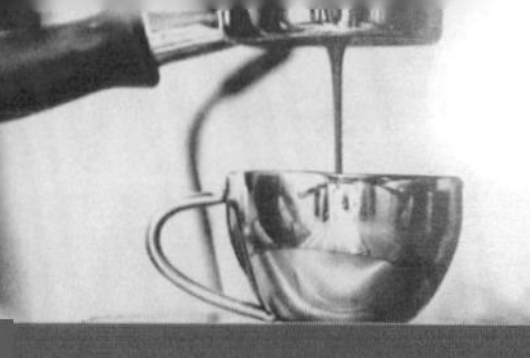

O MELHOR CAFÉ

24
MAI

#CAFECOMDEUSPAI

O Senhor confia os seus segredos aos que o temem, e os leva a conhecer a sua aliança.

SALMOS 25.14

Ei! Sabia que hoje é Dia Internacional do Café?

Desafio: Aproveite para convidar alguém para compartilhar um cafezinho com você. Lembre-se de como encontrar-se com pessoas queridas pode trazer alegria e conforto. Que esse momento seja adoçado por amor, amizade e gratidão. Registre em suas redes sociais para inspirar outras pessoas!

@juniorrostirola

DEVOCIONAL 366
145/366

LEITURA BÍBLICA
JOÃO 14

PALAVRA-CHAVE
#CAFÉ

Muitas pessoas dizem que conhecem Deus e que creem nele, mas são poucas as que podem afirmar que têm um relacionamento de intimidade com ele.

Ao longo dos anos, pude perceber que para ter intimidade com alguém é necessário se relacionar de forma intencional diariamente. Lembro-me de que, quando namorava a Michelle, eu achava que a conhecia, mas pude perceber que passei a conhecê-la muito mais ao longo dos anos, dia a dia caminhando ao seu lado.

Com Deus, não é diferente. Imagine se você pudesse, em determinado momento do dia, assentar-se numa pequena mesa com apenas duas cadeiras, uma de frente para a outra. Em uma das cadeiras, está você com sua xícara de café, e na outra está Deus Pai, um olhando diretamente nos olhos do outro. Certamente, o olhar de ternura, afago e amor do Pai penetraria seus olhos no mais profundo da sua alma.

Quero dizer que isso é possível. Deus Pai está esperando que você prepare esse ambiente todos os dias, para então se relacionar de forma ainda mais profunda com ele. Quando assim fazemos, temos mais intimidade, tornamo-nos mais próximos, mais fortes e mais confiantes, para então lançarmos tudo na mesa. A mesa é um lugar de comunhão, de olhar nos olhos, de nos relacionarmos e, claro, de abrir o coração.

Um momento diário com o Pai muda tudo; traz paz, direção, resolução e a proposta de tomarmos um *Café com Deus Pai* todos os dias na melhor companhia, faz com que a nossa vida nunca mais seja a mesma, pois o relacionamento gera intimidade, a intimidade gera confiança, a confiança gera fé, e a fé o leva ao extraordinário.

Quer um conselho? Nunca deixe faltar café!

Deus deseja tomar um café com você.

SEJA ASSERTIVO EM SUAS ESCOLHAS

Depois de atravessar, Elias disse a Eliseu: "O que posso fazer em seu favor antes que eu seja levado para longe de você?" Respondeu Eliseu: "Faze de mim o principal herdeiro de teu espírito profético".

2REIS 2.9

25
MAI

#CAFECOMDEUSPAI

O processo coopera para nosso bem, o que temos passado hoje coopera para o nosso crescimento e para o nosso futuro.

@juniorrostirola

Elias foi um grande profeta, um homem usado por Deus para abençoar a sua geração, e deu a seu discípulo Eliseu a possibilidade de ser um continuador de seu ministério profético, sendo usado grandemente pelo Senhor para realizar mais milagres que os de seu antecessor.

De acordo com o escritor americano Jim Rohn, nós somos a média das cinco pessoas com quem passamos mais tempo. Ou seja, a nossa personalidade é moldada de acordo com as pessoas com que convivemos com maior intensidade.

Eliseu vivia na companhia de Elias, por isso herdou dele um ministério profético com unção dobrada. Certamente se você analisar as pessoas mais próximas, perceberá traços de personalidade delas em você, e, dependendo de quem elas são, isso pode tanto ser uma boa notícia quanto uma surpresa não tão agradável. Então, cabe a você ser sábio ao escolher quais pessoas estarão ao seu redor, indiretamente influenciando quem você é.

Durante toda a minha caminhada cristã, sempre busquei me espelhar e viver próximo de pessoas que, assim como Elias, me impulsionaram e me deram direcionamento. Elas foram fundamentais para que eu chegasse até aqui, pois ninguém faz nada grande sozinho. Descobri que juntos somos mais fortes e vamos mais longe. Muitas delas estão ao meu lado até hoje, me acompanhando ombro a ombro, compartilhando dos momentos de alegria e de dificuldade.

Quando você é guiado por Deus e sabe aonde quer chegar, com quem deseja caminhar e a quem deseja ouvir, seu caminho prospera, pois Deus levanta pessoas para nos mentorear e direcionar para o propósito. Não ande sozinho!

SOMOS FILHOS

Pois vocês não receberam um espírito que os escravize para novamente temerem, mas receberam o Espírito que os torna filhos por adoção, por meio do qual clamamos: "Aba, Pai". O próprio Espírito testemunha ao nosso espírito que somos filhos de Deus.

ROMANOS 8.15,16

26
MAI
#CAFECOMDEUSPAI

Descobrir sua identidade faz você operar a partir de quem você é e não das suas circunstâncias.

@juniorrostirola

DEVOCIONAL 366
147/366

LEITURA BÍBLICA
JOÃO 16

PALAVRA-CHAVE
#FILIAÇÃO

ANOTAÇÕES

A orfandade é um dos maiores males da nossa geração. Desde o ano de 2015, quando passei a liderar o programa de acolhimento Lar da Criança Feliz, em Itajaí, SC, o que mais tem chamado a minha atenção é que a maioria das crianças acolhidas não possui em seu registro o nome do pai. O fato de a criança estar ali, precisando ser acolhida, já implica uma infância conturbada. Sabemos que muitas crianças que crescem órfãs ou que têm pais ausentes se tornam adultos emocionalmente abalados.

Quais lembranças você tem da sua infância? Ao olhar retrospectivamente para ela, quais são os sentimentos que afloram? Independentemente de você ter tido um pai presente ou não, afirmo que você nunca esteve sozinho. Como lemos no versículo acima, Deus nos adota como filhos e deseja ter um relacionamento íntimo com cada um de nós.

Pode ser que você ainda não tenha experimentado isso, e talvez a sensação de não pertencimento o tem levado a uma distorção na autoimagem, causando ansiedade, depressão, isolamento, rejeição e dores emocionais, que o afastam do seu real propósito de vida. E sabe por quê? Você só descobrirá o seu propósito quando tiver a sua identidade bem resolvida, e a sua verdadeira identidade é a de filho amado de Deus Pai.

Temos um Pai que se preocupa com as nossas emoções, dores e inseguranças. Ele é capaz de preencher todo vazio causado pelo passado e nos dar um novo destino. Assim como eu encontrei um Pai, encorajo você a entrar nessa jornada em busca da sua filiação, acreditar nessa verdade e buscá-lo de todo o coração. Você é filho!

COMPARTILHANDO A CURA

Não me envergonho do evangelho, porque é o poder de Deus para a salvação de todo aquele que crê: primeiro do judeu, depois do grego.

ROMANOS 1.16

27
MAI
#CAFECOMDEUSPAI

O testemunho, ou seja, a nossa história de vitórias e superações, é sem dúvida uma das formas mais eficazes de permitir que outras pessoas também possam ter a sua vida transformada. Por isso, não canso de compartilhar meu testemunho de haver passado de órfão de pai vivo a uma pessoa curada, que ajuda tantas outras a alcançarem a cura justamente nessa área.

Talvez você não saiba, mas Paulo, antes de sua conversão, era um implacável perseguidor dos cristãos, porém no caminho para Damasco sua vida foi transformada. Ele teve um encontro com Jesus e passou a ser o maior proclamador do evangelho. Da mesma forma, você pode ter sua vida completamente transformada e, com o poder do seu testemunho, inspirar e impactar multidões.

Quando compartilhamos algo que Deus fez em nossa vida, expomos a obra de Deus publicamente e ao mesmo tempo incentivamos e damos esperança a outras pessoas de terem a vida transformada.

O maior milagre em minha vida não foi ser marido, pai, pastor, mas sim a cura recebida de uma dor que foi provocada pela orfandade. Há milagres e superações que você experimentou que podem me inspirar, mas quem conhece a fundo os traumas, os reveses e as dores que você sofreu é você mesmo. Por isso, não se cale.

Compartilhe aquilo que Deus tem feito em sua vida. Seu testemunho é uma forma poderosa de propagar o amor do Pai. Mesmo que você ainda esteja lutando para vencer suas dores e angústias, saiba que Deus é com você. Ele é especialista em transformar sua dor em seu maior testemunho. Entenda que uma ferida fechada é um ministério aberto!

Não há nada que Deus não possa transformar.

@juniorrostirola

366 **DEVOCIONAL**
148/366

LEITURA BÍBLICA
SALMOS 64

PALAVRA-CHAVE
#TESTEMUNHO

ANOTAÇÕES

PACIÊNCIA PARA CONQUISTAR

28
MAI
#CAFECOMDEUSPAI

Então Josué abençoou Calebe, filho de Jefoné, e lhe deu Hebrom por herança.

JOSUÉ 14.13

Quem permanece em Jesus compartilha bons frutos.

@juniorrostirola

Quando temos uma promessa ardendo em nosso coração, tudo fica mais simples, porque sabemos que Deus é fiel e que no tempo certo irá cumpri-la. A vida não é uma ciência exata. Muitas vezes, fazemos planos, mas Deus é aquele que tem o controle de todas as coisas.

Não podemos desanimar. No texto que lemos, Calebe estava recebendo a herança que lhe fora reservada, a qual Deus havia prometido 45 anos atrás. Durante esse tempo, Calebe passou por processos, lutas, perdas e ganhos, mas o fato é que sua fé e confiança permaneceram inabaláveis, e ele jamais se esqueceu da promessa do Senhor.

Calebe teve um importante fruto do Espírito desenvolvido em sua vida, a paciência. Ele poderia ter passado todos esses anos reclamando, ter perdido totalmente a esperança, pois já estava em idade avançada, mas, em vez disso, permaneceu alicerçado na fé.

A paciência, como um fruto espiritual, é gerada naqueles que creem em Deus Pai e caminham com ele. Não é algo que vem de nós, mas que flui de Deus para a nossa vida. É um fruto do Espírito!

Você já viu um fruto ser gerado de um galho solto, desconectado, de uma árvore? É impossível! Assim se dá conosco: não haverá frutos verdadeiros em nossa vida se não estivermos totalmente conectados ao Pai.

Ter paciência é um problema para você? Ela é essencial para acessar as promessas. Esteja cada vez mais conectado a Deus Pai e gere frutos que irão transformar a sua realidade e a de todos ao seu redor.

DEVOCIONAL 366
149/366

LEITURA BÍBLICA
SALMOS 65

PALAVRA-CHAVE
#DEPENDÊNCIA

ANOTAÇÕES

FRUTOS QUE PERMANECEM

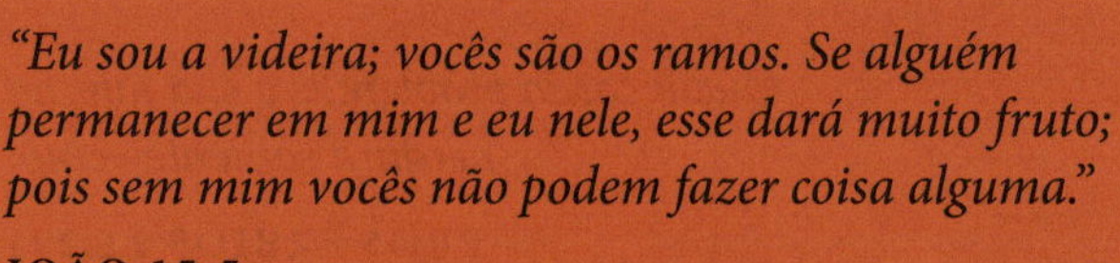

"Eu sou a videira; vocês são os ramos. Se alguém permanecer em mim e eu nele, esse dará muito fruto; pois sem mim vocês não podem fazer coisa alguma."

JOÃO 15.5

29 MAI

#CAFECOMDEUSPAI

Se você quer que Deus se manifeste em sua vida, demonstre compaixão, amor e graça ao próximo.

@juniorrostirola

Na natureza, toda árvore frutífera inicia-se como uma semente, a qual cai na terra e, seguindo o ciclo natural, germina, cresce, floresce, tornando-se uma linda árvore e produzindo frutos.

Deus é perfeito em seus planos e propósitos; ele, como Criador, cuida de cada detalhe da existência, seja humana, seja de toda a natureza. Quando Jesus se compara à videira, cujos ramos somos nós, está falando a respeito de nossa total dependência dele. Para vivermos os sonhos e projetos do Pai, é necessário que estejamos conectados ao seu Filho, Jesus. Ligados a Cristo, recebemos todo o necessário para uma vida abundante.

Dar frutos é um dos principais objetivos de nossa vida, pois é dessa forma que cumprimos nosso propósito. Deus deseja alcançar as pessoas que estão ao seu redor por intermédio de sua vida! Permita-se ser usado para que os planos do Pai se cumpram na terra. O fato é que a árvore não se alimenta dos próprios frutos; ou seja, o que Deus entrega a você tem o intuito de abençoar aqueles que estão próximos.

Ao ajudar e empoderar pessoas por meio daquilo que recebeu de Deus, você passará a compreender o sentido de sua vida, porque fomos chamados para compartilhar, jamais para reter.

Hoje preciso lhe dizer uma grande verdade: assim como o ramo necessita permanecer na árvore para então levar nutriente ao fruto, você não pode depender de você mesmo! Permaneça conectado e dependente da videira que é Jesus, recebendo todo nutriente necessário para uma vida frutífera. Quais frutos você tem para entregar hoje?

366 **DEVOCIONAL**
150/366

LEITURA BÍBLICA
SALMOS 66

PALAVRA-CHAVE
#FRUTIFICAR

ANOTAÇÕES

UNIDOS PELO AMOR

Quem causa problemas à sua família herdará somente vento;

PROVÉRBIOS 11.29a

30 MAI

#CAFECOMDEUSPAI

Você não é bem-sucedido apenas pelo que tem, mas pelo que fez e como fez para chegar aonde chegou!

@juniorrostirola

DEVOCIONAL 366
151/366

LEITURA BÍBLICA
JOÃO 17

PALAVRA-CHAVE
#FAMÍLIA

ANOTAÇÕES

A busca por alcançar nossos sonhos é algo que arde fortemente no coração de muitas pessoas. Quando os sonhos são demasiadamente grandes e ambiciosos, as pessoas, para alcançá-los, costumam fazer sacrifícios pessoais, muitas vezes trabalhando duro e passando tempo demais longe da família. Dessa forma, à medida que se aproximam de seus próprios sonhos, acabam se afastando, sacrificando seus relacionamentos em prol de algo que, quando alcançado, não preencherá o vazio de um lar abalado e solitário. Contudo, não existe nenhum sucesso na vida que faça valer o fracasso dentro de casa. Para ser abençoado em família, é necessário priorizar os planos e projetos de Deus, acima de qualquer plano individual.

Muitas vezes, busca-se aprovação e sucesso das pessoas de fora, enquanto a família é negligenciada. Nunca abandone os de sua casa, porque Deus os colocou em sua vida, portanto dê o seu melhor. É fato que tempestades podem aparecer e problemas de relacionamento familiar surgirem, contudo a pacificação e o perdão devem ser exercidos para prevalecer o amor. Dedique-se ao máximo à sua família, independentemente das dificuldades e dos fracassos que você acaba enfrentando no dia a dia.

Valorize sua família e juntos caminhem em direção à realização de novos e incríveis sonhos. Ainda que vocês tenham enfrentado tempestades internas, lembrem-se: o melhor sempre será o caminho do perdão e a reconciliação, pois assim farão a vontade do Pai e desfrutarão de uma família construída em princípios inabaláveis.

AS DORES DO CRESCIMENTO

"Eu sou a videira verdadeira, e meu Pai é o agricultor. Todo ramo que, estando em mim, não dá fruto, ele corta; e todo que dá fruto ele poda, para que dê mais fruto ainda."

JOÃO 15.1,2

31
MAI

#CAFECOMDEUSPAI

No texto que lemos, Jesus utiliza uma ilustração para fazer-nos compreender melhor nossa relação com ele. Afirma que somos como galhos (ramos) conectados a ele, que é a Videira Verdadeira.

Você já viu um galho frutificar estando desconectado do tronco da árvore? Isso é impossível, pois é por meio dessa conexão que o galho recebe o necessário para produzir o tão desejado fruto. Jesus não falava sobre agricultura, mas sim sobre os processos pelos quais passamos.

Ao enfrentarmos dificuldades, temos duas escolhas: amadurecer ou murmurar. A primeira opção exige paciência e resiliência, mas, por fim, acaba gerando mais frutos do que tínhamos anteriormente. Já a segunda pode acabar nos paralisando e adiando os sonhos de Deus para a nossa vida. Quando nos desconectamos de Jesus, nos afastamos completamente do propósito, por isso tome cuidado.

Como você tem reagido ao passar por processos? Muitas vezes, não compreendemos, mas Deus tem um propósito para tudo o que enfrentamos. Quando eu tinha 22 anos, assumi com minha esposa a liderança de jovens da igreja da qual fazíamos parte. Foi um tempo de viver processos que hoje sem a menor dúvida eu não teria dificuldades de enfrentá-los. Mas a verdade é que só posso encarar os que hoje estão diante de mim por ter vencido aqueles primeiros processos.

A partir de hoje, encare os desafios de forma diferente. Saiba que eles o fortalecerão. O tempo do seu processo não será maior que a promessa de Deus na sua vida!

O período do processo é o que está entre você e a promessa.

@juniorrostirola

DEVOCIONAL
152/366

LEITURA BÍBLICA
JOÃO 18

PALAVRA-CHAVE
#CONECTADOS

ANOTAÇÕES

O MEDO
PODE CRIAR
MONTANHAS,
MAS A FÉ É
CAPAZ DE
REMOVÊ-LAS.

@juniorrostirola

JUNHO

Assista o vídeo com a palavra
e oração para este mês.

café
com
Deus
pai

O JUSTO PROSPERARÁ EM TODO TEMPO

O Senhor apareceu a Isaque e disse: "Não desça ao Egito; procure estabelecer-se na terra que eu lhe indicar".

GÊNESIS 26.2

01
JUN

#CAFECOMDEUSPAI

Diversas vezes, vemos nas Escrituras a trajetória de pessoas que se encontravam em situações que aos olhos humanos não havia saída, mas que, por meio do poder da fé em Deus, foram surpreendidas, mostrando que nada é impossível para o Senhor. Talvez você viva rodeado por um cenário difícil, em que todas as circunstâncias dizem não, em que nada sustenta a sua fé. Mas o fato é que, se você for resiliente, perseverar e com fé obedecer, com toda a certeza provará do milagre.

Isso aconteceu com Isaque. Ele também sentia ventos contrários soprarem em sua direção. E um deles foi o da escassez; ele passou pela mesma dificuldade que o pai dele, pois a terra onde ele vivia era assolada pela fome.

Da mesma forma que aconteceu com Isaque, um fato externo pode impactar a vida de qualquer um. Você pode passar por uma tempestade, por um acidente, por uma doença, por perdas ou crise econômica. O mundo vive em constantes mudanças em todos os aspectos, que de alguma maneira refletem em nossa vida. Mas, independentemente de todas essas variáveis alheias à nossa vontade, devemos nos manter firmes em nossa fé e orarmos entregando ao Senhor o controle da nossa vida.

Uma vida edificada em Deus nos levará a enfrentar os tempos de escassez como Isaque, o qual, mesmo em meio a um cenário em que a fome era presente, prosperava e, em todo lugar em que cavava poços, encontrava água. Independentemente de qualquer situação ou circunstância contrária pela qual esteja passando, saiba que com o Senhor você continuará crescendo e prosperando.

Ser alguém que ouve continuamente a Deus é essencial para permanecer frutífero.

@juniorrostirola

366 **DEVOCIONAL**
153/366

LEITURA BÍBLICA
JOÃO 19

PALAVRA-CHAVE
#PROSPERIDADE

ANOTAÇÕES

COMPARTILHANDO AMOR

02
JUN

#CAFECOMDEUSPAI

"O maior entre vocês deverá ser servo."

MATEUS 23.11

Quando você vai ao encontro de Jesus, tudo muda.

@juniorrostirola

DEVOCIONAL 366
154/366

LEITURA BÍBLICA
JOÃO 20

PALAVRA-CHAVE
#SERVIR

ANOTAÇÕES

É um privilégio servir ao Reino de Deus na terra. Isso é mais prazeroso do que qualquer recompensa que o mundo pode nos dar. É bom saber que não estamos sozinhos, não é mesmo?

Dessa forma, temos um companheiro para todas as horas, que nos traz esperança, renovo e paz para enfrentar os desafios diários. Mas o fato é que muitas pessoas vivem sem saber disso, desconhecendo essa realidade em Jesus.

É como se você estivesse em um deserto e, ao seu redor, muitas pessoas se encontrassem desfalecendo de sede. Você tem em sua mochila água para todos, porém resolve ficar em silêncio e não a compartilhar com ninguém. É dessa forma que agimos quando ficamos em silêncio a respeito de nossa fé em Jesus.

Vejo que todos nós fomos chamados para anunciar as boas-novas, pois, quando anunciamos àqueles que sofrem, que estão vazios, doentes, cativos e chorosos, milagres acontecem e vidas são salvas, tudo isso porque Jesus pagou um alto preço na cruz. Se você se encontra vazio e sem nenhuma perspectiva, tudo de que precisa é Jesus, pois só ele é a solução para os seus problemas. Permita ser envolvido por ele.

A realidade da cruz é maravilhosa, e aquele que entende o plano de Deus não tem como rejeitá-lo.

Você pode ser o presidente da empresa, ou exercer qualquer outra função, no entanto você se revela grande à medida que serve e se entrega ao próximo em amor. Ser portador de boas notícias é uma forma de servir ao Reino de Deus.

A partir de hoje, decida ser servo e compartilhar a bondade que o alcança todos os dias.

VOCÊ FOI ESCOLHIDO

"Tendo, pois, Davi servido ao propósito de Deus em sua geração, adormeceu, foi sepultado com os seus antepassados e seu corpo se decompôs."

ATOS 13.36

03
JUN

#CAFECOMDEUSPAI

Em Deus todas as suas necessidades são supridas.

@juniorrostirola

Você já descobriu o propósito da sua vida? Quando chegar nosso momento e partirmos, o que deixaremos? Muitas vezes, nos preocupamos excessivamente com a herança, que diz respeito a patrimônio, bens e conquistas, mas acabamos não nos preocupando com o mais importante: nosso legado.

Davi cumpriu com o propósito que lhe havia sido confiado, o que diz respeito ao legado. Ele foi um homem de grande valor. Foi obediente em cuidar das ovelhas da família quando jovem, obteve diversas conquistas militares, fez de Israel um reino respeitado e próspero, mas nada disso foi citado para defini-lo após sua morte, e sim o quanto ele obedeceu ao propósito de Deus.

Ele foi chamado homem segundo o coração de Deus, o que não quer dizer uma vida perfeita. Pois, assim como nós, ele cometeu erros. Constantemente se humilhou diante de Deus, reconhecendo suas falhas. Isso demonstra um coração ensinável e quebrantado.

É fascinante a história de Davi, um jovem esquecido pelos de sua casa, mas por Deus escolhido. Assim como Davi, eu e minhas irmãs fomos esquecidos pelo nosso pai, rejeitados em praticamente toda a nossa história: não fomos amados, não tivemos abraços e nunca soubemos o que é colo paterno. Festa de aniversário então, é algo que não me lembro de um dia termos tido na infância. Mas, a partir do dia em que resolvemos aceitar a paternidade de Deus, tudo mudou.

Você não é um erro, um problema; não nasceu por acaso. Decida ser filho e viver os propósitos de Deus Pai. Só assim a sua vida terá sentido, pois nada aqui é sobre nós, mas sobre Deus e as pessoas.

366 **DEVOCIONAL**
155/366

LEITURA BÍBLICA
SALMOS 67

PALAVRA-CHAVE
#LEGADO

ANOTAÇÕES

VOCÊ PRECISA DECIDIR

04
JUN

#CAFECOMDEUSPAI

"Se, porém, não lhes agrada servir ao SENHOR, escolham hoje a quem irão servir, se aos deuses que os seus antepassados serviram além do Eufrates, ou aos deuses dos amorreus, em cuja terra vocês estão vivendo. Mas eu e a minha família serviremos ao SENHOR."

JOSUÉ 24.15

Sustente os princípios de Deus, e eles sustentarão você.

@juniorrostirola

DEVOCIONAL 366
156/366

LEITURA BÍBLICA
SALMOS 68

PALAVRA-CHAVE
#PRINCÍPIOS

ANOTAÇÕES

O povo era insistente em errar. Acredito que em dado momento Josué estava cansado de os repreender, por isso proferiu a afirmação da passagem que lemos. De modo enérgico, Josué dá um ultimato para que as pessoas tomem um posicionamento e se voltem novamente para Deus, mostrando-lhes, como exemplo, que ele e a sua casa serviriam unicamente ao Senhor.

Isso é lindo! Quando você sabe quem você é, decide o caminho que irá trilhar, e nada, nenhuma circunstância, o abala. Você está convicto de que não há outro caminho que o leve a Deus e declara isso para que todos possam ouvir.

O grande problema é que muitos de nós às vezes não assumimos de fato nossa posição de filhos de Deus e acabamos indo na mesma direção em que a multidão está indo, sem saber ao certo que caminho é esse. Mas você precisa ter uma opinião própria, saber quem você é de fato, saber quem é o seu Pai, quem é Deus.

Josué declarou claramente que, independentemente da escolha do povo, ele e a sua casa serviriam a Deus. Isso é semelhante a você se pôr diante de seus amigos, familiares, colegas de trabalho ou qualquer outro grupo de pessoas e mostrar-se firme em seus princípios e valores, não cedendo à pressão da sociedade ou às propostas tentadoras que o mundo possa lhe oferecer. Não coloque preço em quem você é, curvando-se às recompensas do mundo, que pedem como pagamento a sua identidade. Escolha você e a sua casa servirem ao Pai.

EMPODERADOS PELO ESPÍRITO SANTO

O Espírito do SENHOR *apossou-se de Sansão, e ele, sem nada nas mãos, rasgou o leão como se fosse um cabrito. Mas não contou nem ao pai nem à mãe o que fizera.*

JUÍZES 14.6

05 JUN

#CAFECOMDEUSPAI

Na Bíblia, lemos a história de inúmeras pessoas empoderadas pelo Espírito do Senhor, que foram capazes de feitos extraordinários, como, por exemplo, Sansão, que foi capaz de vencer diversas vezes o exército filisteu, dentre outras narrativas extraordinárias de heróis da fé.

Talvez você tenha em algum momento desejado viver uma experiência assim, como esses homens e mulheres extraordinários. A boa notícia é que há algo neste tempo sobrenatural para sua vida.

O Espírito Santo é muito mais que uma força divina; é o próprio Deus habitando em nós. Pode ser que no decorrer de sua vida você foi se esquecendo de Deus e, como em todo relacionamento, houve um esfriamento e consequentemente um distanciamento de sua parte.

Hoje eu lhe pergunto: como está seu relacionamento com Deus Pai?

Talvez você tenha se distraído diante da correria e problemas do dia a dia e se deixou conduzir pelas circunstâncias da vida, que o levaram para longe daquilo que era mais importante: o plano de Deus.

Entenda: Deus tem um grande propósito para a sua vida. Esteja disposto a ser conduzido, guiado e moldado pelo Espírito, para a partir de hoje iniciar uma nova jornada. Não seja paralisado pelas circunstâncias e adversidades que em todo tempo tentam nos impedir de viver o propósito que o Senhor determinou.

Os feitos extraordinários que são narrados na Palavra de Deus podem parecer distantes, no entanto tudo aquilo que Deus designou e preparou para a sua vida neste tempo depende da sua entrega e do seu comprometimento com ele.

Não precisamos de uma grande fé, mas apenas de fé comum num grande Deus que tem o melhor para quem se entrega a ele.

@juniorrostirola

DEVOCIONAL

157/366

LEITURA BÍBLICA

SALMOS 69

PALAVRA-CHAVE

#ENTREGA

ANOTAÇÕES

VOCÊ ESTÁ ACOMPANHADO

06
JUN

#CAFECOMDEUSPAI

"Quando você atravessar as águas, eu estarei com você; quando você atravessar os rios, eles não o encobrirão. Quando você andar através do fogo, não se queimará; as chamas não o deixarão em brasas."

ISAÍAS 43.2

O mundo pode piorar, mas você viverá o novo de Deus, independentemente do caos.

@juniorrostirola

DEVOCIONAL 366
158/366

LEITURA BÍBLICA
JOÃO 21

PALAVRA-CHAVE
#PROTEÇÃO

ANOTAÇÕES

É necessário termos a compreensão de que teremos dias difíceis. Isso é importante para não enganarmos a nós mesmos, pois, ao passarmos por circunstâncias contrárias, podemos nos apegar ao fato de que elas fazem parte da vida e podem nos impulsionar para grandes aprendizados e levar-nos ao amadurecimento.

Especialistas em psicologia infantil dizem que é um grave erro quando os pais evitam que seus filhos passem por situações difíceis e de conflito, pois, quando são impedidos de enfrentar essas situações de limitação e frustração na infância, acabam não tendo a resiliência e a maturidade necessárias na fase adulta nem a autonomia para enfrentar as dificuldades.

Haverá altos e baixos, mas a todo momento devemos nos apegar à linda promessa de Deus para nossa vida, como no versículo que lemos. Ele estará conosco em todas as situações. Sejam boas ou ruins, simplesmente passaremos por elas, mais corajosos, maduros e prontos para viver coisas extraordinárias em Deus.

Ainda que você esteja passando por dias difíceis, saiba que Deus Pai nunca o abandonará, independentemente do que se levante contra você. Apegue-se com firmeza à Palavra de Deus e seja inabalável em toda e qualquer situação.

O que você tem enfrentado? Quando compreendemos e aplicamos fé naquilo que Deus diz a nosso respeito, sabemos que ele está segurando nossas mãos e passando por tudo ao nosso lado. Você nunca estará sozinho! Quando o desespero, a angústia ou a falta de paz baterem à sua porta, lembre-se de quem está com você!

UM ENCONTRO MUDA TUDO

Quando ouviu falar de Jesus, chegou por trás dele, [...] e tocou em seu manto, porque pensava: "Se eu tão somente tocar em seu manto, ficarei curada". Imediatamente cessou sua hemorragia e ela sentiu em seu corpo que estava livre do seu sofrimento.

MARCOS 5.27-29

#CAFECOMDEUSPAI

Tudo à nossa volta pode nos fazer pensar ser impossível alcançar a paz. Principalmente quando estamos há muito tempo enfrentando uma situação contrária. Pode ser uma doença ou qualquer outra crise. E isso tenta nos conduzir a desistir e a não acreditar em uma saída.

Essa mulher de que fala o Evangelho havia doze anos carregava vergonha e sofrimento, pois na crença da época era normal associar doenças a pecado, seja da própria pessoa, seja de um antepassado. Por isso, essa mulher era tida como impura, vivendo à margem da sociedade.

É difícil imaginar como tal mulher deve ter tido uma vida sofrida, perdendo muito sangue, gastando todo o seu dinheiro em busca de cura, sendo tratada de forma degradante. Mesmo com tamanho esforço de sua parte, nada mudava em sua vida. Além de fisicamente fragilizada, ela estava emocionalmente devastada.

Não sei por quais circunstâncias contrárias ou diagnóstico ruim você tem passado. Talvez você esteja vivendo dias tão difíceis quanto essa mulher, a ponto de se abalar emocionalmente, sufocando seu prazer em viver.

Assim como chegou o dia daquela mulher ter um encontro com Jesus, e a sua realidade transformada por confiar plenamente no poder dele, hoje pode se dar o mesmo com você. Jesus se faz presente. Basta você confiar e reconhecer que nele sua realidade pode ser completamente mudada.

Um encontro genuíno com Jesus é capaz de mudar tudo, pois nele tudo se faz novo. Aquela mulher nunca mais foi a mesma: a saúde, a alegria e a paz tomaram conta da sua história, e com você não será diferente. Corra agora para Jesus!

Ninguém permanece mais o mesmo depois que se encontra com Jesus!

@juniorrostirola

366 **DEVOCIONAL**
159/366

LEITURA BÍBLICA
ATOS 1

PALAVRA-CHAVE
#ENCONTRO

ANOTAÇÕES

O PODER DA ORAÇÃO

08
JUN
#CAFECOMDEUSPAI

"se o meu povo, que se chama pelo meu nome, se humilhar e orar, buscar a minha face e se afastar dos seus maus caminhos, dos céus o ouvirei, perdoarei o seu pecado e curarei a sua terra."

2CRÔNICAS 7.14

Quando vivemos um relacionamento com Deus, sabemos quando ele está batendo em nossa porta.

@juniorrostirola

DEVOCIONAL 366
160/366

LEITURA BÍBLICA
ATOS 2

PALAVRA-CHAVE
#ORAÇÃO

ANOTAÇÕES

A oração nada mais é do que conversar diretamente com Deus; ela é uma chave que abre as portas na vida e nos aproxima dele. Ouso dizer que sem oração perdemos totalmente o suporte em nossa caminhada; ela nos mantém firmes e seguros, alinhados ao coração do Pai.

Quando oramos, trazemos o mundo espiritual para o real. Passamos a compreender a vontade do Pai e, consequentemente, viver os seus propósitos aqui na terra. O fato é que Deus quer ter intimidade com os seus filhos.

Se repararmos no versículo que lemos, Deus promete cura para nossas angústias, dores e vazio, e isso é incrível! Basta reconhecermos que sem ele não somos nada e nos afastarmos de tudo o que nos separa dele.

Eu o desafio a viver na dependência de Deus Pai! Entregue suas lutas a ele. Mesmo que você esteja cansado, decida chamar pelo seu nome, pois, com certeza, ele trará paz e alívio à sua alma.

Quando oramos, construímos uma ponte entre o natural e o sobrenatural. Você tem noção de quanto isso é poderoso?

Desde os meus 13 anos, quando aceitei o convite para visitar uma igreja e tive um encontro real com Deus Pai, entendi essa verdade. Minha história foi transformada para sempre, e pude tomar posse das verdades de Deus para minha vida.

Você tem a chave da vitória em suas mãos. Não sei como você tem vivido, mas hoje pode ser um dia de mudança! Invista ainda mais em seu tempo com Deus, tire um momento todos os dias para orar, seja grato, e veja a transformação chegar em sua vida!

RECONHEÇA JESUS

Simão Pedro respondeu: "Tu és o Cristo, o Filho do Deus vivo". "E eu digo que você é Pedro, e sobre esta pedra edificarei a minha igreja, e as portas do Hades não poderão vencê-la."

MATEUS 16.16,18

09
JUN
#CAFECOMDEUSPAI

Deus Pai, desde a criação do mundo, mostrou seu desejo em se relacionar com seus filhos, tanto que os criou à sua imagem e semelhança. O fato é que ele também decidiu nos dar o livre-arbítrio para fazermos nossas escolhas. Dessa forma, temos a liberdade de viver afastados ou próximos a ele, ouvindo sua voz.

No versículo que lemos, Pedro viveu uma experiência que ressignificou a sua identidade. Após reconhecer quem Jesus de fato é, recebe uma revelação acerca de sua própria vida. Isso me ensina algo: quando reconhecemos quem é Jesus, passamos a saber quem somos.

Saiba que você foi criado para a glória de Deus e que qualquer coisa que o afaste dele automaticamente o afasta do que você nasceu para ser.

Um dos sintomas de uma identidade distorcida é a comparação. Pessoas que constantemente se comparam a outras acabam enfrentando dificuldades, pois o fato é que Deus criou cada um de nós de forma singular, e esse comportamento acaba levando à infelicidade. Policie-se sempre que pensamentos de comparação tomarem sua mente; não os alimente. Você é único, um filho com uma identidade e propósitos estabelecidos por Deus.

Talvez até hoje você tenha vivido sem saber sua real identidade e consequentemente acabou vivendo algo que não era para você. Entenda que muitas vezes buscamos em nós mesmos aquilo que só encontramos em Jesus. Assim como Pedro, reconheça quem é Jesus e caminhe em direção a uma vida completamente satisfeita por ele. "Vejam como é grande o amor que o Pai nos concedeu: sermos chamados filhos de Deus, o que de fato somos!" (1João 3.1a).

Identidade é sobre quem você é, não sobre o que as pessoas dizem a seu respeito.

@juniorrostirola

DEVOCIONAL
161/366

LEITURA BÍBLICA
ATOS 3

PALAVRA-CHAVE
#IDENTIDADE

ANOTAÇÕES

DEUS TEM O MELHOR PARA VOCÊ

10
JUN
#CAFECOMDEUSPAI

"Conheço as suas obras. Eis que coloquei diante de você uma porta aberta que ninguém pode fechar."

APOCALIPSE 3.8a

Quando você crê que Deus faz no tempo certo, você vive o sobrenatural.

@juniorrostirola

DEVOCIONAL 366
162/366

LEITURA BÍBLICA
SALMOS 70

PALAVRA-CHAVE
#CONFIANÇA

ANOTAÇÕES

Sempre que você precisa iniciar algo novo, está sujeito a riscos, não é verdade? No entanto, quando estamos na zona de conforto, não estamos caminhando em direção ao nosso propósito, e, muitas vezes, alguma situação precisa sair do controle para entendermos que tudo sempre estará sob o controle de Deus.

Algo que acontece é que muitos acabam se prendendo ao passado, em virtude de coisas incríveis que viveram, ou ainda em decisões que deixaram de tomar. Sabe aquela frase "E se eu tivesse feito diferente?". Muitas vezes esses pensamentos podem acabar nos paralisando no passado, a ponto de inviabilizar o nosso futuro.

É necessário sermos gratos pelas orações respondidas, mas também pelas não atendidas. Muitas vezes, Deus permite que uma porta seja fechada para que à frente possamos entrar por uma melhor ainda! Portas fechadas também são uma expressão da graça de Deus. Por isso, devemos expressar gratidão e simplesmente confiar no Pai. Ainda que nossos planos não ocorram como planejado, Deus está cuidando de tudo, e isso deve confortar profundamente o seu coração!

Você tem confiado em Deus mesmo quando as portas se fecham? Parece loucura, mas o fato é que, quando aprendemos a viver com esse nível de confiança no Pai, abrimos nossos olhos para o que ele irá fazer à frente. Entenda que ele está no controle e que todas as coisas cooperam para o bem daqueles que o amam. Mesmo quando as portas se fecharem, persevere e agradeça. Não desista só porque Deus não fez no seu tempo. O tempo dele sempre é o melhor!

NÃO CAMINHE SOZINHO

O Deus que concede perseverança e ânimo dê-lhes um espírito de unidade, segundo Cristo Jesus,

ROMANOS 15.5

11
JUN

#CAFECOMDEUSPAI

No momento em que Paulo escrevia a carta aos Romanos, ele ainda não havia ido pessoalmente visitar a igreja em Roma, mas isso não o impediu de escrever sobre algo tão profundo e valioso que ecoa até os dias de hoje: a unidade entre as pessoas.

Falo isso com muita propriedade, pois em minha equipe de liderança na igreja que pastoreio sempre procuro compartilhar com todos o valor da unidade. Isso nos faz trabalhar sempre juntos no mesmo propósito.

Em 2010, quando estava para realizar o culto de inauguração da Igreja Reviver, passei três dias em minha cama, sem me alimentar e com medo de dar aquele passo. Tudo estava pronto, convites entregues, iluminação pronta, sonorização instalada e cadeiras organizadas. Tudo que precisava ser feito foi realizado, mas uma palavra de derrota me colocou naquela situação. Nunca havia passado por algo semelhante, e minha mente e meu coração estavam angustiados e sem força para continuar.

Eu estava prestes a iniciar o ministério para o qual Deus me havia chamado, mas por incrível que pareça eu estava preso a uma palavra de derrota proferida sobre a minha vida. Foi então que, ao falar com Deus, fui impulsionado a seguir para a inauguração e realizar aquilo que já estava determinado por ele.

Se você está com medo de avançar, por alguma palavra de derrota ou circunstância contrária, eu o aconselho a buscar em Deus a resposta para as suas inquietações, pois assim você não perderá o propósito dado por ele. Não caminhe sozinho, Deus quer estar com você. Certamente nele os seus passos serão de vitória, conquistas e realizações.

Caminhar por circunstâncias contrárias o impedirá de viver os planos de Deus.

@juniorrostirola

DEVOCIONAL
163/366

LEITURA BÍBLICA
SALMOS 71

PALAVRA-CHAVE
#COMPANHIA

ANOTAÇÕES

FÉ E CORAGEM PARA CONQUISTAR

Depois da morte de Moisés, servo do SENHOR, disse o SENHOR a Josué [...]: "Meu servo Moisés está morto. Agora, pois, você e todo este povo preparem-se para atravessar o rio Jordão e entrar na terra que eu estou para dar aos israelitas".

JOSUÉ 1.1,2

12
JUN

#CAFECOMDEUSPAI

Pessoas comuns tendem a ser pessimistas. Pessoas de fé são otimistas.

@juniorrostirola

DEVOCIONAL 366
164/366

LEITURA BÍBLICA
SALMOS 72

PALAVRA-CHAVE
#FÉ

ANOTAÇÕES

Josué foi o líder dos filhos de Israel que sucedeu a Moisés. Vale lembrar que ele era um dos doze espias enviados por Moisés para observar a terra prometida e que, enquanto dez espias relataram ser impossível conquistar a promessa, Josué e Calebe foram os únicos que acreditaram. Ele viveu corajosa e dignamente e o que nos ensina com sua história de vida é algo magnífico.

Quando você ganha o coração de Deus, não precisa ganhar o coração de mais ninguém. Podem criticá-lo, falar o que quiserem a seu respeito ou tentar parar você, mas nada será efetivo, pois quem o sustenta é o Pai.

Nem todo mundo irá celebrar as suas conquistas, você sabe disso. Não se deixe ser guiado pelas circunstâncias ou por aquilo que as pessoas falam ou pensam a seu respeito. Quando você é dirigido pela palavra do Senhor, tendo uma direção, e realmente segue uma palavra liberada em sua vida, nada e ninguém conseguem deter você.

Eu me lembro de quando me apaixonei pela minha esposa, Michelle. Foram trinta dias com o coração inquieto por um amor que eu nunca havia sentido. Eu não a conhecia pessoalmente, mas, no dia em que fui à casa dos meus líderes e falei dos meus sentimentos, eles me empoderaram e encorajaram a agir. A decisão movida pela fé foi abençoada, e hoje sou muito feliz com a família que Deus me deu.

Tenha fé na palavra liberada pelo Senhor em sua vida; ele sabe o que é melhor para você. Assim, persista com coragem e determinação, pois o caminho dele o levará a viver sonhos maiores que os que você tem.

ALÉM DO QUE IMAGINAMOS

Disse-lhe Jesus: "Eu sou a ressurreição e a vida. Aquele que crê em mim, ainda que morra, viverá; e quem vive e crê em mim, não morrerá eternamente. Você crê nisso?"

JOÃO 11.25,26

13 JUN

#CAFECOMDEUSPAI

No texto que lemos, Jesus está falando com Marta, irmã de Lázaro, que estava morto havia quatro dias. Naquele momento, ela não entendia o fato de Jesus ter demorado para chegar na cidade, enquanto Lázaro ainda estava doente. Ela tinha a expectativa de que ele o curasse, mas, quando Lázaro morreu, suas esperanças se foram. Muitas vezes, esperamos que a intervenção de Deus ocorra do nosso jeito, mas ele tem sua própria forma de agir.

Quantas vezes você já pensou que era tarde demais, ou teve a sensação de que Deus se esqueceu de você? O fato é que ele sempre faz mais e melhor do que imaginamos. Não cabe a nós questionar. Seus propósitos são eternos, e muitas vezes nossa mente limitada não consegue compreendê-los.

Marta poderia ter escolhido reclamar com Jesus e ter agido de forma imprudente, pois acabara de perder o irmão. Caminhar com Deus implica confiar plenamente em seus desígnios, ainda que sem compreender. Mesmo que naquele momento não conseguissem imaginar isso, Jesus ressuscita Lázaro, e ele sai andando para fora do sepulcro.

Quantas vezes achamos que Jesus não irá fazer algo em nossas vidas, pois julgamos que por não ter acontecido quando planejamos, ficamos pensando que o Senhor esqueceu de nós. Jesus não esquece de você.

Você se encontra diante de um problema que parece não ter solução? Pensa que Deus se esqueceu de você? Para quem tem fé, o impossível é temporário. Saiba que não há problema em sua vida que Jesus não possa apontar a solução. Clame, busque, creia! No tempo oportuno, você viverá o milagre!

Se você tiver fé, verá a sua dor ser transformada em alegria.

@juniorrostirola

DEVOCIONAL
165/366

LEITURA BÍBLICA
ATOS 4

PALAVRA-CHAVE
#CREIA

ANOTAÇÕES

O MELHOR ESTÁ POR VIR

14
JUN
#CAFECOMDEUSPAI

Ora, a fé é a certeza daquilo que esperamos e a prova das coisas que não vemos. Pois foi por meio dela que os antigos receberam bom testemunho.

HEBREUS 11.1,2

Caminhar com Deus não consiste em ver para crer, mas sim, em crer para ver.

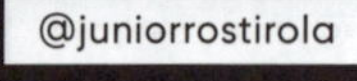

DEVOCIONAL 366
166/366

LEITURA BÍBLICA
ATOS 5

PALAVRA-CHAVE
#DIREÇÃO

ANOTAÇÕES

Ao escrever a carta aos Hebreus, o autor desejava ensinar aos seus destinatários sobre a fé que vem do alto, a crerem somente em Deus. Mas muitas vezes nós depositamos a nossa esperança mais em homens do que em Deus.

Seja em figuras públicas, seja em pessoas ao nosso redor, a nossa confiança é depositada em pessoas, como se estas fossem responsáveis pelo nosso futuro e tivessem poder para nos salvar.

Não devemos, porém, depositar nossas expectativas no homem, porque as pessoas podem errar, e nós seremos responsáveis pela fé que depositamos nelas. Entenda que existe um Deus soberano que pode todas as coisas. Independentemente de qualquer circunstância, ele é Deus.

É Deus que opera e faz grandes coisas em nossa vida. Ele cumpre tudo o que promete. Ao contrário dele, todos podem decepcionar. Por isso, você não pode simplesmente defender uma pessoa no sentido de que essa pessoa não tem erros.

Você precisa de fato defender os princípios em que crê, porém confiando em que Deus está no controle de todas as coisas.

Exercer a fé é a essência de uma vida em comunhão com Deus, pois quem dele se aproxima precisa crer que ele existe e que ampara aqueles que o buscam. Por mais que o mundo nos mostre uma verdadeira coleção de salvadores da pátria, somente o Pai tem o poder sobre o nosso destino e somente ele nunca irá nos decepcionar.

Creia mesmo sem ver. Mesmo que hoje tudo pareça perdido, Deus, por meio da nossa fé, está disposto a nos levar em direção a dias melhores.

PERMITA QUE ELE SEJA O CENTRO

"Busquem, pois, em primeiro lugar o Reino de Deus e a sua justiça, e todas essas coisas serão acrescentadas."

MATEUS 6.33

15
JUN

#CAFECOMDEUSPAI

A maioria de nós conhece esse versículo, mas muitas vezes o aplicamos em nossa vida de forma errada, como se estivesse de trás para a frente. Às vezes, desejamos em primeiro lugar o que o mundo pode nos oferecer e só depois buscamos o Reino de Deus, acabando invertendo a ordem das coisas. Isso me ensina que o foco de nossa vida deve ser Deus Pai. Porque, segundo o texto que lemos, ele irá acrescentar as demais coisas. Isso diz respeito a qualquer área de nossa vida: material, emocional, espiritual ou sentimental. Ele cuida de tudo!

Talvez até aqui você tenha acreditado que Deus só se envolveria em sua vida espiritual, mas isso não é verdade. Como um pai que se preocupa integralmente com a vida do filho, assim ele é conosco.

Tudo o que precisamos é buscar primeiramente o Reino de Deus e a sua justiça, pois as demais coisas serão acrescentadas. Quando o buscamos e caminhamos segundo seus preceitos, experimentamos a boa, perfeita e agradável vontade do Pai em nossa vida.

Você tem priorizado o Reino de Deus? O Pai tem recebido o seu melhor? O fato é que, à medida que nos lançamos aos seus cuidados e buscamos primeiramente as coisas do alto, ele nos surpreende cada vez mais e acrescenta abundantemente tudo o que necessitamos, pois ele é um Deus que não dorme nem cochila, mas trabalha para aqueles que o temem. Realinhe suas prioridades e viva tendo Deus como o centro de suas decisões. A intimidade que só Deus vê trará recompensas que só Deus dá.

Quando o seu foco não está nas coisas deste mundo, você recebe o melhor de Deus.

@juniorrostirola

DEVOCIONAL
167/366

LEITURA BÍBLICA
ATOS 6

PALAVRA-CHAVE
#REINO

ANOTAÇÕES

A ESPERANÇA QUE NÃO FALHA

Nossa esperança está no SENHOR; ele é o nosso auxílio e a nossa proteção.

SALMOS 33.20

16
JUN

#CAFECOMDEUSPAI

A Palavra de Deus renovará a sua mente, dissipará toda desesperança e lhe dará direção.

@juniorrostirola

DEVOCIONAL 366
168/366

LEITURA BÍBLICA
ATOS 7

PALAVRA-CHAVE
#ESPERANÇA

ANOTAÇÕES

Uma vida sem esperança leva-nos a viver sem perspectiva, objetivos e sonhos. É como a vida perder a cor, o brilho e a beleza. Talvez você já esteve assim em algum momento, ou ainda se encontre dessa forma. Algumas circunstâncias tentam roubar nossa esperança e nos afastam de uma vida plena. Contudo, este belo salmo nos diz exatamente onde encontramos esperança, que é justamente em Deus Pai!

Muitas vezes, condicionamos nossa esperança a relacionamentos, pessoas, sucesso, enfim, a coisas temporais e terrenas. Mas o fato é que nenhuma delas poderá tomar o lugar da verdadeira esperança em sua vida. Ela age como algo no qual nos apoiamos e nos impulsiona para seguir adiante, e isso só pode ser encontrado em Deus.

Em Jeremias 29.11, Deus faz uma afirmação que explica muito bem qual é a sua vontade para nossa vida, em que diz: "Porque sou eu que conheço os planos que tenho para vocês", diz o Senhor, "planos de fazê-los prosperar e não de causar dano, planos de dar a vocês esperança e um futuro". Ou seja, quando confiamos no Pai e temos expectativas em relação aos seus planos para nós, temos acesso a uma vida cheia de esperança, como um combustível para prosseguirmos!

O que tem roubado sua esperança? O fato é que você deve depositá-la no próprio Deus e em seus planos para a sua vida! Não a coloque em pessoas ou coisas materiais, porque nossa confiança deve estar muito além delas. Foque em Deus Pai e dissipe a nuvem da desesperança que tenta pairar sobre o seu coração!

VOCÊ TEM OUVIDO A VOZ DE DEUS?

"Pois todo o que pede, recebe; o que busca, encontra; e àquele que bate, a porta será aberta."

LUCAS 11.10

17
JUN

#CAFECOMDEUSPAI

Para que a vida faça sentido, é preciso haver algo que nos impulsione a nos levantar todos os dias pela manhã e, apesar das dificuldades, enfrentar com coragem o nosso leão diário, para que, como diz o ditado popular, no dia seguinte não haja dois leões para enfrentar.

Essa é uma luta em que sozinhos somos facilmente assolados pelo cansaço e o desânimo, por isso é fundamental estarmos atentos à voz de Deus nos impulsionando e nos dando estratégias para vencer cada dia.

Deus fala por meio da oração, do silêncio ou até mesmo de uma música que, quando ouvimos, sentimos as direções do Pai sendo dadas a nós. Deus fala por meio de pessoas, muitas vezes fazendo que pessoas improváveis venham a ser canais de bênçãos em nossa vida.

Deus tem falado todo o tempo, mas talvez você não tenha estado sensível para ouvi-lo. Ele está falando com você.

Pessoas que não andam com Deus não podem falar em nome de Deus. Não dê atenção a todas as vozes; ouça realmente a homens e mulheres de Deus. Feche-se em seu quarto, use a Palavra de Deus como bússola, e com toda a certeza você encontrará o Pai e conseguirá ouvir o que ele tem a lhe dizer.

Para grandes conquistas, você precisa entender que é indispensável estar sensível e ouvir a voz de Deus. Assim como nenhuma viagem para longe, para o desconhecido, é realizada sem um mapa ou um GPS, não podemos avançar em direção ao nosso destino se não estivermos atentos ao que o Senhor tem a nos dizer. Então, comece a ouvir agora mesmo para triunfar no dia de hoje.

Não confunda a voz de Deus com a voz das emoções.

@juniorrostirola

366 **DEVOCIONAL**
169/366

LEITURA BÍBLICA
SALMOS 73

PALAVRA-CHAVE
#OUÇA

ANOTAÇÕES

ÚNICO CAMINHO

18
JUN
#CAFECOMDEUSPAI

Respondeu Jesus: "Eu sou o caminho, a verdade e a vida. Ninguém vem ao Pai, a não ser por mim".

JOÃO 14.6

Não ande por atalhos; Jesus já preparou o caminho.

@juniorrostirola

Muito além de trilharmos nossos caminhos e convidá-lo para estar junto, devemos seguir a direção que Jesus estabelece. Por meio de Jesus, podemos ter acesso direto a Deus, porque Jesus é o caminho que nos leva a ele. Na cruz, Jesus abriu a porta, deixando livre o caminho para Deus. Por meio de Jesus, temos a certeza da vida eterna.

Enquanto vivemos aqui na terra, jamais podemos perder de vista a compreensão de que Jesus é a única solução para qualquer situação, independentemente do que você esteja passando, pois por meio dele tudo é possível.

Permita que sua rota seja recalculada. Precisamos de humildade para reconhecer que o caminho de Jesus sempre será melhor que o nosso.

Sua confiança e obediência são as chaves necessárias para romper e viver o sobrenatural. Talvez até hoje você tenha traçado sua própria rota e lutado suas batalhas com a força do seu braço, mas Jesus o convida a lançar sobre ele todo o peso que o tem sobrecarregado. Ele mesmo nos diz: "Pois o meu jugo é suave e o meu fardo é leve" (Mateus 11.30).

Quando você realmente entende que não há nenhum outro caminho melhor que Jesus, tem a convicção de que ele não apenas diz a verdade, mas de que ele é a própria verdade. Ele é a vida e a paz que você precisa, agora e por toda a eternidade. Decida estar com Jesus e desfrute de tudo aquilo que ele conquistou na cruz do Calvário. Ele morreu a nossa morte para vivermos a sua vida! Jesus é a certeza de vida abundante na terra e de vida eterna no céu!

DEVOCIONAL 366
170/366

LEITURA BÍBLICA 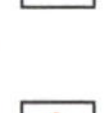
SALMOS 74

PALAVRA-CHAVE
#VERDADE

ANOTAÇÕES

NÃO DESPERDICE SEU TEMPO

Ajuda-nos a entender como a vida é breve, para que vivamos com sabedoria.

SALMOS 90.12, NVT

19
JUN

#CAFECOMDEUSPAI

O tempo passa muito rápido, não é mesmo? De fato, ele é um de nossos bens mais preciosos. Quantas vezes você olhou para trás, lembrou de um bom momento e pensou: "Nossa! Como passou rápido!", como o crescimento de um filho ou uma viagem de férias, por exemplo. Sabendo disso, devemos priorizar o tempo da forma adequada, para não acabar desperdiçando-o.

Nossas escolhas aqui irão repercutir na eternidade. Saiba que esta vida não é o fim, porém ela é única, por isso é necessário aproveitar bem o tempo que Deus nos dá, porque não sabemos até quando estaremos aqui.

Reflita sobre como você tem investido o seu tempo. Para onde você está caminhando? Muitas vezes, estamos desperdiçando nossa vida por estarmos presos ao passado, a traumas, relacionamentos, lutos ou frustrações. Mas o fato é que viver com Jesus é caminhar em novidade de vida, todos os dias. Somente assim somos impulsionados a prosseguir.

Não sei o que você tem passado, mas uma coisa posso afirmar: cada dia que nasce é uma nova oportunidade. A Bíblia afirma que "as misericórdias de Deus são inesgotáveis e se renovam a cada manhã". Isso é maravilhoso! Em Deus, temos um horizonte de possibilidades. Você consegue compreender tamanha bondade do Pai conosco? O simples fato de estarmos vivos é uma grande dádiva!

A cada novo dia, lembre-se de que Deus tem cuidado de você e concedido uma nova oportunidade para viver de forma abundante. Peça ao Pai sabedoria, faça escolhas assertivas hoje, para viver um futuro próspero amanhã.

Se você não deseja perder tempo, entregue todo o seu tempo a Deus.

@juniorrostirola

366 **DEVOCIONAL**
171/366

LEITURA BÍBLICA
SALMOS 75

PALAVRA-CHAVE
#DESFRUTAR

ANOTAÇÕES

AS TEMPORADAS DA VIDA

20
JUN

#CAFECOMDEUSPAI

Para tudo há uma ocasião certa; há um tempo certo para cada propósito debaixo do céu.

ECLESIASTES 3.1

Não queira pular estações; elas fazem parte do amadurecimento.

@juniorrostirola

DEVOCIONAL 366
172/366

LEITURA BÍBLICA
ATOS 8

PALAVRA-CHAVE
#ESTAÇÕES

ANOTAÇÕES

Se a vida não mudasse, mas permanecesse igual a todo momento, viveríamos em uma zona de conforto extremamente nociva; contudo, a vida não é assim. Passamos por diversas estações, e há um tempo para cada coisa. Assim como a natureza passa por essas mudanças, onde temos a primavera, o verão, o outono e o inverno, na vida também passamos por trocas de estações, e isso é natural; não se assuste quando a temporada mudar.

Mudanças podem ser algo difícil no começo, mas o fato é que sempre nos conduzem a novas experiências e aprendizados. Passe pelas diversas temporadas aproveitando o que de melhor elas têm a oferecer. Na minha vida, algumas estações não foram nada fáceis, mas foram fundamentais para eu chegar aonde cheguei. O tempo das dificuldades pode estar sendo duro e intenso, mas saiba que ele não durará para sempre; a estação da sua vida irá mudar.

Deus tem propósitos para cada fase em que vivemos, e em cada *estação* ele espera algo de nós — mudanças de comportamento, atitudes diferentes, posicionamentos. Tudo isso deve nos induzir ao amadurecimento, para que estejamos prontos para viver a próxima temporada; portanto, entenda que com elas Deus quer nos preparar para viver grandes coisas.

Por qual estação você tem passado? Saiba que em todas elas Deus está nos preparando e moldando para coisas ainda maiores. Não permita que essa temporada se vá, sem você ter aprendido e cumprido com o que o Pai havia estabelecido. Você passará por muitas estações, mas Deus estará em todas elas.

TENHA UMA NOVA ATITUDE

Enquanto ela continuava a orar diante do SENHOR, [...].

1SAMUEL 1.12a

21 JUN

#CAFECOMDEUSPAI

Estamos no início de uma nova estação. Talvez até aqui muitas coisas não aconteceram na sua vida não porque Deus não quis que acontecessem, mas porque você não tomou as atitudes corretas.

Talvez você não tenha agido como deveria agir. Então, se você não está colhendo o que sonhou, mude as sementes. Se hoje você não está desfrutando de tudo aquilo com que no início do ano sonhou, deixe-me lhe dar uma dica de ouro: mude as sementes, para você ter novas colheitas, receber coisas novas.

Na passagem citada acima, vemos Ana, que era estéril, tomar uma atitude e fazer algo que até então não havia feito, sua expressão de choro junto a sua oração demonstravam o quanto sua alma estava amargurada. Ana realmente marcou a sua história, sendo mãe de Samuel, o qual foi fundamental para a ascensão da monarquia em Israel e para que a família que futuramente geraria Jesus fosse colocada em foco. Mas antes disso ela foi estéril por anos, sofrendo calada, até tomar uma atitude e expressar a sua aflição diante do Pai.

Então, lhe pergunto: você já expressou a Deus toda essa frustração que tem vivido até aqui?

É tempo de fazer o que você nunca fez, para viver o que nunca viveu. Tenha uma ousada atitude de fé, compartilhe com Deus as suas aflições e, com confiança nele, faça os planos para as bênçãos que virão, assim como Ana, que, antes de receber o milagre, já apontou um destino para Samuel a serviço do Pai. Um filho para Ana foi o seu milagre. Ela não desistiu e não perdeu a fé. Então, ainda há tempo para você alcançar o seu milagre. É hora de lançar novas sementes de fé.

A atitude da honra tem a capacidade de alterar o nosso destino.

@juniorrostirola

366 **DEVOCIONAL**
173/366

LEITURA BÍBLICA
ATOS 9

PALAVRA-CHAVE
#ATITUDE

ANOTAÇÕES

O DEUS DA PROVISÃO

22
JUN

#CAFECOMDEUSPAI

Como é feliz aquele que não segue o conselho dos ímpios, não imita a conduta dos pecadores, nem se assenta na roda dos zombadores! Ao contrário, sua satisfação está na lei do SENHOR, e nessa lei medita dia e noite.

SALMOS 1.1,2

Para cada estação da vida, há uma nova porção da parte do Pai.

@juniorrostirola

DEVOCIONAL 366
174/366

LEITURA BÍBLICA
ATOS 10

PALAVRA-CHAVE
#PROVISÃO

ANOTAÇÕES

Deus nos revela ao longo de toda a Escritura que ele sempre provê para o seu povo. A prosperidade que ele planejou para você é uma provisão abundante em todas as áreas. Entenda que prosperidade não é ter muito dinheiro; é não ter falta de nada.

Deus não deseja que você o veja como alguém distante e indiferente. Ele quer que você o sinta, o abrace, como um filho abraça o pai amoroso, que deseja abençoar seus filhos de todas as maneiras.

Desde o momento em que Israel se tornou uma nação, Deus expressou seu desejo de abençoá-los, e isso nos mostra como ele deseja que seu povo não viva em necessidade. O plano do Pai é que você tenha o suficiente em todas as áreas da sua vida. Convém lembrar que o suficiente não significa necessariamente riqueza, embora Deus faça as pessoas prosperarem de maneiras diferentes. Isso significa que as suas necessidades serão supridas quando você entrega e confia tudo a ele.

À medida que você se aproxima de Deus Pai, passa a perceber que para cada estação da sua vida ele envia a provisão necessária e não deixa faltar nada; pelo contrário, faz infinitamente mais que tudo o que pedimos ou pensamos.

Deus tem um coração doador, e nós, como filhos, feitos à sua imagem e semelhança, devemos refletir o coração do Pai por meio de nossa vida e atitudes. Ele tem confiado muito a você e quer entregar ainda mais. Basta você se colocar à disposição, obedecer e se permitir ser moldado por ele.

NÃO SE ESQUEÇA DA PROMESSA

Porei o meu Espírito em vocês e vocês viverão, e eu os estabelecerei em sua própria terra. Então vocês saberão que eu, o SENHOR, falei e fiz. Palavra do SENHOR.

EZEQUIEL 37.14

23
JUN
#CAFECOMDEUSPAI

Essa palavra dita nos dias do profeta Ezequiel também é vívida nos nossos dias. Naquele tempo, Israel era um povo devastado, que vivia em exílio, ou seja, foram expulsos de sua terra natal. Eles conheciam a dor de perder tudo, de ser proibidos de professar sua fé e de estarem na iminência de uma morte certa nas mãos de um inimigo cruel.

Naquele cenário, eles respiravam preocupação e insegurança, e a angústia imperava no meio da nação. O povo vivia longe de Deus, separado, sem esperança e angustiado em meio a tantas tragédias.

Talvez você se encontre dessa forma, desesperançoso, sem perspectiva. Sentimentos ruins tomaram o seu coração e o levaram à paralisia. Nessas condições, temos a tendência de nos esquecer de Deus Pai e de suas promessas. Saiba, contudo, que as circunstâncias não podem sustentar sua fé. A Bíblia diz em Isaías 41.13: "Pois eu sou o Senhor, o seu Deus, que o segura pela mão direita e diz a você: Não tema; eu o ajudarei". Ele está ao seu lado, pronto para ajudá-lo! Eu declaro que desânimo, medo, traumas e qualquer tipo de paralisia não têm mais espaço em sua vida.

Havia uma promessa para o povo de Israel: eles voltariam para sua terra natal. Da mesma forma, hoje Deus o lembra de todas as promessas que fez! Ele é com você, jamais o abandonou e o convida a confiar plenamente.

Saiba que a vitória de amanhã começa com a escolha de confiar hoje. Deus Pai tem os melhores planos a seu respeito. Portanto, volte-se totalmente para ele, confie e viva plenamente os sonhos de Deus.

Quem tem sua fé em Deus reconhece as promessas dele e sabe que elas se cumprirão.

@juniorrostirola

DEVOCIONAL
175/366

LEITURA BÍBLICA
ATOS 11

PALAVRA-CHAVE
#CERTEZA

ANOTAÇÕES

CONECTADOS PELA CRUZ

24
JUN

#CAFECOMDEUSPAI

[E] por meio dele reconciliasse consigo todas as coisas, tanto as que estão na terra quanto as que estão no céu, estabelecendo a paz pelo seu sangue derramado na cruz.

COLOSSENSES 1.20

Quem tem Jesus tem tudo.

@juniorrostirola

DEVOCIONAL 366
176/366

LEITURA BÍBLICA
SALMOS 76

PALAVRA-CHAVE
#RECONCILIAÇÃO

ANOTAÇÕES !

Sempre que duas pessoas estão em conflito, para que a harmonia seja restabelecida é necessário, às vezes, a presença de um conciliador; por exemplo, dentro de casa, por meio dos pais, quando os filhos estão brigando, ou por meio de um juiz, quando o conflito é de caráter jurídico. Nesse sentido, a conciliação é o meio de solução de desentendimentos, mediante a ação de um terceiro, o qual, além de aproximar as partes, aconselha e ajuda a encontrar um modo de viver em paz.

O homem, antes da vinda de Jesus, estava completamente afastado de Deus por suas más escolhas do passado, e isso estava conduzindo-o a uma vida sem propósito. Jesus executou um grande projeto de Deus, que visava reconciliar-nos com o Pai, permitindo que tivéssemos novamente proximidade com ele, restaurando o relacionamento conosco, permitindo-nos ouvir sua voz e conhecer a sua vontade, por intermédio do Espírito Santo. É como se tivéssemos saído da morte para a vida, pois a obra de Jesus nos reconectou a Deus Pai.

Agora podemos ter um relacionamento real e pessoal com Deus, e isso é maravilhoso, não é mesmo? Recebemos todo o necessário para uma vida extraordinária na presença de Deus. Mas o fato é que muitos de nós insistimos em fazer do nosso jeito, caminhando afastados de Deus, tomamos decisões baseadas em nós mesmos e buscamos traçar nosso próprio destino.

Como você tem vivido? Entenda que a obra de Cristo nos conduz a uma nova vida, cheia de esperança, amor, expectativas e sonhos, porque conectados ao Pai temos acesso à verdadeira vida, que se revela a nós por meio de seu Filho, Jesus.

PERSEVERE

Este, ali chegando e vendo a graça de Deus, ficou alegre e os animou a permanecer fiéis ao Senhor, de todo o coração. Ele era um homem bom, cheio do Espírito Santo e de fé; e muitas pessoas foram acrescentadas ao Senhor.

ATOS 11.23,24

25 JUN

#CAFECOMDEUSPAI

Quando paramos para refletir sobre os motivos pelos quais não conseguimos viver uma vida consolidada, concluímos que não alcançamos a plenitude porque vivemos com falta de estabilidade em nossa fé. Algumas vezes, conseguimos perseverar, mas em outras somos derrubados pelo desânimo, assim como em alguns momentos somos tomados pela coragem, mas parece que alguns ventos trazem consigo o medo, a ponto de nos paralisar.

Aí você pode me perguntar: "Mas o que eu preciso para consolidar minha fé?".

Eu já tive momentos em que orei e parecia que Deus estava distante, vezes em que fui ouvir uma canção e parecia que aquela melodia não fazia nenhum sentido, e ainda momentos em que, lendo a Bíblia, eu não conseguia compreender o que Deus estava falando. Mesmo assim, continuei crendo no que Deus faria em minha vida. Isso só foi possível por buscar viver uma vida edificada no Senhor.

Nós podemos fundamentar nossa vida em várias coisas, como fama, conquistas, dinheiro, influência, destaque profissional e em tantas outras áreas, mas, se não estivermos firmes no Senhor e na sua Palavra, tudo isso vai passar, e vamos esmorecer, desmoronando como um castelo de areia ao vento, pois tais coisas não sustentam nossa vida e não nos trazem esperança.

Não existe como consolidar a nossa vida sem a fé. E uma vida de fé não nasce de um dia para o outro; ela é construída de tijolo em tijolo, dia após dia, um passo de cada vez, na consolidação das nossas raízes. Portanto, nunca deixe de orar, ler a Palavra de Deus, fazer o seu devocional, mesmo que o cenário pareça desfavorável. Entenda: se não houver dedicação e fé, os céus não se abrirão!

A fé nos faz viver aquilo que, aos nossos olhos, é impossível.

@juniorrostirola

DEVOCIONAL
177/366

LEITURA BÍBLICA
SALMOS 77

PALAVRA-CHAVE
#DEDICAÇÃO

ANOTAÇÕES

NÃO SE DÊ POR VENCIDO

Quando ouviu que era Jesus de Nazaré, começou a gritar: "Jesus, Filho de Davi, tem misericórdia de mim!"

MARCOS 10.47

26
JUN

#CAFECOMDEUSPAI

A sua fé pode mudar a agenda dos céus.

@juniorrostirola

DEVOCIONAL 366
178/366

LEITURA BÍBLICA
SALMOS 78

PALAVRA-CHAVE
#TRANSFORMAÇÃO

ANOTAÇÕES

Essa passagem nos mostra o momento em que Jesus deixava a cidade de Jericó, e havia um homem ali que, apesar de sua condição humilde, possuía algo extraordinário dentro de si: a fé de que Jesus poderia transformar sua vida.

Esse homem era Bartimeu, que passava seus dias como pedinte, recebendo apenas humilhações e rejeições da sociedade. Ele sabia que a única chance de mudança em sua vida estava em Jesus, por isso clamou por ele, dizendo: "Jesus, filho de Davi, tem misericórdia de mim!".

O encontro da humildade humana com a compaixão de Deus Pai é poderoso e transformador. Assim foi com Bartimeu, que teve sua visão restaurada por Jesus e pôde finalmente viver em plenitude, sem a sombra da cegueira que o acompanhara por tanto tempo.

Percebo que Bartimeu era cego fisicamente, mas sua visão espiritual era aguçada, o que o levou a viver grandes milagres pela fé. Muitos de nós enxergam fisicamente, mas os olhos da fé estão totalmente fechados. É preciso reconhecer nossas próprias limitações e clamar pela ajuda de Jesus, porque ele sempre estará disposto a intervir e mudar nossa história. Bartimeu poderia ter ouvido Jesus passar e permanecer em silêncio, mas ele foi intencional e se moveu com fé.

Creia que Jesus pode transformar sua vida. Não fique parado, mas faça como Bartimeu, que agiu com fé e expectativa de que receberia o seu milagre. Independentemente do que você esteja vivendo, não se dê por vencido, clame por Jesus, vá até ele e veja a transformação que você tanto deseja chegar à sua vida.

ABRA OS OLHOS DA FÉ

Pois Deus não nos deu espírito de covardia, mas de poder, de amor e de equilíbrio.

2TIMÓTEO 1.7

27
JUN

#CAFECOMDEUSPAI

Todos nós já sentimos medo em algum momento da nossa vida. O medo, na verdade, é um dispositivo natural do corpo humano que muitas vezes nos ajuda, sendo um mecanismo de autopreservação diante de ameaças que vão além de nossas capacidades.

Ocorre que, na Palavra de Deus, aprendemos que o medo pode muitas vezes ser fruto da falta de fé. Então, aquilo que era natural e bom torna-se ruim, porque o Inimigo é cruel e implacável. Ele usará o medo para limitar, neutralizar e até mesmo escravizar nossa mente.

Hoje muitos estão paralisados pelo medo: medo da morte, de enfermidades, da solidão e até mesmo medo de conquistar, viver novas estações.

O medo impede você de vencer, pois o trava antes mesmo de lutar. No texto que lemos, Paulo diz isso a Timóteo, seu filho na fé, para empoderá-lo a fim de enfrentar as dificuldades e batalhas que teria pela frente.

O fato é que você irá se deparar com lutas, conflitos e situações adversas, mas entenda que a batalha já está ganha quando você confia em Deus. A confiança vence o medo. Quando você entende que sua vitória vem do alto, deixa de ser levado pelas circunstâncias.

Quais são os seus medos? Uma vida plena envolve entrega; portanto, deixe-os aos pé da cruz. Salmos 37.5 diz: "Entregue o seu caminho ao Senhor; confie nele, e ele agirá". Quando qualquer dúvida pairar sobre o seu coração, lembre-se disto: apegue-se à Palavra, pois nela há um poder sobrenatural para transformar sua história. Feche os olhos da dúvida e abra os olhos da fé!

Podemos entregar nosso caminho ao Senhor e confiar em que ele fará sua boa, perfeita e agradável vontade a nosso respeito.

@juniorrostirola

DEVOCIONAL
179/366

LEITURA BÍBLICA
ATOS 12

PALAVRA-CHAVE
#VENÇA

ANOTAÇÕES

EXERCITE-SE

28
JUN

#CAFECOMDEUSPAI

Pois os exercícios físicos têm alguma utilidade, mas o exercício espiritual tem valor para tudo porque o seu resultado é a vida, tanto agora como no futuro.

1TIMÓTEO 4.8, NTLH

Faça o que você nunca fez para viver o que você nunca viveu.

@juniorrostirola

DEVOCIONAL 366
180/366

LEITURA BÍBLICA
ATOS 13

PALAVRA-CHAVE
#PREPARO

ANOTAÇÕES

Na vida, precisamos estar preparados e capacitados para as funções que iremos exercer, não é verdade? E isso não se limita somente às questões práticas do cotidiano, mas também tem a ver com as questões espirituais. Por isso, você precisa tirar um tempo com Deus, ler a Bíblia e ter uma prática devocional, pois somente estando cheio do amor do Pai é que podemos estar preparados. Inclusive, o fato de você estar lendo esta mensagem hoje diz muito a seu respeito. Esse é o caminho!

Ao ir à batalha, o soldado, por exemplo, além de ter passado por um longo período de treinamento, precisa certificar-se de que está munido de todos os recursos e equipamentos necessários para enfrentá-la. E ainda mais importante que isso: é necessário que ele esteja motivado. Seu coração precisa estar alinhado com o propósito e a missão. É dessa forma que devemos caminhar em nossa vida.

Por isso, esteja bem preparado espiritualmente. Muitas vezes, nos preocupamos tanto com nosso corpo físico, enquanto o espiritual está raquítico e sem forças. Mas o fato é que é necessário cuidar de ambos. Lembre-se: tudo que você foca cresce. Então, se for preciso, ajuste o foco hoje mesmo e prepare-se para níveis mais altos.

À semelhança do soldado, nosso preparo e motivação irão definir até onde iremos chegar. Deus tem planos incríveis para cada um de nós; contudo, não receberemos aquilo que não tivermos condições de suportar — entenda isso. Grandes projetos exigem grandes responsabilidades e compromisso. Portanto, exercite-se espiritualmente, investindo cada vez mais em seu tempo com Deus, pois isso trará grandes transformações a toda a sua vida.

IMPROVÁVEIS, MAS ESCOLHIDOS

O SENHOR se voltou para ele e disse: "Com a força que você tem, vá libertar Israel das mãos de Midiã. Não sou eu quem o está enviando?"

JUÍZES 6.14

29
JUN

#CAFECOMDEUSPAI

Deus é especialista em usar pessoas improváveis. No versículo que lemos, ele empodera Gideão, homem que duvidava de sua própria força, para libertar seu povo do domínio opressor de outra nação. Após seu chamado, ele continuou dando desculpas e dizendo que não era capacitado para tamanho feito, mas, por fim, confiou em Deus.

Devemos confiar nas promessas do Pai, pois, se ele prometeu, também nos capacitará, por mais impossível que possa parecer aos olhos humanos. Deus, por meio do seu Espírito, equipa homens e mulheres comuns e improváveis, para destinos extraordinários.

Quando ele disser algo a seu respeito, mesmo que você não veja, creia. Gideão foi encontrado escondido, com medo de seus adversários, mas é chamado de poderoso guerreiro pelo anjo. A princípio, pode até soar como um deboche, mas o fato é que Deus não vê o exterior, mas sim o coração.

Não sei o que disseram a seu respeito, nem conheço sua auto imagem, mas o convido a ouvir o que o Pai tem a dizer. Pois dele, você só ouvirá verdades a seu respeito.

Quando somos fiéis ao chamado e obedientes aos comandos de Deus, vivemos muito acima da média. Deus usa seres humanos imperfeitos para executarem grandes feitos.

Você se considera um improvável? Por muito tempo, senti-me assim. Humanamente falando, eu seria uma das pessoas mais improváveis para escrever este devocional para você. Portanto, não aceite a mentira de que Deus não tem planos para a sua vida; apenas lance-se a ele em obediência e confiança, e saiba que tudo será transformado.

Não há impossível que, com Deus, não se torne possível.

@juniorrostirola

DEVOCIONAL
181/366

LEITURA BÍBLICA
ATOS 14

PALAVRA-CHAVE
#IMPROVÁVEL

ANOTAÇÕES

NÃO VIVA DE RÓTULOS

30 JUN

#CAFECOMDEUSPAI

"Seu nome é Jacó, mas você não será mais chamado Jacó; seu nome será Israel". Assim lhe deu o nome de Israel.

GÊNESIS 35.10

Os céus reconhecem quem você realmente é.

@juniorrostirola

DEVOCIONAL 366
182/366

LEITURA BÍBLICA
ATOS 15

PALAVRA-CHAVE
#LEGITIMIDADE

ANOTAÇÕES

Jacó era filho de Isaque e tinha um irmão gêmeo chamado Esaú. O nome que Jacó carregava continha um peso terrível, pois significava ele agarra o calcanhar ou ele age traiçoeiramente.

Imagine quão pesado deve ter sido para Jacó carregar esse nome com esse significado terrível. Levando em seus ombros o fardo de ser chamado de enganador, em determinados momentos de sua vida Jacó de fato fez jus a esse nome, como quando usurpou a primogenitura de seu irmão. Mas, quando ele vivenciou um encontro com o anjo do Senhor, sua vida foi transformada. Quando o anjo lhe apareceu, lhe foi anunciado que Jacó não seria mais o seu nome, mas que ele passaria a ser chamado Israel, que significa Deus que prevalece! E de fato na vida dele houve um virar de chave, um mover divino e uma transformação na vida.

Entenda que você está mais ligado a Deus em sua vida do que imagina. Entenda também que em sua vida nada fará sentido enquanto Deus não fizer parte dela. Você não começa a viver quando nasce, mas realmente quando conhece a Deus.

Quando você tem um encontro com Deus Pai, sua vida tem um antes e um depois. Foi assim comigo aos meus 13 anos: minha vida foi transformada de órfão de pai vivo em filho amado de Deus Pai.

Você foi escolhido por Deus para ter essa identidade de filho. Não importa o nome pelo qual o mundo o chame, o rótulo que tenham colocado em você, há um novo nome para você, um nome de filho amado e escolhido pelo Pai. Ele quer ter esse encontro com você para que você tenha sua vida ressignificada e edificada nele.

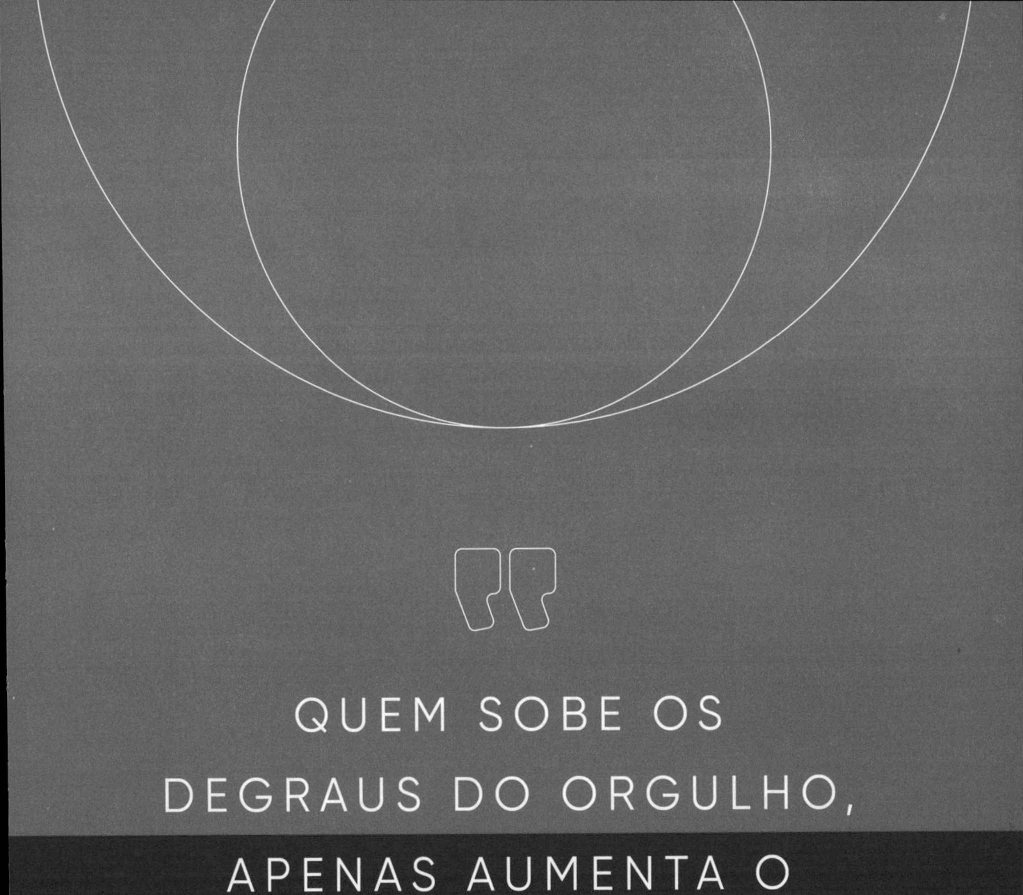
QUEM SOBE OS
DEGRAUS DO ORGULHO,
APENAS AUMENTA O

reflexão

reflexão

Chegamos à metade do ano!

Te convido a fazer uma autoanálise desses primeiros seis meses.

- Quais circunstâncias você já venceu?
- Quais desafios está enfrentando?
- O que ainda precisa ser mudado?

Separe um tempo para refletir e escrever, como se fosse uma carta para Deus Pai. E não esqueça: ele está no controle de tudo e ama você incondicionalmente!

A página ao lado é para a sua carta.

MÃOS À OBRA!

Sabemos que Deus age em todas as coisas para o bem daqueles que o amam, dos que foram chamados de acordo com o seu propósito.

Romanos 8.28

Carta para DEUS PAI

ELEVE SEU
NÍVEL DE
CONFIANÇA
A PONTO DE
DORMIR NA
TEMPESTADE.

@juniorrostirola

JULHO

Assista o vídeo com a palavra
e oração para este mês.

café com Deus pai

A CORRIDA DA VIDA

Eu disse essas coisas para que em mim vocês tenham paz.

JOÃO 16.33a

01
JUL

#CAFECOMDEUSPAI

Há quem diga que a arte imita a vida, então assim como na arte, muitas vezes a jornada de uma pessoa pode passar por inúmeros desafios como um longa-metragem apresenta, onde há momentos de alegria, euforia, tristeza, drama, suspense, medo, pavor, e tantos outros sentimentos que demonstram quão desafiadora é a caminhada. Assim como também no atletismo não se trata da prova mais rápida, por exemplo, os 100 metros rasos, mas de uma maratona, e como toda maratona, situações não previstas podem surgir durante o percurso. Quer dizer que temos que desistir? De maneira nenhuma, aliás, não desista, vá adiante!

Todo maratonista planeja o melhor para sua corrida, ele controla a respiração, calcula o trajeto, se organiza com os melhores equipamentos, quando necessário ele pega um copo de água para receber um fôlego novo e então prossegue até a linha de chegada.

Isso me ensina que esta temporada não pode ser vivida sem preparo, sem a escolha do trajeto, sem os itens necessários para que as conquistas sejam alcançadas e claro, os momentos de pausa para respirar com calma.

Lembre-se de celebrar suas conquistas, não se cobre a ponto de esquecer dos avanços. Cada um de nós está numa estação da vida, nem mesmo os membros de uma mesma família estão na mesma estação, portanto, não se compare a ninguém, mas seja inspirado por aqueles que estão avançando em intimidade com o Pai.

Sua jornada de paz será reflexo da confiança que você tem em Deus, portanto, não fique preso ao passado, mas levante a cabeça e prossiga rumo a vida abundante que ele tem preparado para você.

Não queira pular etapas, elas fazem parte do amadurecimento.

@juniorrostirola

DEVOCIONAL
183/366

LEITURA BÍBLICA
SALMOS 79

PALAVRA-CHAVE
#RENOVO

ANOTAÇÕES

DEUS O FEZ PARA UM PROPÓSITO

Sabemos que Deus age em todas as coisas para o bem daqueles que o amam, dos que foram chamados de acordo com o seu propósito.

ROMANOS 8.28

02
JUL
#CAFECOMDEUSPAI

Deus sempre terá um propósito maior do que a sua visão.

@juniorrostirola

DEVOCIONAL 366
184/366

LEITURA BÍBLICA
SALMOS 80

PALAVRA-CHAVE
#PROPÓSITO

ANOTAÇÕES

Em Deus, fomos criados para um propósito muito maior do que nós mesmos. Isso me ensina que o que ele tem para sua vida irá abençoar outras pessoas. Fala-se muito em prosperidade nos dias de hoje, e eu entendo que prosperidade é não ter falta de nada; antes, é ter uma vida satisfeita em todas as áreas, quando estamos vivendo segundo o propósito de Deus.

Pessoas prósperas são bem-sucedidas, pois seu coração está cheio da graça de Deus. Como no texto que lemos, saber que ele age em nosso favor, em relação a todas as áreas de nossa vida, é algo extraordinário!

Quando vivemos somente para nós mesmos, facilmente nosso coração se decepciona e entristece, levando-nos ao isolamento. Dessa forma, o vazio toma conta de nosso coração, e a sensação de nos sentirmos deslocados e por vezes até rejeitados nos abala completamente. Essas são as consequências de uma vida sem propósito.

No entanto, que o seu coração se alegre, pois Deus o fez para um propósito! O único que pode dizer para o que você nasceu é aquele que o criou. Por isso, à medida que você se aproxima do Pai, lê sua Palavra e se relaciona intencionalmente, passa a obedecer e caminhar na direção que ele estabeleceu para você antes até de você nascer!

Se você tomou decisões que o levaram para longe do seu propósito, há tempo de voltar. Entenda que não há vida próspera longe do Pai! Então, o que você está esperando? Realinhe seu coração com as intenções de Deus e viva, sabendo que ele fará que tudo coopere para o seu bem!

CORAÇÃO LIMPO

O coração ansioso deprime o homem,
mas uma palavra bondosa o anima.

PROVÉRBIOS 12.25

03
JUL

#CAFECOMDEUSPAI

Comumente é dito na psicologia que depressão é excesso de passado, estresse é excesso de presente e ansiedade é excesso de futuro, diferindo apenas o período de tempo no qual está depositada sua dor.

Pessoas acometidas desses males, estão inclinadas a viver reféns desses sentimentos que roubam a paz, sendo corroídas lentamente, como a ferrugem corrói o metal, e assim deteriorando a esperança.

Muitos anos atrás, sofri um acidente de moto em que feri o pé, com uma fratura exposta. Alguns dias depois, houve um agravamento na ferida, ocorrendo necrose, e o médico constatou que seria necessário amputá-lo. Mas minha mãe não permitiu que isso acontecesse e assinou um termo de responsabilidade. Fomos buscar uma segunda opinião médica, que reafirmou a severa necrose, e recomendou-se a remoção de toda a carne necrosada. O tratamento foi feito, com a extração do que estava morto, e para a glória de Deus meu pé foi recuperado.

O mais incrível é que tudo se originou de uma pequena fratura que não foi tratada da forma adequada. Da mesma forma, um sentimento não tratado pode transformar-se em algo maior.

Diariamente nos preocupamos com nossa higiene pessoal, por exemplo. Muitos de nós vamos além, praticando atividades físicas para cuidar do corpo. No entanto, quando se trata do coração, parece que não temos o mesmo cuidado.

Como está o seu coração? Você tem cuidado para não deixá-lo ficar contaminado com as adversidades da vida? Saiba que o que vai levar você a viver uma vida abundante e plena é um coração limpo e sarado.

Quando nos arrependemos, Jesus usa nossos erros e pecados como uma ferramenta para lapidar o nosso coração.

@juniorrostirola

DEVOCIONAL
185/366

LEITURA BÍBLICA
SALMOS 81

PALAVRA-CHAVE
#RENOVAÇÃO

ANOTAÇÕES

SILENCIE AS DISTRAÇÕES

04 JUL

#CAFECOMDEUSPAI

Ele respondeu: "Antes, felizes são aqueles que ouvem a palavra de Deus e lhe obedecem".

LUCAS 11.28

Cada passo na direção de Deus é um passo a menos na direção do mundo.

@juniorrostirola

DEVOCIONAL 366

186/366

LEITURA BÍBLICA

ATOS 16

PALAVRA-CHAVE

#OUVIR

ANOTAÇÕES

Quantas vezes alguém o chamou, mas, por estar em um ambiente barulhento ou cheio de distrações, você acabou não ouvindo? Isso é algo comum, pois muitas vezes tantas coisas acontecem ao mesmo tempo que acabamos não conseguindo ouvir todas as vozes.

O fato é que, quanto mais próximos estivermos de alguma pessoa, maior a probabilidade de ouvi-la, não é verdade? No versículo que lemos, Jesus diz que aqueles que ouvem as palavras de Deus e as colocam em prática são realmente felizes. Deus quer que estejamos atentos, com os ouvidos abertos para as suas verdades; deseja nos esclarecer sobre coisas grandiosas e direcionar nossa vida aos seus propósitos; contudo, se estivermos longe dele, não o ouviremos e tampouco lhe obedeceremos.

Em um ambiente onde há muito barulho e distrações, a proximidade é essencial, pois cria uma maior conexão, compreensão e intimidade. Mas o fato é que, se dermos ouvidos a muitas vozes ao mesmo tempo, não compreenderemos o que Deus nos diz. Então, não permita que os barulhos da vida tirem sua atenção da voz que verdadeiramente é importante para você.

Que voz você tem ouvido? Deus Pai tem grandes verdades a seu respeito, todavia as distrações farão de tudo para que você não o ouça. Convido você a refletir: o que o tem afastado do Pai e, consequentemente, impedido você de ouvi-lo? Lembre-se: tudo que o distancia de Deus lança você para longe de uma vida abundante, próspera e cheia de paz. Por isso, muitas vezes é necessário renunciar a determinadas coisas. Saiba que o que não lhe custa nada não o leva a lugar nenhum.

SUPERE

Eu te louvo porque me fizeste de modo especial e admirável. Tuas obras são maravilhosas! Digo isso com convicção.

SALMOS 139.14

05
JUL

#CAFECOMDEUSPAI

Durante muitos anos da minha vida, vivi sem nenhum amigo; aliás, os colegas que tinha na vizinhança se relacionavam pouco comigo, pois a vergonha do que eu vivia em casa, além de me bloquear para os relacionamentos, também contribuía para que eu me isolasse.

Um desses colegas da vizinhança, que inclusive descrevo em meu livro *Encontrei um Pai*, me fazia olhar para o relacionamento que ele tinha com o seu pai. Como eu desejava ter a mesma experiência! Lembro-me de que certa vez o pai dele, motorista de caminhão, estava chegando em casa do trabalho. Quando viu o caminhão na esquina da rua, o menino foi ao encontro do pai, que o colocou no colo, e ambos vieram dirigindo. Essa cena, mesmo depois de adulto me marca, pois evidenciava a falta de algo que eu não tinha em casa, demonstrando assim o vazio existencial da minha alma. Esse vazio fez com que eu me fechasse para tudo; portanto, sempre acreditei na mentira de que jamais teria amigos.

Você também já ouviu mentiras a seu respeito? Hoje, olhar para trás e ver o que Deus fez me possibilita dizer a você que, mesmo tendo passado por uma história de muitas dores e traumas, posso assegurar que os superei. Tenho amigos que carrego há anos comigo, pessoas leais que me encorajam e me confrontam quando preciso. Com eles aprendi que lealdade é uma via de mão dupla: quando ofereço a minha, recebo a deles.

Saiba que é importante você superar suas dores em Deus Pai, pois nele tudo é restaurado e restituído.

Faça parceria com as verdades, não com as mentiras.

@juniorrostirola

DEVOCIONAL
187/366

LEITURA BÍBLICA
ATOS 17

PALAVRA-CHAVE
#LEALDADE

ANOTAÇÕES

CUIDE PARA NÃO PERDER O FOCO

06
JUL
#CAFECOMDEUSPAI

Olhe sempre para a frente, mantenha o olhar fixo no que está adiante de você. Veja bem por onde anda, e os seus passos serão seguros. Não se desvie nem para a direita nem para a esquerda; afaste os seus pés da maldade.

PROVÉRBIOS 4.25-27

Quando você foca nos problemas eles se agigantam.

@juniorrostirola

Aprendi ao longo da minha caminhada como cristão que tudo aquilo em que você foca, cresce e frutifica em sua vida. Seja um problema, seja algo bom, seja o que for.

Certa vez, no apartamento onde eu morava, foi necessário trocar uma porta e, no processo, o papel de parede foi danificado. Por mais que eu tentasse não reparar nisso, ele não ficou mais como era. Uma das mazelas do órfão é o perfeccionismo. Eu luto contra isso, pois, para mim, se algo não está simetricamente alinhado, aquilo se destaca tirando a minha atenção.

Por isso, cada vez que eu entrava no meu apartamento, a primeira coisa que meus olhos focavam era naquela parte desalinhada do papel de parede, fazendo-me esquecer de olhar para as demais coisas que estavam em ordem e eram mais importantes, como a mesa onde eu me alimentava ou a cama onde eu dormia. Eu estava cego para as demais coisas.

O que eu quero ensinar com isso é que você pode estar focado em um problema, mas existem muito mais coisas boas ao seu redor. E, se você focar apenas nisso, não vai desfrutar de tudo que o Pai lhe tem proporcionado, todas as coisas que você já conquistou até aqui, todas as pessoas que o amam e estão ao seu lado, impulsionando-o a seguir adiante, e das demais coisas que o Senhor quer que você desfrute.

Para onde seus olhos estão voltados? Eu só olhava para meu pai e sua rejeição, praticamente me esquecendo de que minha mãe estava bem ali, cuidando, zelando e provendo o melhor para nós como filhos. Retire sua lente de aumento dos seus problemas e olhe ao seu redor.

DEVOCIONAL 366
188/366

LEITURA BÍBLICA
ATOS 18

PALAVRA-CHAVE
#FOCO

ANOTAÇÕES

O LUGAR SECRETO

[Disse Jesus:] *"Mas, quando você orar, vá para seu quarto, feche a porta e ore a seu Pai, que está em secreto. Então seu Pai, que vê em secreto, o recompensará".*

MATEUS 6.6

07
JUL

#CAFECOMDEUSPAI

Como está a sua vida com Deus? Você tem dedicado um tempo de qualidade para estar com ele? Quando tomamos a atitude de estar com o Pai no lugar secreto, ele cria uma atmosfera diferente e revela seus projetos íntimos ao nosso coração, porque este é o resultado da comunhão com ele.

Deus nos convida a conhecê-lo intimamente. Conforme o versículo que lemos, Jesus indica aos seus discípulos que o lugar secreto é ideal para isso; mais especificamente, é onde conseguimos estar a sós com ele. Existem verdades que só serão anunciadas quando estivermos em secreto, pois no meio da multidão há muito barulho e distração. A oração é um instrumento poderoso, não para fazer com que a vontade do homem seja feita no céu, mas para fazer que a vontade de Deus seja feita na terra.

Hoje a vida é muito ativa. A todo momento chegam novas notificações em nosso celular, algo acontece ou alguém nos chama. Em meio a tanta agitação, muitas vezes a voz de Deus não é ouvida. Isso evidencia ainda mais a necessidade de nos desligarmos de tudo, para nos conectarmos a Deus.

Eu o convido a todos os dias separar um momento para estar a sós com Deus Pai. Silencie as notificações do seu celular, ouça uma música que o conecte a ele, e simplesmente abra o seu coração. Fale, mas também deixe-o falar.

Esse hábito pode transformar sua vida por completo, pois você terá respostas para suas dúvidas e será impulsionado ao seu propósito. Saiba que, onde você semeia oração, sempre haverá colheita da manifestação do poder de Deus!

Quando você está alinhado ao coração de Deus, suas orações nunca são em vão.

@juniorrostirola

DEVOCIONAL
189/366

LEITURA BÍBLICA
ATOS 19

PALAVRA-CHAVE
#ORAÇÃO

ANOTAÇÕES

NOVAS SEMENTES

Pois o que o homem semear isso também colherá.

GÁLATAS 6.7b

08 JUL

#CAFECOMDEUSPAI

Você tem o DNA do extraordinário plantado em você com todas as possibilidades de fazer grandes coisas.

@juniorrostirola

DEVOCIONAL 366

190/366

LEITURA BÍBLICA

SALMOS 82

PALAVRA-CHAVE

#COLHEITA

ANOTAÇÕES

Você já parou para pensar que a nossa vida é feita de plantios e colheitas? Estamos sempre semeando algo com nossas palavras, atitudes e ações. Algumas delas vão influenciar nossa vida para sempre; aliás, alguém já disse que somos a soma das escolhas que fazemos. Assim como na natureza, vamos colher de acordo com aquilo que plantamos. Já viu alguém plantar arroz e colher feijão? Não tem como.

É preciso também considerar o fator tempo. Há coisas que você e eu vivemos hoje que são frutos de decisões que tomamos há muitos anos; outras, foram semeadas recentemente. Se hoje eu perguntasse como estão as suas colheitas, o que você me diria? Todas as nossas atitudes são constantes plantios na vida, e a lei da semeadura e colheita não falha. Reflita se o que você está plantando hoje é de fato o que você deseja colher amanhã.

Talvez você esteja vivendo a colheita de uma safra ruim, de gosto amargo, que pode ou não ter sido plantada por você. Digo isso porque, quando uma casa não é construída com sabedoria, todos padecem. Foi exatamente o que aconteceu comigo: a colheita de um lar disfuncional não foi plantada por mim, mas por meu pai, não foram as minhas escolhas, mas as dele, no entanto elas refletiram sobre mim.

Quando, porém, tive um encontro com Deus Pai, pude ressignificar a minha história. De uma família destruída a uma família restaurada; de um menino depressivo a um homem sonhador; de alguém que chegou a desistir da escola a escritor deste livro que pode abençoar hoje a sua vida e a de milhares de pessoas no mundo. Se você quer colher novos frutos, mude as sementes!

ENCONTRE A VIDA

[Jesus disse:] *"Eu sou a porta; quem entra por mim será salvo. Entrará e sairá, e encontrará pastagem."*

JOÃO 10.9

09
JUL

#CAFECOMDEUSPAI

Em nosso cotidiano, é comum utilizarmos a palavra "porta" para nos referir a chances, oportunidades ou caminhos que se abriram em nossa vida. Dessa forma, durante a vida, diversas portas se abrem e fecham. Algumas nos levam a uma nova oportunidade de emprego, a um relacionamento e a outras decisões que de fato influenciam nossa caminhada.

No versículo que lemos, Jesus se apresenta como a porta e diz que aquele que entrar por ela será salvo. Na vida, fazemos diversas escolhas e optamos por quais caminhos seguir, mas nenhum será tão importante quanto ir em direção a Jesus. A verdade é que entrar por essa porta é a decisão mais importante que podemos tomar em nossa vida.

Muitas vezes, a vida acaba oferecendo-nos diversos caminhos e optamos por segui-los, na expectativa de ter nosso vazio preenchido. Alguns de nós tentam preenchê-lo com a busca de ser muito bem-sucedidos profissionalmente; outros focam ter seus diplomas ou então um relacionamento, dentre tantas outras coisas. Isso não quer dizer que essas coisas são ruins; pelo contrário, fazem parte das nossas conquistas. Contudo, sozinhas não nos preenchem a ponto de vivermos uma vida verdadeiramente satisfeita, pois só teremos uma vida completa em Jesus.

Quais portas estão diante de você hoje? Diariamente, fazemos escolhas, e elas podem nos levar aos mais diversos caminhos, sejam bons ou ruins. Apesar das tantas portas que possam se abrir e fechar, você só encontrará a verdadeira paz e o verdadeiro propósito ao entrar pela porta mais importante de todas: Jesus.

Jesus é a porta, e a chave para acessá-la está em suas mãos.

@juniorrostirola

DEVOCIONAL
191/366

LEITURA BÍBLICA
SALMOS 83

PALAVRA-CHAVE
#ESCOLHAS

ANOTAÇÕES

ENTREGUE E CONFIE

10
JUL
#CAFECOMDEUSPAI

Pois vocês são salvos pela graça, por meio da fé, e isto não vem de vocês, é dom de Deus; não por obras, para que ninguém se glorie.

EFÉSIOS 2.8,9

A fé é um elemento indispensável para quem deseja viver milagres.

@juniorrostirola

Muitas vezes, quando as coisas acontecem diferente do que nós planejamos, a gente se rende e para de lutar. Não se dê por vencido, pois você chegou até aqui. Erga a cabeça e continue lutando, persevere, pois Deus está no controle de todas as coisas.

Para podermos de fato exercer isso, é fundamental compreender que a fé é fruto da rendição.

É como uma pessoa que está em um lago se afogando. Quando o salva-vidas vem para resgatá-la, é preciso que primeiramente ela pare de se debater; caso contrário, além de se afogar, pode também afogar o salva-vidas. Por isso, para a pessoa ser salva, é necessário render-se; ao ficar imóvel, é salva mais facilmente.

A fé não é diferente: é você confiar plenamente a ponto de se render. Significa não lutar com as próprias forças, reconhecendo que isso não cabe a você fazer. Você faz a sua parte, mas aquilo que cabe a Deus você confia e entrega nas mãos dele.

Talvez até hoje, ou diante do cenário que você vive até este momento, a sua parte tenha sido feita. Então, o que você precisa fazer agora? Entregar e confiar!

Crendo que o milagre irá acontecer, entregue a sua luta ao Pai! Esteja confiante, pois aquele a quem servimos é o Deus que não perde batalhas. O Pai trabalha em favor de todos os que o temem e se entregam totalmente a ele.

Não tente mover o mundo com a força de seus braços; entregue a Deus o seu impossível e confie para que o sobrenatural aconteça. Entenda que sua decisão de confiar será determinante para o seu milagre!

DEVOCIONAL 366

192/366

LEITURA BÍBLICA

SALMOS 84

PALAVRA-CHAVE

#ACREDITAR

ANOTAÇÕES

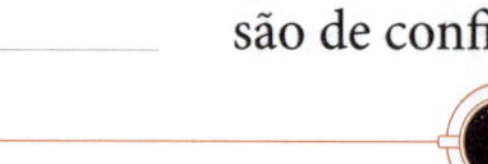

ALIANÇADOS

"Vocês viram o que fiz ao Egito e como os transportei sobre asas de águias e os trouxe para junto de mim. Agora, se me obedecerem fielmente e guardarem a minha aliança, vocês serão o meu tesouro pessoal entre todas as nações."

ÊXODO 19.4,5a

11
JUL
#CAFECOMDEUSPAI

Durante toda a história, Deus tem feito alianças com seu povo. Desde a Criação, ele fez uma aliança com Adão, posteriormente com Abraão, Davi, e assim por diante. Elas serviram para que pudéssemos compreender e fazer parte dos planos de Deus na terra, nos aproximando dele.

Toda aliança traz consigo um compromisso das duas partes, não é verdade? Se você é casado, compreende que a aliança que você e seu cônjuge mantêm no dedo anelar da mão esquerda representa o fato de que um tem responsabilidades para com o outro e que o compromisso não deve ser quebrado, porque foi instituído para ser dessa forma e por toda a vida.

Da mesma maneira, possuímos uma aliança com Deus, o que significa que temos nossas responsabilidades em tudo isso. Ele jamais falhou ou falhará; portanto, se há desequilíbrio nesse compromisso, certamente partirão de nós. Em Hebreus 7.22, a Bíblia diz: "Jesus tornou-se, por isso mesmo, a garantia de uma aliança superior". Ele prometeu cuidar de você, suprir suas necessidades e lhe conceder a vida eterna. Tudo isso nos foi dado por meio de Jesus, que é a aliança entre você e Deus.

Você tem correspondido ao compromisso que Deus Pai tem com a sua vida? Como está seu relacionamento com ele? Precisamos cumprir nossa parte, obedecer-lhe e caminhar ao seu lado, fiéis e íntegros. Que o nosso compromisso seja maior que os nossos medos e que a nossa perseverança seja tão grande quanto a nossa fé. Assim, faremos valer a pena a maior aliança de amor que a humanidade já viu!

Quem tem aliança com Deus tem promessa e quem tem promessa caminha seguro.

@juniorrostirola

DEVOCIONAL
193/366

LEITURA BÍBLICA
ATOS 20

PALAVRA-CHAVE
#ALIANÇA

ANOTAÇÕES

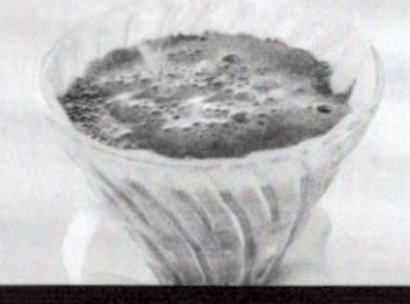

VOCÊ É CAPAZ

12
JUL

#CAFECOMDEUSPAI

O rei lhes fez perguntas sobre todos os assuntos que exigiam sabedoria e conhecimento e descobriu que eram dez vezes mais sábios do que todos os magos e encantadores de todo o seu reino.

DANIEL 1.20

O rei Nabucodonosor, após dominar Israel, tomou como prisioneiros vários homens notáveis de Israel. Fazendo perguntas, avaliando Daniel e seus amigos, que eram cativos, ficou impactado com a sabedoria e astúcia de Daniel, que ultrapassava até mesmo os sábios do rei.

Isso nos mostra o padrão elevado de Deus em relação ao padrão do mundo. Essa passagem nos revela muitas coisas. Podemos compreender que cada pessoa tem um chamado que rompe barreiras, vivendo o extraordinário, e que está neste mundo para transformar a realidade ao seu redor.

A partir do momento em que eu descobri que era filho, que existia um Pai que me amava, comecei a descobrir a minha identidade. Assim, passei a ver que aquilo que Deus queria fazer em mim e por meio de mim era muito maior do que tudo aquilo que muitas vezes eu projetava na minha mente, isso porque passei muito tempo preso a mentiras que me limitavam. Mas com Deus Pai eu aprendi que o céu é o meu limite.

Confiança, respeito e segurança são recebidos quando aprendemos a viver à luz da paternidade divina. Notadamente, nos últimos anos temos visto quanto um lar disfuncional prejudica o desenvolvimento dos filhos. Possivelmente, essa pode ter sido a sua realidade, em que, em vez de ser encorajado a vencer, você apenas ouviu a descrição de suas falhas ou erros, com uma ênfase significativa em seus medos e traumas.

Sei bem como é tudo isso, por isso encorajo você a viver uma mudança em sua vida. Decida fazer com que Deus aflore o extraordinário que existe em você, para que você possa impactar e deixar um legado para a sua geração.

O teu problema é o teu passaporte para ir além do imaginável!

@juniorrostirola

DEVOCIONAL 366
194/366

LEITURA BÍBLICA
ATOS 21

PALAVRA-CHAVE
#IMPACTAR

ANOTAÇÕES

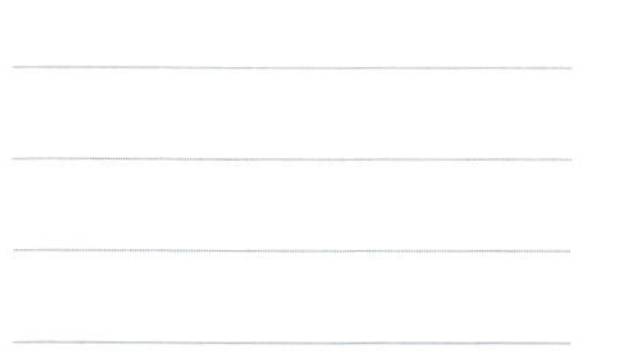

CUIDE!

Acaso não sabem que o corpo de vocês é santuário do Espírito Santo que habita em vocês, que lhes foi dado por Deus, e que vocês não são de si mesmos?

1CORÍNTIOS 6.19

13
JUL

#CAFECOMDEUSPAI

Em nossa vida, nós temos cuidado com várias coisas: cuidamos da nossa imagem, da forma com que nos vestimos, de como nos portamos diante das pessoas e em situações especiais. Por isso, é comum quando vamos a algum lugar especial desejarmos estar apresentáveis. Isso demonstra nosso cuidado conosco e com as pessoas. É exatamente nessa linha de pensamento que Paulo está levando os crentes de Corinto a pensar.

Somos o templo do Espírito Santo. Portanto, todo zelo, todo cuidado, é necessário. Sim, sua saúde e aparência falam muito sobre sua vida espiritual. Cuidar do corpo é muito importante. É comum, de acordo com a idade, você sentir que o seu corpo já não está com a mesma disposição, não tem a resistência física de antes. Os cuidados com o corpo são o meio de mostrarmos ao tempo nossa resiliência.

Todos esses cuidados são muito importantes. Mas eu o convido a refletir hoje sobre o seguinte: muitas vezes, damos valor a uma área e esquecemos de outra. Desse modo, se você tem cuidado de sua vida espiritual com o mesmo esmero que tem cuidado das demais áreas da sua vida, parabéns! Esse é o caminho.

Caso contrário, retome o zelo pela sua relação com o Pai e reabasteça a chama com o combustível da oração. Por mais que você possa ter esfriado na fé, Deus Pai é caloroso como uma lareira em um dia frio e quer aquecer o seu coração. Retomando a fé, você terá sua alma renovada e será impulsionado a viver uma nova vida.

A oração é a chave para seu crescimento.

@juniorrostirola

366 **DEVOCIONAL**
195/366

LEITURA BÍBLICA
ATOS 22

PALAVRA-CHAVE
#CUIDADO

ANOTAÇÕES

ELE ESTÁ FALANDO

14
JUL

#CAFECOMDEUSPAI

[Jesus disse:] *Aquele que tem ouvidos, ouça!*

MATEUS 11.15

É preciso estar em silêncio para ouvir a voz de Deus.

@juniorrostirola

DEVOCIONAL 366

196/366

LEITURA BÍBLICA

ATOS 23

PALAVRA-CHAVE

#OUVIR

ANOTAÇÕES

O ser humano é naturalmente ávido por atenção e aceitação, por isso na maioria das vezes gostamos mais de falar do que de ouvir. Quando estamos em silêncio, ouvimos melhor as pessoas ao nosso redor e prestamos mais atenção nos momentos importantes. Percebo que temos mais a aprender ouvindo do que falando. Na vida com Deus, não é diferente: para que possamos entender seus apontamentos, precisamos ouvi-lo.

O Espírito Santo fala conosco de diferentes maneiras, como em nosso tempo de oração, em nosso momento devocional ou por meio de pessoas no dia a dia. Por isso, esteja atento para perceber o que ele está dizendo. Não é um pouco frustrante quando você fala com alguém, mas percebe que a pessoa não está prestando atenção? Será que tem sido assim entre Deus e você? Ele está falando o tempo todo, mas é necessário perceber e dar atenção aos seus direcionamentos.

No versículo que lemos, Jesus adverte os que estão ao seu redor a prestarem atenção ao que ele dizia. Jesus faz isso diversas vezes nos Evangelhos, para que as pessoas se voltassem para os seus ensinamentos, conferindo ênfase e chamando atenção para algo importante. Creio que deixamos de receber grandes orientações do Espírito Santo por desviarmos nossa atenção em momentos fundamentais.

Permita que as orientações divinas entrem em seu coração e produzam mudança. Não permita que a voz da distração roube os grandes tesouros que Deus Pai tem para você. Seja um bom ouvinte. Entenda que Deus está falando o tempo todo e deseja compartilhar grandes coisas com você.

TENHA SEDE PELA PRESENÇA

Ó Deus, tu és o meu Deus, eu te busco intensamente; a minha alma tem sede de ti! Todo o meu ser anseia por ti, numa terra seca, exausta e sem água.

SALMOS 63.1

15 JUL

#CAFECOMDEUSPAI

Davi, ao longo de sua vida de pastor de ovelhas a rei de Israel, enfrentou uma série de dificuldades, injustiças e perseguições, precisando diversas vezes fugir de Saul e até mesmo de seu filho Absalão, que atentava contra a sua vida.

Durante uma das suas fugas, Davi, em sua angústia, escreveu o salmo 63. Nesse salmo, ele expressa sua intimidade com Deus durante o duro processo até o cumprimento da promessa. Seu desejo era a cada dia ter um relacionamento mais profundo. Sua vontade era tão intensa que ele a comparava com a sede experimentada nos períodos de seca mais severa.

Com isso aprendo que, em meio à angústia, o melhor a se fazer é olhar para Deus. Somente assim teremos força para superar as dores.

O Brasil é líder mundial no ranking de pessoas que sofrem com ansiedade. Quando falamos da depressão, os números também são crescentes. Essa é uma triste tendência que vivemos. Eu mesmo, quando mais jovem, desejei a morte diversas vezes, porque as angústias que eu sentia em meu coração só aumentavam pelas circunstâncias contrárias. Mas, quando conheci Deus e descobri que ele era um Pai que se importava e me amava, tudo mudou. Assim como Davi, passei a ter um desejo intenso por buscá-lo, e minhas feridas foram curadas.

Quais feridas estão abertas em seu coração? O que o tem angustiado? Dê passos em direção a um relacionamento profundo com Deus Pai. Não podemos mudar o passado, mas sim nos posicionar no presente para termos um novo futuro.

Suas decisões hoje serão determinantes para viver o extraordinário amanhã.

@juniorrostirola

366 **DEVOCIONAL**

197/366

LEITURA BÍBLICA

SALMOS 85

PALAVRA-CHAVE

#DECISÃO

ANOTAÇÕES

A PALAVRA É BÚSSOLA

16
JUL
#CAFECOMDEUSPAI

*Guardei no coração a tua palavra
para não pecar contra ti.*

SALMOS 119.11

Sua vida mudará quando aprender a usar sua mente da maneira correta e o parâmetro é a Palavra de Deus!

@juniorrostirola

DEVOCIONAL 366
198/366

LEITURA BÍBLICA
SALMOS 86

PALAVRA-CHAVE
#DIREÇÃO

ANOTAÇÕES

Você sabia que Deus Pai é um Deus relacional, que nos escolheu e se revelou a nós, para que pudéssemos compreendê-lo? Ele nos amou e falou a nossa língua através das Escrituras. É impossível viver uma relação de conexão com Deus se não cultivarmos uma vida de paixão pela sua Palavra.

Deus não está contido dentro das páginas da Bíblia, como se o livro por si só emanasse seu poder, mas as Escrituras servem para nós como uma bússola, para podermos encontrá-lo. É como se uma pessoa com os olhos vendados caminhasse em direção à voz que a chama. A palavra de Deus é para nós como um farol em meio à escuridão do mundo.

A escuridão faz isto conosco: nos impede de ver e caminhar em direção à vontade de Deus. Talvez você conheça minha história. Em meu livro Encontrei um Pai, falo sobre quanto em minha infância andei na escuridão e sobre como meu pai nos levou por caminhos escuros, de dor e angústia.

Não falo isso para me vitimizar, mas para testemunhar a você da importância que a Palavra tem em nossa vida. Gosto de declarar que as letras contidas nas páginas precisam saltar aos nossos olhos e invadirem a nossa vida.

Foi justamente isso que mudou o nosso destino. Na Palavra de Deus, encontrei propósito e direção.

Você se sente perdido, angustiado, aflito, com vontade de desistir? Saiba que por meio de uma entrega é possível que todas essas realidades sejam transformadas pelo cuidado de Deus. Tudo que ele quer é mudar a sua história.

Eu precisei me entregar para ter minha vida transformada. E você, já se entregou?

PERSEVERE PARA VENCER

Sendo assim, não corro como quem corre sem alvo e não luto como quem esmurra o ar.

1CORÍNTIOS 9.26

17 JUL

#CAFECOMDEUSPAI

Muitos elementos da nossa cultura fazem analogia ao esporte. Nesse sentido, todo atleta tem como principal objetivo conquistar uma medalha, subir ao pódio, levantar a taça e ser o melhor em sua categoria. Mas, na vida, você também está disputando uma importante partida e não pode perder o foco.

Ninguém gosta de perder, não é mesmo? Você sabia que a palavra "pecado" em sua origem grega significa "errar o alvo"? Ou seja, é como se estivéssemos caminhando na direção errada em relação ao nosso objetivo.

O fato é que não se trata de quem chegará em primeiro ou último lugar, pois é como se cada um de nós estivesse correndo sua própria maratona, com suas próprias características e obstáculos. Aprendo que na vida o importante não é a velocidade, mas a direção e a constância. Muitos estão em alta velocidade, mas indo para um destino perigoso; já outros estão caminhando para a direção correta, mas a inconstância os impede de continuar.

Entenda que cada um de nós corre sua própria maratona; portanto, passamos por processos totalmente diferentes. Comparar nossa trajetória com a de outras pessoas só nos trará desânimo e frustração. Você tem sua própria história, passou por lutas e as venceu. Hoje você é simplesmente o resultado de suas escolhas de ontem.

Como você sabe se tem caminhado na direção correta? Lembre-se de que Deus Pai está ao seu lado, como um técnico, dando a você todas as instruções para viver uma vida plena, constante e abundante. Tenha confiança, porque com Deus a vitória é apenas questão de tempo!

Na maratona da vida, a persistência em acertar o levará ao pódio.

@juniorrostirola

366 **DEVOCIONAL**

199/366

LEITURA BÍBLICA

SALMOS 87

PALAVRA-CHAVE

#PERSISTIR

ANOTAÇÕES

AMOR QUE CONTAGIA

Filhinhos, não amemos de palavra nem de boca, mas em ação e em verdade.

1JOÃO 3.18

18
JUL

#CAFECOMDEUSPAI

Onde há amor, não há lugar para ressentimentos.

@juniorrostirola

DEVOCIONAL 366
200/366

LEITURA BÍBLICA
ATOS 24

PALAVRA-CHAVE
#AMOR

ANOTAÇÕES

O centro da mensagem de Jesus sempre foi o amor. Quando olhamos para o amor dele pelas pessoas, percebemos que suas falas eram sinceras, práticas e profundas, como alguém que falava com autoridade, pois de fato colocava esse amor em prática em suas atitudes. Por essa razão, muitos, ao se sentirem amados, eram atraídos por Jesus.

Algo interessante é que esse amor permeia toda a criação. Eu gosto muito de assistir a documentários sobre animais. Esse é um *hobby* que normalmente compartilho com os mais próximos. Se tem algo que observo na natureza é quanto os animais da mesma espécie tendem a defender uns aos outros. Eu entendo que esse é o instinto de cada espécie, mas vejo nisso também uma expressão de amor e cuidado.

Tenho muito presente em meu coração um ensinamento de minha mãe. Certa vez, quando criança, eu disse à minha que meu pai só nos fazia sofrer e que, se eu fosse maior de idade, o mataria, a resposta dela foi: "Não fique com isso em seu coração, meu filho. Seu pai é um homem bom; ele só faz isso por causa da bebida".

Minha mãe contagiou o meu coração com o seu amor, e a sua atitude impediu que qualquer raiz de amargura vingasse em meu coração.

O que o impede de demonstrar o amor de Deus no dia de hoje? Filhos expressam aquilo que receberam do pai. O fato é que Deus já derramou seu amor imensurável sobre a sua vida.

Entenda que o amor não é um sentimento apenas, mas sim uma atitude que leva você a manifestar o Reino e o padrão dos céus na terra!

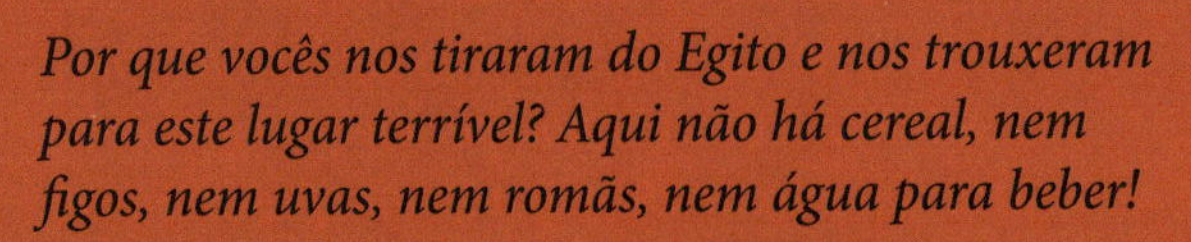

VOCÊ SE VÊ?

Por que vocês nos tiraram do Egito e nos trouxeram para este lugar terrível? Aqui não há cereal, nem figos, nem uvas, nem romãs, nem água para beber!

NÚMEROS 20.5

19 JUL

#CAFECOMDEUSPAI

Moisés tinha como missão levar o povo até a terra prometida, porém ele não conseguiu. E eu compreendo da seguinte forma: ele retirou o povo do Egito, mas não conseguiu retirar o Egito do povo. E aquilo que levaria tão pouco tempo, cerca de vinte e cinco dias, levou muitos anos, e aquele povo acabou não entrando na terra prometida.

Você deve estar pensando, por que isso aconteceu após tanto sofrimento?

Entenda que, quando você é submetido a algo por um longo período, quando algum poder o domina, essa influência se torna a sua identidade, e agora os seus vícios falam mais alto do que o seu potencial e da palavra de Deus a seu respeito.

Quando todos nós sofremos por alguma coisa, acabamos assumindo o nome daquela dor. E existem muitas pessoas que assumiram uma identidade errada sobre si mesmas. Você não é aquela dor, aquela mágoa, aquele obstáculo, aquele abuso ou aquela palavra de maldição que foi lançada sobre sua vida, pois tudo isso o leva à paralisia.

Como já aconselhei muitas pessoas em dores semelhantes às minhas e até em outras que nunca nem de perto enfrentei, o que mais percebi é quanto uma pessoa dominada por uma dor é refém, julgando-se culpada por enfrentar tamanho sofrimento.

Troque tudo isso pela identidade de filho de Deus. Pois ele o conhece, sabe quem você é, quem você não é e quem você pode se tornar.

Não roube de você mesmo a promessa de Deus. Creia que ele habita em você e por isso o guiará rumo ao seu destino. Pois aquilo em que você acredita e foca determinará as suas conquistas e realizações.

A obediência nos colocará na promessa.

@juniorrostirola

DEVOCIONAL
201/366

LEITURA BÍBLICA
ATOS 25

PALAVRA-CHAVE
#OBEDECER

ANOTAÇÕES

ESCOLHAS QUE VALEM A PENA

20
JUL
#CAFECOMDEUSPAI

O Senhor conceda misericórdia à casa de Onesíforo, porque muitas vezes ele me reanimou e não se envergonhou por eu estar preso; ao contrário, quando chegou a Roma, procurou-me diligentemente até me encontrar.

2TIMÓTEO 1.16,17

Hoje é o Dia do Amigo!

A Bíblia nos diz que existem amigos mais chegados que irmãos. Que verdade! Hoje temos o desafio de transbordar carinho pelos nossos verdadeiros amigos. Então, compartilhe este devocional nas suas redes sociais e marque essas pessoas especiais. Compartilhemos amor e gratidão!

@juniorrostirola

DEVOCIONAL 366
202/366

LEITURA BÍBLICA
ATOS 26

PALAVRA-CHAVE
#AMIGO

Pessoas que andam no mesmo propósito sempre acreditam que é possível.

Qual é a sua reputação como amigo? Como quem está ao seu redor descreveria você? Na Bíblia, não há grandes milagres nem notáveis testemunhos sobre esse homem chamado Onesíforo; aliás, poderíamos até afirmar que ele passaria quase despercebido em toda a história do cristianismo se Paulo não o tivesse citado na sua segunda carta a Timóteo.

Quando vemos homens como Onesíforo, concluímos que ao longo da história muitos nomes passaram despercebidos nos registros históricos. Contudo, o fato é que a história não seria a mesma se não fosse pelas ações dessas pessoas cujo nome jamais saberemos, mas que lutaram e até mesmo deram a vida para que pudéssemos estar aqui hoje. Paulo o descreve como alguém que o reanimou, demonstrando cuidado e carinho por ele. Nisso, vejo a importância de termos boas pessoas ao nosso redor. Costumo dizer que, se você quer ir rápido, vá sozinho, mas, se quer chegar longe, vá acompanhado.

Deus coloca pessoas ao seu redor para o impulsionar a caminhar. Elas são uma forma de o Pai cuidar da sua vida, como Onesíforo foi para Paulo. Mas e quanto a você? Anda se relacionando com pessoas que caminham na direção certa? Lembre-se: as más companhias podem prejudicar toda a sua trajetória. Cuidado!

Quão bom amigo você tem sido? Alguém que oferece apoio, consolo e que dedica tempo e atenção ao seu próximo? Pequenas atitudes podem significar muito. Hoje comemoramos o Dia Internacional da Amizade, e impulsionado por isso, faça a diferença na vida das pessoas e de igual modo escolha caminhar com quem faz a diferença na sua vida.

SEJA A REFERÊNCIA

Ora, Eliseu estava sofrendo da doença da qual morreria. Então Jeoás, rei de Israel, foi visitá-lo [...].

2REIS 13.14

21 JUL

#CAFECOMDEUSPAI

Durante a sua vida, assim como muitos outros monarcas, o rei Jeoás deixou um legado de destruição que fez com que Israel sofresse nas mãos de seus inimigos e afastou o povo de Deus ao adotar e permitir práticas pagãs que o desagradam.

Eliseu nunca omitiu ou se acovardou diante das atitudes de Jeoás que constantemente ofendiam Deus; pelo contrário, sempre confrontou e reprovou-as, pois o profeta apenas transmitia o que lhe era revelado pelo Pai.

Com isso, aprendo que os princípios da Palavra de Deus são inegociáveis, apesar de toda pressão contrária que o mundo pode impor. Eliseu, sempre imparcial e combativo, era conhecido por ser um homem íntegro e temente a Deus, o que fazia com que muitas pessoas o procurassem para pedir conselhos e obter amparo.

Na maioria das vezes, o caminho correto parece mais difícil, mas conduz a bênçãos inimagináveis. Jesus, em Mateus 7.14, diz: "Como é estreita a porta, e apertado o caminho que leva à vida! São poucos os que a encontram". Há uma grande recompensa quando guardamos nossa fé e não cedemos a pressões que atentam contra ela.

Deus chamou você para ser um referencial onde o colocou, saiba disso: um bom conselheiro, uma pessoa íntegra que vive de modo fiel à sua fé. Dessa forma, muitos olharão para você e desejarão servir ao Deus que você serve. Sua vida e atitudes podem inspirar e levar muitos a Cristo!

Você está sendo um referencial do amor de Deus onde ele o colocou? Tenha consciência disso e permita que seu testemunho e suas ações impactem pelo amor que você expressa.

A obediência a Deus Pai e a ação em fazermos a sua vontade, resultam em grandes testemunhos.

@juniorrostirola

DEVOCIONAL
203/366

LEITURA BÍBLICA
ATOS 27

PALAVRA-CHAVE
#REFERENCIAL

ANOTAÇÕES

COMECE

Quem fica observando o vento não plantará, e quem fica olhando para as nuvens não colherá.

ECLESIASTES 11.4

22
JUL

#CAFECOMDEUSPAI

Quantas vezes você não começou o que Deus falou por observar os ventos contrários?

@juniorrostirola

DEVOCIONAL 366
204/366

LEITURA BÍBLICA
SALMOS 88

PALAVRA-CHAVE
#INICIAR

ANOTAÇÕES

Você já se viu diante de uma situação em que esteve em dúvida a respeito de que decisão tomar? É bem provável que sim, não é verdade?

O texto que lemos fala a respeito dos momentos da vida em que nos paralisamos pelas circunstâncias. A dúvida toma nosso coração em relação ao que fazer, e muitas vezes não nos movemos, sob o pretexto de estarmos aguardando o momento certo.

Quando você toma a decisão de fazer algo novo em sua vida, normalmente sua mente cria motivos para você procrastinar e não fazer agora. Por exemplo, quando você decide iniciar uma dieta, é fato que imediatamente sua mente lutará contra. Talvez irá trazer à memória um jantar que você tem marcado ou qualquer outro motivo para atrasar ainda mais o início desse seu novo projeto. Faz sentido para você?

Em Romanos 12.2, a Bíblia diz: "Não se amoldem ao padrão deste mundo, mas transformem-se pela renovação da sua mente [...]". Paulo faz esta advertência porque temos a tendência de repetir os comportamentos do passado; portanto, é preciso ter disciplina para encarar as mudanças necessárias. Posicione-se, não olhe para as circunstâncias, e sim para aquele que está com você a todo momento.

Quais promessas você fez ao longo do ano e ainda nem sequer tirou do papel? Apenas aguardar enquanto olha para os ventos não o fará sair do lugar. Deus Pai quer conduzi-lo a grandes vitórias, mas você precisa dar o primeiro passo. A partir de hoje, tome a decisão de seguir com aquilo que Deus colocou em seu coração. O ano ainda não acabou, e o Pai ainda vai surpreender você.

MERGULHE

Mediu mais quinhentos, mas agora era um rio que eu não conseguia atravessar, porque a água havia aumentado e era tão profunda que só se podia atravessar a nado; [...].

EZEQUIEL 47.5

23
JUL

#CAFECOMDEUSPAI

Deus permite que nossas dificuldades se transformem em impossibilidades para que elas sejam chamadas de milagres!

@juniorrostirola

Pensar na possibilidade de mergulhar em águas profundas é algo agradável a você ou que o deixa desconfortável? Eu tenho um amigo que não sabe nadar, e o que percebi nas vezes em que o vi numa piscina ou praia é quanto ele procura estar num nível de segurança para que nenhum acidente aconteça.

Não há nada de errado em procurar estar seguro na atividade de natação, mas, vendo essa experiência de forma prática e refletindo sobre a passagem que lemos hoje, percebo o quanto isso pode nos ensinar, pois mostra que Deus deseja que seus filhos vivam na profundidade, intimamente conectados com ele.

Estar no profundo é como entregar o controle e confiar única e exclusivamente em Deus Pai. No texto que lemos, um anjo conduz o profeta gradativamente a diversos níveis, do raso ao profundo.

Na vida, eu aprendi que é necessário estar em constante movimento. A zona de conforto enferruja os sonhos e inviabiliza propósitos. O desejo ardente por ter mais de Deus precisa ser o referencial em nossa vida; portanto não se acomode.

Talvez até hoje você tenha se mantido no raso, mas Deus o chama para ir além. Ore ainda mais, alimente-se da Palavra diariamente e se prepare, porque você será conduzido a águas mais profundas.

Avalie-se: você está exatamente onde Deus gostaria? Se você não está no nível mais profundo apenas por puro comodismo, que a partir de hoje você se permita ser conduzido a águas profundas, onde seus pés não tocam o chão, mas sua confiança e fé o levam em direção à dependência do Pai.

366 **DEVOCIONAL**

205/366

LEITURA BÍBLICA

SALMOS 89

PALAVRA-CHAVE

#PROFUNDIDADE

ANOTAÇÕES

MAIS PERTO

Faze-me ouvir do teu amor leal pela manhã, pois em ti confio. Mostra-me o caminho que devo seguir, pois a ti elevo a minha alma.

SALMOS 143.8

24 JUL

#CAFECOMDEUSPAI

Quanto mais intimidade temos com Deus, mais provamos da sua vontade.

@juniorrostirola

DEVOCIONAL 366

206/366

LEITURA BÍBLICA

SALMOS 90

PALAVRA-CHAVE

#INTIMIDADE

ANOTAÇÕES

Desde o nascimento, nossos pais nos inserem em rotinas e hábitos que vão moldando nossa personalidade, crescimento e desenvolvimento. Todos nós temos os mais variados hábitos. Alguns gostam de levantar cedo, enquanto outros preferem dormir até mais tarde. Nossa rotina varia de pessoa para pessoa em itens como escovar os dentes, tomar o café da manhã, ir trabalhar, malhar, correr etc.

Todos nós temos características que nos tornam únicos. Tenho aprendido que nos tornamos semelhantes àquilo em que gastamos o nosso valioso tempo. Imagine se em nossa rotina fosse acrescentado um belo período diário na presença do Pai e em comunhão com a sua Palavra. Como estaria a sua vida? A única maneira de conhecer alguém é gastando um tempo de qualidade, não é mesmo? Com Deus não é diferente. Ao passarmos tempo com ele, nós o conheceremos a fundo e, consequentemente, nos tornaremos parecidos com ele.

Mediante a proximidade com Deus, temos nossa realidade transformada. Mas precisamos entender o fato de que somos totalmente responsáveis pela manutenção desse relacionamento.

Eu, como pai de dois filhos biológicos, constantemente desejo conversar com eles e ouvi-los, simplesmente porque os amo profundamente. Entenda que com Deus Pai é exatamente assim! Ele já fez tudo por nós e está próximo. Agora cabe a você ser intencional e ir em direção a ele.

Eu lhe pergunto: como está seu relacionamento com Deus?

Decida hoje se aproximar mais, pois ele deseja ouvi-lo, bem como estar próximo e cuidar de você.

TESTE DO TEMPO

Quando Jesus saiu do barco e viu tão grande multidão, teve compaixão deles e curou os seus doentes.

MATEUS 14.14

25
JUL
#CAFECOMDEUSPAI

Ao lermos essa passagem, ficamos maravilhados com a atitude de Jesus, pois, mesmo se tratando de uma multidão, ele conhecia o coração de cada um ali. É sensacional imaginar isto: Jesus conhece o mais íntimo do nosso coração; ele sabia de cada uma das necessidades existentes.

Muitas vezes, estamos bem próximo de receber algo de Deus e, sem saber disso, desistimos de esperar. Imagine quantas pessoas foram embora naquele dia por não perseverar. Isso me leva a refletir que muitas vezes não recebemos algo simplesmente por não termos a paciência de aguardar o teste do tempo.

Jesus é amoroso. Ele está em nosso meio, cheio de compaixão e misericórdia para conosco, sempre de braços abertos para nos abençoar, mas muitas vezes são as nossas atitudes que nos distanciam das conquistas já liberadas sobre nós.

Saiba que cada uma das angústias, medos e dores, que podem estar presentes em seu coração são conhecidas por Jesus, mas a boa notícia é que ele pode remover cada uma delas.

Qual a sua expectativa com a presença de Jesus em sua vida? A medida de sua expectativa está proporcionalmente relacionada ao extraordinário que você poderá viver. Então, não desista, continue, persevere e avance. Se necessário for, coloque para fora as suas fraquezas, dores, pecados e medos, pois tudo isso pode fazer você olhar para trás e impedi-lo de prosseguir para o futuro que Deus Pai preparou. Acredite: ele tem coisas lindas para realizar em você e por seu intermédio. Viva a realidade do céu na terra!

Quando você crê que Deus faz no tempo certo você vive o sobrenatural.

@juniorrostirola

366 **DEVOCIONAL**
207/366

LEITURA BÍBLICA
ATOS 28

PALAVRA-CHAVE
#TEMPO

ANOTAÇÕES

NÃO LIMITE OS PROPÓSITOS DE DEUS

26
JUL

#CAFECOMDEUSPAI

"Farei de você um grande povo, e o abençoarei. Tornarei famoso o seu nome, e você será uma bênção."

GÊNESIS 12.2

Se você for obediente, trilhará o caminho da promessa.

@juniorrostirola

DEVOCIONAL 366
208/366

LEITURA BÍBLICA
GÁLATAS 1

PALAVRA-CHAVE
#GERAÇÕES

ANOTAÇÕES

Existe algo muito importante nessa fala de Deus para Abraão, pois o Pai diz que faria grandes coisas por meio dele, que o abençoaria, e concluiu, dizendo: "Você será uma bênção". Isso mostra que Abraão foi abençoado para abençoar, não reter para si. Ele recebeu parte da promessa enquanto estava vivo, ao ter um filho. No entanto, isso não é nem 1% de tudo que Deus fez por meio dele. Abraão não viu com os seus olhos a grande nação que ele gerou, nem seu nome engrandecido, mas viu apenas o início da promessa.

O que quero dizer com isso é que talvez você não consiga imaginar a magnitude das bênçãos que Deus quer derramar por intermédio da sua vida. Algo tão grande que irá além da sua geração e se multiplicará grandemente para as futuras gerações. Isso é legado!

Talvez você já tenha visto em algum filme um *iceberg*. Eles são imensos, porém aproximadamente 90% de toda a sua estrutura fica submersa. Muitas vezes, o que vemos é apenas uma pequena parte, mas os planos de Deus podem ir muito além, refletindo consecutivamente pelas gerações. Apenas faça como Abraão: creia e mova-se em obediência. Esse é o ponto de partida — obedecer e se relacionar com Deus. Não anule os projetos que o Pai tem para iniciar com a sua vida.

Você tem noção de aonde a obediência pode levar você e as suas próximas gerações? Assim como Abraão creu e gerou sementes que frutificam até hoje, escolha ouvir a voz de Deus Pai e ir em direção à sua vontade, hoje você está colhendo os frutos semeados por seus avós que pavimentaram o seu caminho. Lembre-se: suas escolhas poderão tirar você e suas próximas gerações da promessa ou manter vocês nela.

ANDE NA LUZ

A luz brilha nas trevas, e as trevas não a derrotaram.

JOÃO 1.5

27
JUL

#CAFECOMDEUSPAI

Quando você entra em casa à noite, a primeira coisa que faz é acender a luz. É um gesto tão automático que, provavelmente, você nem percebe mais que o faz. Mas por trás dessa simples ação há uma escolha consciente de não querer caminhar no escuro.

Ao caminharmos no escuro, corremos alguns riscos. Podemos tropeçar e acabar nos machucando, até trilhar o caminho errado pela falta de clareza na visão. Muitas vezes, o escuro nos causa medo e insegurança, ou seja, sem luz em nossa trajetória, nos deparamos com diversas dificuldades.

Quando caminhamos com o Pai, todo o percurso da nossa vida passa a ser iluminado, nossa visão é clareada e nos afastamos dos perigos de viver em meio à escuridão.

Em Jesus, recebemos um novo propósito, passamos a ter a convicção de que caminhamos rumo ao extraordinário e nossas esperanças são diariamente renovadas. Andar com Cristo é viver em novidade de vida, em plena confiança de que você está cumprindo o plano que ele tem para a sua vida.

Você já teve a experiência de dirigir numa rua totalmente escura, onde a única luz presente eram os faróis do seu veículo? Certamente foi uma experiência que requereu muita atenção, e o cuidado teve de ser redobrado. Assim somos nós quando caminhamos com Cristo: a escuridão pode até vir ao nosso encontro, mas ela não prevalece por causa da luz de Cristo em nós.

Portanto, seja fiel durante a caminhada, guarde a Palavra e Deus no coração e obedeça a cada nova direção que o Espírito Santo lhe der. Assim, você será conduzido a uma jornada abençoada na presença dele.

Se os seus olhos não estiverem vendo o que Deus está vendo, sua visão nunca será a visão dele.

@juniorrostirola

DEVOCIONAL
209/366

LEITURA BÍBLICA
GÁLATAS 2

PALAVRA-CHAVE
#LUZ

ANOTAÇÕES

ELE ME FAZ ANDAR

28
JUL
#CAFECOMDEUSPAI

Alguns homens trouxeram-lhe um paralítico, deitado em sua maca. Vendo a fé que eles tinham, Jesus disse ao paralítico: "Tenha bom ânimo, filho; [...]".

MATEUS 9.2

Hoje não é tarde para Deus agir em sua vida.

@juniorrostirola

DEVOCIONAL 366
210/366

LEITURA BÍBLICA
GÁLATAS 3

PALAVRA-CHAVE
#VENHA

ANOTAÇÕES

Na passagem lida, existem dois pontos muito interessantes que chamam muito a atenção. Primeiro, o fato de Jesus ter observado a fé das pessoas que carregavam o paralítico; segundo, o fato de Jesus ter falado somente ao enfermo para ter bom ânimo. Isso leva a crer que, além de ter sido conduzido pelos braços e pernas de seus amigos, aquele homem também foi conduzido pela fé deles, pois ele vivia em um estado de angústia tão grande que, além de estar paralisado fisicamente, ele também estava espiritual, emocional e financeiramente travado.

Muitas pessoas reagem com paralisia, prendendo-se ao problema e não mais avançando, como uma locomotiva diante de um bloqueio em seus trilhos.

É necessário que você abra os olhos para compreender quais áreas da sua vida estão paralisadas e que o têm impedido de avançar. Existem pessoas que estão bem fisicamente, mas espiritualmente definhando e sem forças; outras estão com suas emoções em frangalhos, sem falar daquelas cuja vida financeira não decola.

É possível que, assim como o paralítico, hoje você esteja sem ânimo e forças para reagir a tudo que vem contra a sua vida. Entenda neste dia que o paralítico não precisou mudar para ir até Jesus, e com você não é diferente. O fato é que, quando você o encontra, tudo muda.

Jesus não é uma opção; ele é a solução. Venha até ele, mesmo cansado ou abatido, atravesse todos os ventos contrários e não deixe de acreditar. Jesus está disposto a tirar você de toda paralisia e fazê-lo andar.

SEJA ALÍVIO

O generoso prosperará; quem dá alívio aos outros, alívio receberá.

PROVÉRBIOS 11.25

29
JUL

#CAFECOMDEUSPAI

Não somos justificados por nossas obras, mas elas mostram nossa identidade. As obras não justificam, mas são uma evidência da nossa justificação. Eu não alcanço o favor de Deus com obras, mas Deus, que alcançou o nosso coração, nos faz frutíferos.

Quem crê nele é solícito na prática de atos de generosidade, pois essas práticas honram a Deus e abençoam as pessoas. Esse estilo de vida exige uma rédea curta em nossa língua, o instrumento mais frequentemente utilizado para gerar discórdia e conflito. Tudo que sair da sua boca deve passar pelo teste das três peneiras: É verdade? É necessário? Edifica? Aí, então, prossiga. Não seja arrastado por discussões inúteis, mas guiado pela verdade da Palavra.

A principal fonte de motivação para refrearmos nossa língua são o amor e a gratidão pela vida eterna que recebemos de Cristo e por permanecermos nele.

Nós simplesmente iluminamos o caminho das pessoas como o sol. E o sol não depende da paisagem nem das pessoas que recebem sua luz e calor. O sol não escolhe quem ele vai iluminar ou aquecer. Ele simplesmente aquece a todos, porque sua natureza é brilhar, e nós temos essa natureza iluminada que se manifesta pela compaixão por todos, sem julgar ou escolher quem merece ou não.

Como herdeiros da promessa de vida eterna, nossa breve passagem aqui na terra deve ser preenchida com boas obras, que são o resultado natural de uma vida plena.

Resplandeça a sua luz diante de todos, para que venham a conhecer e glorificar a fonte dessa luz maravilhosa — o Pai!

Quando todos forem egoísmo, seja amor.

@juniorrostirola

366 **DEVOCIONAL**
211/366

LEITURA BÍBLICA
SALMOS 91

PALAVRA-CHAVE
#ABENÇOE

ANOTAÇÕES

NÃO TEMA; CREIA SOMENTE!

30
JUL
#CAFECOMDEUSPAI

pois os nossos sofrimentos leves e momentâneos estão produzindo para nós uma glória eterna que pesa mais do que todos eles.

2CORÍNTIOS 4.17

Quando você está alinhado com os céus, Deus libera anjos para guerrear as suas guerras.

@juniorrostirola

DEVOCIONAL 366
212/366

LEITURA BÍBLICA
SALMOS 92

PALAVRA-CHAVE
#SUPERAÇÃO

ANOTAÇÕES

Podemos tirar lições muito valiosas para nossa vida dessa passagem. Nela observamos que Paulo identifica o fato de as dificuldades e tribulações produzirem frutos preciosos em cada um de nós, de modo que impulsionam a vida para coisas ainda maiores.

Ao enfrentarmos circunstâncias contrárias, Deus gera em nós um caráter ainda mais refinado, pois cada dificuldade que enfrentamos é uma oportunidade de nos tornarmos cada vez mais semelhantes a Jesus. Não é segredo para ninguém que todos temos problemas. Independentemente de quem somos, não estamos imunes às dificuldades. Nem todos os problemas são grandes, mas o fato é que todos podem nos ensinar algo.

Isso nada mais é do que um convite para olharmos para o alto. Nada neste mundo pode ser comparado à grandeza e ao amor de Deus por nós. Seu cuidado excede qualquer dor ou dificuldade que estejamos enfrentando, e suas promessas sempre se cumprirão.

Nenhuma dor, trauma ou medo podem tomar o lugar de Deus em seu coração, e a presença dele lança fora todos esses maus sentimentos. Não sei o que você tem passado, mas eu pude superar minhas dores quando resolvi me aproximar de Deus Pai e permiti que o Espírito Santo fizesse morada em meu coração.

Talvez algo esteja angustiando-o, mas saiba que você nunca esteve e nunca estará só. Abra o seu coração hoje mesmo e deixe Deus entrar nele. Ele é capaz de curar todas as suas dores, tanto físicas quanto emocionais. Entenda: ele quer fazer uma grande obra em você e por seu intermédio. Não tema, porque ele nunca perdeu o controle e não será desta vez que perderá. Confie!

TIRE OS PESOS DA MOCHILA

[Jesus disse:] *"Venham a mim, todos os que estão cansados e sobrecarregados, e eu darei descanso a vocês."*

MATEUS 11.28

31
JUL

#CAFECOMDEUSPAI

Cada dia que passa, temos a impressão de que o mundo gira em uma velocidade muito maior do que conseguimos acompanhar, e tanto os dias como os prazos e metas ficam cada vez mais curtos, fazendo com que tenhamos a sensação de que vamos em algum momento perder o fôlego. Talvez você precise descansar!

Quando foi a última vez em que você tirou férias? Você tem tirado um tempo de qualidade com sua família? Jesus nos convida a ir a ele quando estivermos cansados e sobrecarregados. Cansados dos problemas, das lutas, e sobrecarregados com os desafios e circunstâncias difíceis pelas quais passamos. Somente em Jesus teremos descanso, alívio e paz.

Muitos de nós vivem atrelados a uma cultura que diz que precisamos trabalhar duramente, sem descanso ou momentos de lazer, pois só assim seremos bem-sucedidos e alcançaremos os resultados esperados. Muitas vezes, é isso o que o mundo nos diz, mas não é a verdade. A vida não pode ser encarada no modo automático; não somos máquinas com metas a serem diariamente superadas. Ao contrário, a vida deve ser vivida com tranquilidade e paz, só encontradas em Jesus. O trabalho é importante e essencial, contudo é necessário moderação em todas as áreas da vida.

Você está sobrecarregado? Talvez o cansaço tenha tomado conta de sua vida. Lance tudo aos pés de Jesus e permita que, a partir de agora, ele conduza você. Redefina suas prioridades, dê atenção àquilo que Deus lhe deu e não permita que o cansaço faça você negligenciar coisas importantes, como sua família e seu relacionamento com Deus Pai.

Não saber quem você é fará da sua vida um fardo, mas saber sua identidade levará você a viver a leveza dos céus.

@juniorrostirola

366 **DEVOCIONAL**
213/366

LEITURA BÍBLICA
SALMOS 93

PALAVRA-CHAVE
#DESCANSO

ANOTAÇÕES

QUANDO **CONFIAMOS** EM DEUS, DESCOBRIMOS QUE **ELE FAZ** GRANDES COISAS COM O POUCO QUE TEMOS.

@juniorrostirola

AGOSTO

Assista o vídeo com a palavra
e oração para este mês.

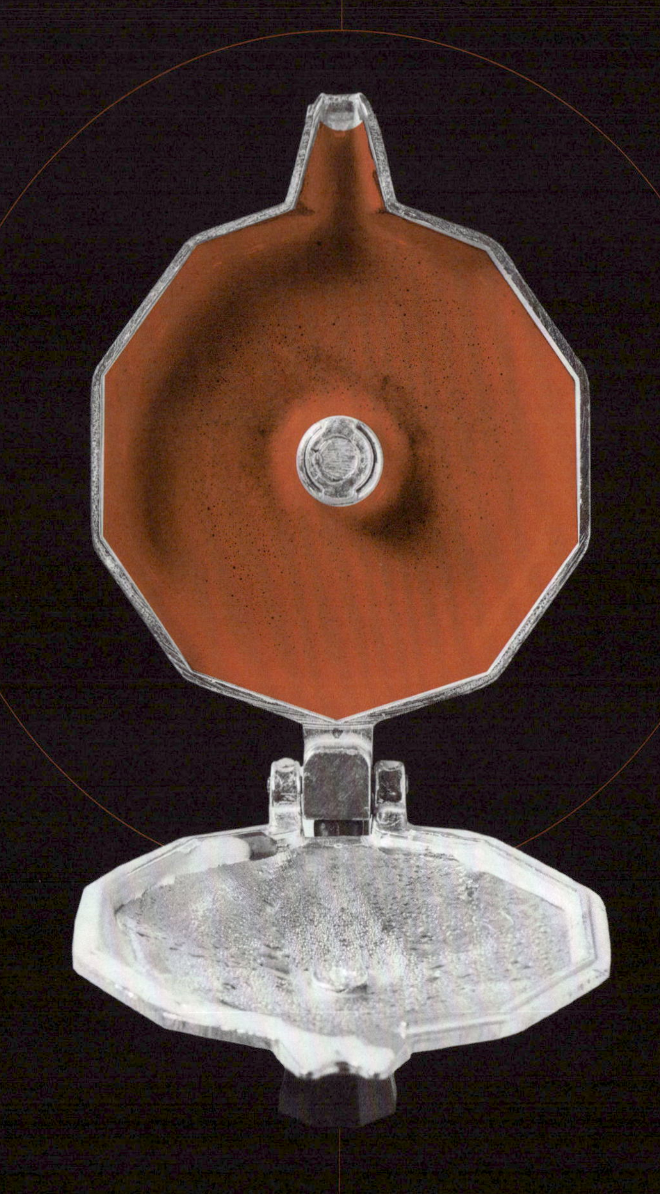

café
com
Deus
pai

PERMANEÇA INABALÁVEL

Por isso não tema, pois estou com você; não tenha medo, pois sou o seu Deus. Eu o fortalecerei e o ajudarei; eu o segurarei com a minha mão direita vitoriosa.

ISAÍAS 41.10

01 AGO

#CAFECOMDEUSPAI

O versículo que lemos traz verdades incríveis a respeito do cuidado de Deus com a nossa vida. Entendo que ele está conosco independentemente da estação que estejamos vivendo, boa ou ruim. Sua mão nos segura e conduz a um lugar de descanso.

Sabemos que não estamos isentos de problemas e tempestades em nossa vida. Tudo isso faz parte dos processos pelos quais precisamos passar. Hoje mesmo você pode estar enfrentando uma situação difícil, mas entenda que a forma como você lida com ela fará toda a diferença.

Perceba que Deus não olha para os seus erros, para o seu passado ou para as decisões contrárias à vontade dele que você possa ter tomado, mas sim para o que você fará daqui para frente. No texto que lemos, por meio de Isaías, Deus estava advertindo seu povo por causa dos seus erros e pelo fato de o terem abandonado, mas reafirma sua promessa, dizendo que jamais os abandonará, bastando que se arrependam e voltem para ele.

Eu o desafio a olhar para sua história e saber que ela pode ser completamente ressignificada, assim como a minha foi. Sempre há um novo horizonte em Deus, uma nova chance. Para isso, basta tomar a decisão de fazer de forma diferente.

Saiba que a insegurança e o medo são sinais de que você ainda precisa entregar o controle nas mãos de Deus Pai. Confie plenamente nas promessas. Quando sentir-se desanimado e deprimido, lembre-se de que Deus está com você. Por isso, confie, não tenha medo, pois ele é um Deus presente que o fortalece, o ajuda e o sustenta.

Não tema. Deus nunca perdeu o controle.

@juniorrostirola

DEVOCIONAL
214/366

LEITURA BÍBLICA
GÁLATAS 4

PALAVRA-CHAVE
#INABALÁVEL

ANOTAÇÕES

O VALOR DA PACIÊNCIA

02
AGO
#CAFECOMDEUSPAI

O homem paciente dá prova de grande entendimento, mas o precipitado revela insensatez.

PROVÉRBIOS 14.29

A paciência é uma virtude que sufoca a ira.

@juniorrostirola

DEVOCIONAL 366
215/366

LEITURA BÍBLICA
GÁLATAS 5

PALAVRA-CHAVE
#PACIÊNCIA

ANOTAÇÕES

Você certamente já viu alguém se descontrolar por qualquer coisa. Pode ser que você já tenha passado por isso e, depois de ter fervido em ira, quando já estava calmo, percebeu que foi algo totalmente desnecessário. É desagradável e desconfortável para os outros permanecerem ao nosso lado, se facilmente nos iramos, não é mesmo? Precisamos aprender como agir na vida em vez de simplesmente reagir a ela.

A Bíblia diz que exercer domínio sobre a ira é uma característica muito importante que devemos ter. Quando agimos assim, evitamos discussões e diversos problemas. Talvez você seja chamado de "pavio curto", mas o fato é que sempre é possível melhorar e aprender a controlar-se para não irar com facilidade e acabar magoando quem nós amamos.

Eu mesmo sempre digo que, como sou descendente de italiano e sanguíneo, preciso ser longânimo e me policiar. Isso passa a ser um exercício diário, pois reconheço as minhas fraquezas e limitações e me esforço para suprimi-las. Nesse meu processo, o Espírito Santo tem sido fundamental para que eu melhore, pois somente com a ajuda dele posso evoluir a cada dia.

Você tem lutado contra a ira? Está disposto a mudar? Permita-se ser tratado por Deus dia após dia. À medida que você permite que o Espírito Santo trabalhe em você, a mudança começa a aparecer! Pois todos nós estamos em processo de melhoramento. Hoje eu e você somos melhores que ontem, e amanhã seremos melhores que hoje!

A GRATIDÃO ABRE PORTAS

[...] *enraizados e edificados nele, firmados na fé, como foram ensinados, transbordando de gratidão.*

COLOSSENSES 2.7

03
AGO

#CAFECOMDEUSPAI

Temos vivido dias em que muitos estão perdendo a noção do que é realmente ser grato. Não é somente dizer um muito obrigado diante de um favor ou gentileza oferecida. Isso não deve deixar de ser feito, mas não é o suficiente.

Não podemos deixar a gratidão perder a sua eficácia, tornando-se somente uma palavra bonita em nosso vocabulário ou estampada em camisetas. Precisamos ter a vida transformada de modo que possamos olhar o passado com gratidão, entendendo que a cada novo obstáculo nos tornamos mais fortes, mais sábios e que novas pessoas entraram em nossa vida para lutar ao nosso lado.

É bem verdade que Deus aproxima pessoas à medida que estas caminham no centro da sua vontade, para juntas viverem um propósito maior do que sozinhas poderiam viver, por isso é importante valorizar e destacar quanto cada pessoa que faz parte da nossa vida contribui para que vivamos de forma plena.

Você se lembra das pessoas que lhe estenderam as mãos? E com isso sua jornada teve um novo sentido. Eu me lembro claramente de quanto um convite mudou minha realidade.

Talvez tudo que você esteja precisando é olhar para o lado, seja para estender as mãos em auxílio a alguém, seja para que alguém o veja e estenda a mão sem sua direção.

Saiba que neste exato momento Deus Pai o vê. Você não está desamparado sem ninguém. Deus está com você e sempre enviará alguém para ajudá-lo. Seja grato a Deus pelo amor e cuidado, pois até aqui ele o sustentou com vida.

A gratidão abre portas para novas conquistas.

@juniorrostirola

366 **DEVOCIONAL**
216/366

LEITURA BÍBLICA
GÁLATAS 6

PALAVRA-CHAVE
#AGRADECER

ANOTAÇÕES

VEJA COM SEUS PRÓPRIOS OLHOS

04
AGO
#CAFECOMDEUSPAI

Meus ouvidos já tinham ouvido a teu respeito, mas agora os meus olhos te viram.

JÓ 42.5

A busca constante da presença do Pai, nos afasta das tentações constantes do inimigo.

@juniorrostirola

DEVOCIONAL 366
217/366

LEITURA BÍBLICA
PROVÉRBIOS 1

PALAVRA-CHAVE
#APROXIMAÇÃO

ANOTAÇÕES

Quando ouvimos falar de alguém muito paciente, certamente é dito que essa pessoa tem a paciência de Jó. Mas você sabia que a paciência não é a maior virtude de Jó? Na verdade, sua fé foi muito maior, porque, mesmo perdendo toda a sua riqueza, enfrentando perdas e enfermidades, ele se manteve firme em sua fé, e isso lhe proporcionou uma experiência real com Deus, em que passou a ter grande intimidade com o Pai.

A fala de Jó nessa passagem nos mostra que há uma grande diferença entre manter uma vida superficial com Deus e realmente ter intimidade com ele. É preciso abrir o coração, estar determinado e ser constante na vida devocional, para acessar tudo o que o Pai tem para nossa vida.

A partir de hoje, entenda que Deus não é um pai distante, mas somos nós que perdemos a conexão com ele ao nos afastarmos, porque é muito mais fácil viver sem disciplina e nos envolvermos com as coisas deste mundo do que com as coisas de Deus. Lembre-se: buscar as coisas do alto requer posicionamento e decisão, mas com toda a certeza valerá muito mais a pena.

Você tem conhecido a Deus Pai apenas de ouvir falar ou com seus próprios olhos e por experiência? Ele tem muito para nós, assim como tinha para Jó, mas o movimento de aproximar-se sempre terá que ser nosso, pois ele jamais se afastou. O quarto secreto de oração precisa ser frequentado por você para realmente conhecê-lo. Você pode até ter vontade de viver em intimidade com o Pai, mas, se não houver um posicionamento firme e determinado de sua parte, isso não acontecerá. Por isso, decida de uma vez por todas romper com a falta de conexão e venha conhecê-lo verdadeiramente.

DESPRENDA-SE

Convidado por um dos fariseus para jantar, Jesus foi à casa dele e reclinou-se à mesa.

LUCAS 7.36

05
AGO
#CAFECOMDEUSPAI

Esse evento ocorreu na Galileia, onde Jesus foi até a casa de um fariseu. Os fariseus eram legalistas, por isso não viam Jesus com bons olhos. Entretanto, ainda existiam alguns, seja por simpatizarem com Jesus, seja por mera curiosidade, que se aproximavam dele e até mesmo buscavam estar na sua presença.

Ao saber que Jesus estava na casa de um deles, uma mulher tida como pecadora foi até o local, lavou os pés de Jesus com suas lágrimas e enxugou-os com os cabelos.

Inicialmente, o ato daquela mulher escandalizou o anfitrião. Este, porém, foi confrontado por Jesus, que comparou a forma fria com que foi recebido em sua casa com o amor vibrante e a humildade demonstrados por aquela mulher, carente do perdão divino, ao lançar-se aos pés de Jesus, entregando-lhe o melhor que poderia oferecer com esse gesto que demonstrava o seu amor e devoção, expressos com emoção pura lágrimas.

Muitas vezes, o que nos impede de ir além é estarmos presos a muitas coisas. O que Pai espera de nós é que nos desprendamos de tudo e permaneçamos na sua presença. Deus deseja fazer muitas coisas em nossa vida, mas antes ele precisa das nossas atitudes, do nosso querer e do nosso sim.

Hoje é o dia ideal para você dizer sim para Jesus e se desprender de tantas coisas que o deixam estagnado. Coisas que aos seus olhos físicos são boas ou ruins. Tudo que ele espera de nós é que venhamos a buscar o seu Reino e a sua justiça, pois o restante Deus proverá. Então, desprenda-se de tudo!

Em Deus temos o amor, o perdão e o descanso para uma nova vida.

@juniorrostirola

DEVOCIONAL
218/366

LEITURA BÍBLICA
SALMOS 94

PALAVRA-CHAVE
#CONTROLE

ANOTAÇÕES

A HOMBRIDADE DE PERDOAR

Pois o que faço não é o bem que desejo, mas o mal que não quero fazer, esse eu continuo fazendo.

ROMANOS 7.19

06 AGO

#CAFECOMDEUSPAI

O perdão é a expressão máxima de quem decide avançar.

@juniorrostirola

DEVOCIONAL 366

219/366

LEITURA BÍBLICA

SALMOS 95

PALAVRA-CHAVE

#PERDÃO

ANOTAÇÕES

Estamos bem perto de comemorar o Dia dos Pais. Um dia importante para refletirmos sobre a nossa história. Enquanto eu meditava sobre esse dia no meu quarto, comecei a trazer à memória as lembranças que eu tinha da casa do meu pai, mas não são as melhores. Tentei me lembrar de algum momento em que o meu pai chegou até mim, me abraçou, me beijou e declarou o seu amor por mim, mas eu não encontrei essa lembrança.

Aliás, as lembranças que eu tenho da casa do meu pai são as piores. Era um ambiente de briga, escassez e uma atmosfera ruim. Eu comecei então a me ver como um pai, porque tudo que eu sempre quis foi ser um bom pai. Por mais que eu não seja igual ao meu pai como homem, em alguns momentos eu também errei.

Tenho tentado ser assertivo, mas muitas vezes somos inclinados a fazer aquilo que não desejamos. Lembro-me de que certa vez eu chamei a atenção do meu filho João Pedro e pouco depois descobri ter cometido uma injustiça com ele. Com isso, não tive vergonha de pedir perdão a ele.

Naquele momento, junto ao meu filho eu estava pavimentando um novo caminho em sua vida, pois, não é pelo fato de eu ser seu pai que eu não erro; além do mais, eu estava lhe ensinando que é preciso hombridade para reconhecer o erro.

Só conseguimos ser completos com a paternidade de Deus em nossa vida . Ele, sim, não vai errar em nenhum momento. Mas as pessoas que estão à nossa volta irão errar. Então, lembre-se: o perdão é a chave para uma vida abundante e abre portas para bons sentimentos.

RECONSTRUA O QUE ESTÁ EM RUÍNAS

Nesse meio-tempo fomos reconstruindo o muro, até que em toda a sua extensão chegamos à metade da sua altura, pois o povo estava totalmente dedicado ao trabalho.

NEEMIAS 4.6

07
AGO
#CAFECOMDEUSPAI

Ao longo de nossa jornada aqui na terra, passamos por diversas estações. Nós nos relacionamos, sonhamos, iniciamos e finalizamos projetos, acabamos construindo muitas coisas, enfim. Passamos por diversas experiências positivas, mas também por algumas ruins, não é verdade? No decorrer desse processo, por vezes acabamos machucados, com o coração ferido, e com necessidade de reconstrução em diversas áreas de nossa vida, seja na família, seja em nossos sentimentos e sonhos, seja em projetos que não foram adiante.

No texto que lemos, Neemias estava obedecendo a um chamado de Deus e, junto com o povo, se pôs a reconstruir as muralhas de Jerusalém, que haviam sido destruídas pelo inimigo anos atrás. Aprendo que essa reconstrução ia muito além de questões físicas e territoriais, mas do cuidado de Deus com a vida das pessoas e das famílias que retornariam para viver na cidade.

Quando Deus age, faz muito além de reconstruir muros; ele restaura famílias, relacionamentos e vidas, transformando-as por completo. Eu sou prova viva de que Deus Pai reconstrói pessoas quebradas e as impulsiona para um grande propósito.

Quais áreas da sua vida precisam ser reconstruídas? Não entregue os pontos, não desista nem desanime; o Pai lhe dará novo fôlego e disposição para reconstruir o que foi quebrado. Faça como Neemias, que ouviu o chamado de Deus e se posicionou na direção certa. Confie, porque essa nova construção será ainda mais firme, duradoura e abençoada que a última.

A chave para recomeçar é a sua submissão à vontade de Deus.

@juniorrostirola

366 DEVOCIONAL
220/366

LEITURA BÍBLICA
SALMOS 96

PALAVRA-CHAVE
#RESTAURAÇÃO

ANOTAÇÕES

SÓ ELE PREENCHE O VAZIO

Eu te louvo porque me fizeste de modo especial e admirável. Tuas obras são maravilhosas! Digo isso com convicção.

SALMOS 139.14

08
AGO
#CAFECOMDEUSPAI

Nada pode mudar seu passado, mas sua decisão hoje determinará seu futuro.

@juniorrostirola

DEVOCIONAL 366
221/366

LEITURA BÍBLICA
PROVÉRBIOS 2

PALAVRA-CHAVE
#DECIDIR

ANOTAÇÕES

Já houve vezes em sua caminhada em que você ficou buscando encontrar o verdadeiro sentido da vida? E você encontrou?

Não conheço sua história, tampouco os passos que você deu até esta leitura, mas preciso compartilhar algo com você: durante muito tempo, eu não conseguia ver sentido para a vida que levava, pois sentia um vazio existencial enorme, a ponto de nada fazer sentido para mim: eu não tinha amigos; a família estava em destroços; a escola, em vez de me trazer segurança, gerou ainda mais medo — tudo isso acabou resultando em um desejo de não mais existir; sim, esse vazio me levou a querer a morte.

Não é de hoje que o ser humano vive um vazio interior. Muitos passam a vida toda procurando um preenchimento para a lacuna que encontram dentro de si mesmos. Por vezes, buscam substitutos em pessoas e coisas e acabam se frustrando ainda mais. Por muito tempo, busquei respostas, até entender que só as encontramos em Deus. Precisamos entregar a Deus toda a nossa vida, permitindo que o Senhor preencha cada um dos espaços existentes em nossa alma, trazendo satisfação e abundância para os nossos dias.

Só assim a sua vida fará sentido, pois no Pai você tem a oportunidade de descobrir o propósito para o qual nasceu, encontrando o verdadeiro sentido de viver.

Deus o fez de forma especial e admirável. Ele sabe o que é melhor para você. Grandes são os planos dele, tenha plena certeza disso. Tudo o que ele deseja é que você se entregue por inteiro. Você está disposto a fazer isso?

UM PAI DE AMOR

Então reconheci diante de ti o meu pecado e não encobri as minhas culpas. Eu disse: "Confessarei as minhas transgressões" ao SENHOR, e tu perdoaste a culpa do meu pecado.

SALMOS 32.5

09
AGO
#CAFECOMDEUSPAI

Você sabia que algumas pessoas têm medo de Deus? Muitas vezes, somos ensinados acerca de um Deus distante e rígido, que está pronto para nos castigar assim que cometermos deslizes, mas hoje preciso dizer a você que essa não é a realidade. Essa visão distorcida acontece porque, ao entendermos que Deus é um Pai, ocorre a associação com nosso pai ou com aqueles que nos criaram; então, se estes foram de alguma forma severos, acabamos transferindo a Deus esse referencial.

A realidade, porém, é que Deus é perfeito e não erra. A Bíblia diz que ele é paciente e rico em misericórdia. Então, não importa o que você tenha feito, há perdão e um novo caminho a ser trilhado em Deus.

Deixe-me eu lhe contar algo. Quando adolescente, fui à praia com alguns colegas, mas sem a autorização da minha mãe. Como eu não poderia deixar que ela me visse com os cabelos molhados, precisei demorar mais tempo para voltar. Ao chegar em casa, ela me questionou e acabei mentindo. Disse-lhe que não estava na praia, no entanto a queimadura de sol me entregou. Quanta ingenuidade minha querer mentir, logo para a minha mãe, que me conhece tanto e ainda mais, todo vermelho de queimadura solar!

Entenda algo neste dia: não há como escondermos nada, absolutamente nada, de Deus. E, ao lançarmos para baixo do tapete nossos pecados e erros, apenas fazemos mal a nós mesmos.

O perdão de Deus vem com a nossa entrega sincera. Quando reconhecemos, nos arrependemos e pedimos a sua ajuda, ele prontamente nos acolhe. Como Pai amoroso, Deus sempre estará de braços abertos para você. Saiba que nada que você possa ter feito é capaz de fazê-lo amar menos você.

Pedir perdão é entregar nas mãos de Deus a oportunidade de uma nova chance.

@juniorrostirola

DEVOCIONAL
222/366

LEITURA BÍBLICA
PROVÉRBIOS 3

PALAVRA-CHAVE
#PERDOADO

ANOTAÇÕES

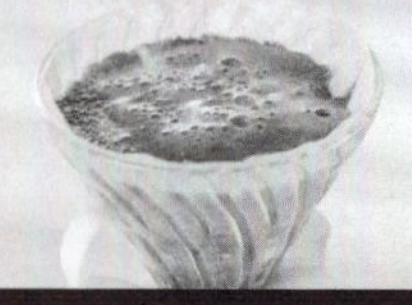

LEGADO E DESTINO

10
AGO
#CAFECOMDEUSPAI

"E você, meu filho Salomão, reconheça o Deus de seu pai, e sirva-o de todo o coração e espontaneamente, pois o SENHOR sonda todos os corações e conhece a motivação dos pensamentos. Se você o buscar, o encontrará, [...]."

1CRÔNICAS 28.9

A intimidade que só Deus vê, trará recompensas que só ele pode dar.

@juniorrostirola

DEVOCIONAL 366
223/366

LEITURA BÍBLICA
PROVÉRBIOS 4

PALAVRA-CHAVE
#LEGADO

ANOTAÇÕES

Quando a idade avançada chegou para Davi, ele compreendeu que seria hora de transmitir o seu legado, por isso reuniu todos os príncipes de Israel e todas as pessoas de autoridade do reino para anunciar sua intenção de deixar o trono para seu filho Salomão.

Davi entendia que o reinado de seu filho deveria ser muito maior e mais promissor que o dele; por isso, de antemão, entregou junto com a coroa o desafio de ele alçar voos mais altos do que ele mesmo já havia alcançado.

Todos nós carregamos conosco um legado, quer hereditário, quer não. Alguém confiou a nós a tarefa de dar continuidade a uma missão aqui na terra.

Quem tem filhos compreende bem essa sensação, pois deseja dar a eles um destino melhor do que recebeu, para que possam passar adiante um legado ainda maior. Eu sempre projeto para o João Pedro e a Isabella feitos muito maiores que os meus. Além deles, ao pastorear, procuro proporcionar o mesmo àqueles que são abençoados pela minha vida e, respeitando a vontade deles, invisto em seus sonhos, para lançá-los a voos muito mais altos.

Deixar um legado alinhado com a vontade do Senhor é como edificar uma alta torre, onde o teto de uma geração anterior é o estrado da posterior. Mas, para que essa torre possa ser alta, é preciso que seu fundamento seja firme e sólido na Palavra e em uma vida centrada na vontade de Deus.

Ainda que você não tenha recebido um bom legado, é possível deixar um. Um fundamento forte sustentará a próxima geração. Portanto, mãos à obra. É tempo de construir.

MARCAS DA SUPERAÇÃO

Sem mais, que ninguém me perturbe, pois trago em meu corpo as marcas de Jesus. Irmãos, que a graça de nosso Senhor Jesus Cristo seja com o espírito de vocês. Amém.

GÁLATAS 6.17,18

11
AGO
#CAFECOMDEUSPAI

Quando encontramos uma pessoa que porventura esteve em um campo de batalha, ou um atleta profissional de longa data de artes marciais, observamos no corpo deles as cicatrizes, as marcas deixadas pelas lutas travadas.

Eu nunca pisei em um campo de batalha, apenas me alistei nas Forças Armadas, recebendo dispensa do serviço militar; também nunca pratiquei qualquer tipo de arte marcial que viesse a me deixar cicatrizes. Mesmo assim, fui muito marcado, durante grande parte da minha vida, pela violência doméstica, fruto do alcoolismo do meu pai que, além de marcas geradas, deixou também cicatrizes emocionais por causa das palavras e ações praticadas contra mim.

Paulo, nessa carta, diz que seu corpo carregava as marcas do evangelho de Jesus Cristo pela perseguição que sofreu. Talvez você também carregue marcas e cicatrizes que alcançaram sua alma profundamente em decorrência de situações que viveu ou de algo que fizeram contra você. Mas o fato é que em Jesus a ferida pode ser cicatrizada e servir como testemunho da bondade e do cuidado de Deus para com a sua vida. Feridas fechadas são ministérios abertos, que curam outras pessoas e glorificam o nome do Pai.

Você tem carregado marcas em sua alma? Deus Pai não o abandonou. Assim como eu fiz, entregue todas as áreas de sua vida totalmente a Jesus, crendo que, por meio de um relacionamento com ele, você será curado e usado para curar tantos outros. Creia que sua maior dor será seu maior testemunho.

Entenda o que Deus preparou para você neste tempo e viva uma nova história.

@juniorrostirola

366 **DEVOCIONAL**
224/366

LEITURA BÍBLICA
PROVÉRBIOS 5

PALAVRA-CHAVE
#SUPERAÇÃO

ANOTAÇÕES

A CHAVE DO PERDÃO

12
AGO
#CAFECOMDEUSPAI

Pois, se perdoarem as ofensas uns dos outros, o Pai celestial também perdoará vocês. Mas, se não perdoarem uns aos outros, o Pai celestial não perdoará as ofensas de vocês.

MATEUS 6.14

Se queremos receber o perdão de Deus, precisamos perdoar os outros.

@juniorrostirola

DEVOCIONAL 366
225/366

LEITURA BÍBLICA
SALMOS 97

PALAVRA-CHAVE
#LIBERAR

ANOTAÇÕES

Precisamos entender que o perdão não é simplesmente um sentimento, mas sim uma escolha. Você não acorda pela manhã com vontade de perdoar alguém que o feriu, mas devemos tomar essa decisão porque foi o que Jesus fez por nós, e o fato é que devemos ser seus imitadores.

Em todas as situações, Jesus foi o exemplo e o mentor de seus discípulos. Ele os ensinou a orar orando com eles. Ele os ensinou a amar e servir, amando-os e servindo-lhes. Ele os ensinou a perdoar os outros perdoando-os.

Muitas pessoas, por guardarem mágoas do passado, acabam fazendo adoecer a alma e até mesmo o corpo físico. A falta de perdão paralisa a vida e pode até abortar momentaneamente os sonhos de Deus. Quando perdoamos, nos tornamos livres das algemas que nos aprisionavam, passando a ter uma nova perspectiva. O fato é que, quando perdoamos o próximo, soltamos um prisioneiro e só depois descobrimos que esse prisioneiro eramos nós mesmos.

Entenda que não podemos alterar nosso passado, mas sim decidir onde queremos permanecer em nosso presente, transformando, assim, nosso futuro. Deus lhe deu o livre-arbítrio, portanto use-o da melhor maneira. A decisão está em suas mãos.

Conheça então a alegria do perdão, pois ele nos permite superar sentimentos de raiva, amargura ou vingança. O perdão pode curar feridas espirituais e trazer a paz e o amor que só Deus pode dar. Não permita que sentimentos ruins tomem seu coração. A partir de hoje, tome a decisão de viver livre de qualquer amarra do passado e permita-se viver uma nova história em Jesus. Quem você precisa perdoar?

PROCESSOS QUE GERAM MILAGRES

Tu és o Deus que realiza milagres; mostras o teu poder entre os povos.

SALMOS 77.14

13 AGO

#CAFECOMDEUSPAI

Talvez você tenha iniciado o dia se perguntando: "Por que as coisas estão tão difíceis para mim?". Ou questionando: "Quando tudo isso vai terminar?". Mas o Senhor tem algo a falar ao seu coração!

Por mais que pareça contraditório, a estação pela qual você está passando é o melhor cenário para provar do milagre e do sobrenatural.

Seria tão bom se todo milagre ocorresse instantaneamente, não é mesmo? Mas não funciona assim, principalmente porque, se fosse comum, não seria milagre, pois é algo que acontece quando nós menos esperamos. Além disso, aquilo que chamamos de tempo, Deus chama de tratamento e processo. Eu aprendi que o tempo faz parte do processo e é tão importante quanto o milagre em si. Não se trata de Deus preparar o melhor, mas de o Pai saber o que é importante para nós naquela estação.

Se tudo que precisamos for entregue de uma única vez, será que nossa estrutura suportaria? Eu mesmo estou vivendo hoje muito daquilo que Deus prometeu ainda no início da minha juventude. Hoje, olhando para trás, percebo que eu não tinha estrutura para recebê-lo naquele tempo. Quando recebi a promessa, julgava que seu cumprimento seria na semana seguinte, mas isso só foi acontecer anos depois.

Aprendi no decorrer da minha história como cristão que uma coisa é fato: os milagres geralmente nascem em meio ao cenário de crise. Qual é o seu cenário atual? Se o seu cenário hoje é desafiador, você tem tudo para desfrutar do milagre. Creia e confie plenamente naquele que tudo pode fazer. Ele tem prazer em abençoar você!

Sua atitude e sua fé serão determinantes para o seu milagre!

@juniorrostirola

DEVOCIONAL
226/366

LEITURA BÍBLICA
SALMOS 98

PALAVRA-CHAVE
#PROCESSOS

ANOTAÇÕES

ENCONTRE LEVEZA

14
AGO
#CAFECOMDEUSPAI

Não andem ansiosos por coisa alguma, mas em tudo, pela oração e súplicas, e com ação de graças, apresentem seus pedidos a Deus. E a paz de Deus, que excede todo o entendimento, guardará o coração e a mente de vocês em Cristo Jesus.

FILIPENSES 4.6,7

Suas prioridades revelam o seu coração.

@juniorrostirola

DEVOCIONAL 366
227/366

LEITURA BÍBLICA
SALMOS 99

PALAVRA-CHAVE
#LEVEZA

ANOTAÇÕES

Você já parou para pensar na infinidade de preocupações que diariamente tentam roubar nossa paz? Todos nós somos bombardeados por pensamentos que acabam nos levando a uma vida repleta de preocupações. Tendo isso em mente, Paulo recomenda que nosso foco deve estar nas coisas de Deus, não havendo motivos para que as ansiedades se instalem e dominem o nosso coração.

Isso me ensina que o relacionamento com Deus é a chave para um coração pacífico e uma vida leve. Ao confiarmos tudo a ele, as preocupações se vão, porque passamos a crer que ele está cuidando de cada detalhe.

Deixe-me perguntar a você: Quantas vezes neste ano você ficou de pés descalços no gramado ou na areia, visitou as pessoas a quem ama, fez um programa em família? A vida passa muito rápido para ser levada no modo automático e cheia de preocupações, aprisionando o nosso coração.

Será que temos buscado viver em intimidade com o Espírito Santo? Ao confiarmos inteiramente em Deus, encontramos a verdadeira paz e, com isso, permitimos que ele nos direcione, para que vivamos no centro da vontade dele. Contudo, o inverso também é verdadeiro: ao aprisionarmos em nosso coração as ansiedades e preocupações, paralisamos nossa vida e atrasamos os sonhos de Deus para nós.

Permita que sua fé seja maior do que as suas preocupações, porque cada detalhe de nosso coração é intimamente conhecido por Deus. Entregue o controle de tudo a Deus e simplesmente descanse. Assim, a paz reinará em seu coração, e você desfrutará de uma vida leve, dando prioridade ao que de fato é importante.

ELE O MANTÉM DE PÉ

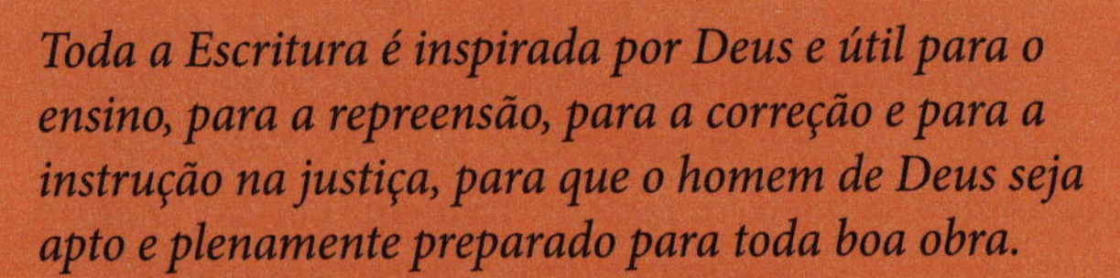

Toda a Escritura é inspirada por Deus e útil para o ensino, para a repreensão, para a correção e para a instrução na justiça, para que o homem de Deus seja apto e plenamente preparado para toda boa obra.

2TIMÓTEO 3.16,17

15
AGO
#CAFECOMDEUSPAI

O objetivo de Deus não é que você tenha apenas conhecimento por meio da leitura da Palavra, mas, sim, que você seja transformado, vivendo o céu na terra. Isso significa viver na contramão deste mundo, a ponto de desfrutar do sobrenatural.

Compreenda, então, que Jesus não era filho de marceneiro; ele era filho de carpinteiro. Por isso, em seu ofício ele não fabricava móveis para embelezar sua vida ou lhe dar um conforto momentâneo. Como o carpinteiro que constrói edificações, ele veio para lhe dar uma estrutura, um teto acima de você onde você está amparado e protegido.

Jesus veio ao mundo, e a Palavra testifica isso, para você realmente tornar-se aquilo que o Pai planejou para a sua vida. Você é casa, morada favorita onde ele deseja habitar. Soprando os ventos contrários e vindo as tempestades do dia a dia, você permanecerá inabalável.

É possível que você esteja passando por momentos de ventos contrários e tempestades. Em minha caminhada, não é diferente. Já enfrentei muitos ventos contrários, como, por exemplo, pessoas que me julgaram sem ao menos saber a verdade. O que me manteve de pé nesses momentos difíceis foi nunca ter me afastado de Deus Pai. Compreenda que o processo nos traz grandes ensinamentos, mas, para que você consiga passar por eles e se manter de pé, é preciso uma atitude de entrega ao Pai.

Deus prepara a sua estrutura e o capacita através do processo. Ainda que você passe pelas águas, elas não o afogarão; quando passar pelo fogo, ele não o queimará. Fique em paz, o Pai está com você!

Com Cristo a bordo da nossa vida, não haverá tempestade que nos abale.

@juniorrostirola

366 **DEVOCIONAL**
228/366

LEITURA BÍBLICA
PROVÉRBIOS 6

PALAVRA-CHAVE
#INABALÁVEL

ANOTAÇÕES

NÃO FUI MAIS O MESMO

Jesus não o permitiu, mas disse: "Vá para casa, para a sua família e anuncie-lhes quanto o Senhor fez por você e como teve misericórdia de você". Então, aquele homem se foi e começou a anunciar em Decápolis o quanto Jesus tinha feito por ele [...].

MARCOS 5.19,20

16
AGO
#CAFECOMDEUSPAI

Não deixe que o medo do passado escondido em seu coração, obstrua o brilho da glória de Deus contido em sua transformação.

@juniorrostirola

Jesus e os seus discípulos foram até a região dos gerasenos. Chegando lá, encontraram um homem possuído por um espírito imundo. Ninguém podia contê-lo, mas, ao ver Jesus, o espírito que o dominava implorou para não ser expulso. Entretanto, após estar curado e são, este homem pede para segui-lo, mas Jesus o incumbiu de uma missão mais específica: sua casa seus familiares.

Um encontro com Jesus nunca nos deixa do mesmo jeito. Você não precisa mudar para ir ao encontro de Jesus; quando você o encontra, tudo muda.

O fato de Jesus não permitir que aquele homem o seguisse me ensina algo muito importante, que é estar sensível quando o Senhor nos diz para irmos numa direção oposta àquela em que gostaríamos de seguir.

A história daquele homem foi transformada, assim como a minha. Quando aceitei Jesus como meu Salvador, numa pequena igreja, era como se ali fosse o lugar em que eu deveria ficar, mas eu precisava voltar para casa. A realidade da minha família não era mais a minha. Eu tinha uma missão, um propósito, e precisava iniciar uma tarefa primordial para mudar a história da minha casa.

O encontro com Jesus mudou totalmente minha vida. Aquele adolescente introvertido e cheio de mazelas teve sua vida transformada a ponto de todos que o rodeavam notassem tal transformação.

Seja você a pessoa que mudará a história da sua família e daqueles que você ama. O sofrimento faz parte da nossa vida na terra. A grande questão é como reagimos a ele: questionar Deus ou nos encontrarmos com ele e termos a vida transformada.

DEVOCIONAL 366
229/366

LEITURA BÍBLICA
PROVÉRBIOS 7

PALAVRA-CHAVE
#TRANSFORMAÇÃO

ANOTAÇÕES

O SENHOR OUVE VOCÊ

E porque o SENHOR a tinha deixado estéril, sua rival a provocava continuamente, a fim de irritá-la.

1SAMUEL 1.6

17
AGO
#CAFECOMDEUSPAI

Não desça no nível de pessoas que não acreditam no que Deus já te mostrou.

@juniorrostirola

Quem nunca olhou para alguém e pensou: "Meu Deus, eu queria só dez por cento do que essa pessoa tem"? É possível que muitos já tenham feito isso com a melhor das intenções, sem ser movido pela inveja, mas simplesmente pelo desejo de possuir algo que lhe falta e que outra pessoa tem de sobra.

A Bíblia nos revela que Penina, rival de Ana, possuía filhos de sobra, ao passo que Ana era estéril. Nesses momentos, acabamos deixando a porta do nosso coração aberto para as vozes que não vêm de Deus, que, como em uma janela aberta em um dia de fortes chuvas, deixa entrar mentiras, e o Inimigo pergunta: "Onde está a sua vitória?". Então, ele planta no coração a mentira de que jamais conseguiremos e que não somos capazes de alcançar o milagre que tanto almejamos.

Com a dúvida brotando em nosso coração, somos impulsionados a crer que as coisas só dão certo para as outras pessoas e que estamos fadados ao fracasso e à infelicidade. Mas esteja firme.

Ana estava sendo afrontada, mas isso não abalou sua fé, pois ela ousou acreditar, mesmo quando era humilhada, e a fé resiliente e firme de Ana fez com que ela pudesse provar do milagre de Deus, trazendo ao mundo o profeta que pavimentaria o caminho para a monarquia do povo de Deus.

Então, entenda que, por mais que você seja pequeno no meio de gigantes, ou tenha pouco ao lado dos que têm muito, o Senhor ouve as suas preces, conhece o seu coração e está disposto a trazer o milagre à sua vida. Portanto, continue crendo.

366 **DEVOCIONAL**
230/366

LEITURA BÍBLICA
PROVÉRBIOS 8

PALAVRA-CHAVE
#CRER

ANOTAÇÕES

O CAMINHO DA PROSPERIDADE

"Vou compensá-los pelos anos de colheitas que os gafanhotos destruíram. Vocês comerão até ficarem satisfeitos, e louvarão o nome do SENHOR, o seu Deus, que fez maravilhas em favor de vocês; nunca mais o meu povo será humilhado."

JOEL 2.25a,26

18
AGO
#CAFECOMDEUSPAI

A obediência a Deus faz você prosperar.

@juniorrostirola

No texto que lemos, Deus promete abundância e proteção ao seu povo. Isso ocorreu porque passavam por grandes dificuldades e seca, em razão de sua desobediência. Após serem advertidos, eles se arrependeram dos seus maus caminhos, e Deus lhes concedeu prosperidade e abundância.

Isso me ensina que a obediência a Deus Pai e a decisão de fazermos sua vontade resultam em grandes recompensas. À medida que nos aproximamos dele, temos mais sensibilidade para ouvir a sua voz e compreender o que ele quer de nós. Ler a Bíblia é uma atitude crucial para isso. No texto, após entenderem o que Deus exigia deles, obedeceram e provaram de provisões extraordinárias. O que impede você de fazer o mesmo?

Deus, quando nos criou, dotou-nos do livre-arbítrio; portanto a decisão de nos aproximarmos dele ou não é totalmente nossa. O nível de relacionamento que podemos ter com o Pai também é definido por nossas escolhas. Em Jeremias 33.3, Deus diz: "Clame a mim e eu responderei e direi a você coisas grandiosas e insondáveis que você não conhece". Portanto, à medida que o buscamos, recebemos coisas inimagináveis!

Existe algo que o impede de buscá-lo mais intensamente? Talvez por muito tempo você procurou respostas em pessoas ou na religião, mas o fato é que somente no relacionamento com Deus Pai você encontrará o que procura.

O que você está esperando? Ele tem o melhor para a sua vida, bênçãos e planos infinitamente maiores. Mude os ciclos de derrota para ciclos de intimidade com Deus!

DEVOCIONAL 366
231/366

LEITURA BÍBLICA
PROVÉRBIOS 9

PALAVRA-CHAVE
#OBEDIÊNCIA

ANOTAÇÕES

O GRANDE PASTOR

Mesmo quando eu andar por um vale de trevas e morte, não temerei perigo algum, pois tu estás comigo; a tua vara e o teu cajado me protegem.

SALMOS 23.4

19
AGO
#CAFECOMDEUSPAI

Quando um pastor de ovelhas está em seu trabalho, ele utiliza a vara para afastar predadores que possam atentar contra os seus animais, e o cajado, que possui a extremidade curva, para resgatar as ovelhas que porventura saiam da rota traçada ou então para retirá-las de lugares perigosos.

A mensagem que Davi nos transmite ao escrever esse salmo é incrível! Mesmo que estejamos face a face com a morte, não é necessário temer porque Deus nos resgatará com o seu cajado; ou, ainda que o mal venha contra nós, ele o afastará com a sua vara. Eu e você somos guardados e protegidos pelo Pai, somos ovelhas de seu rebanho, e ele nos conduz em direção a uma vida extraordinária ao seu lado.

Isso me ensina que, ainda que uma ovelha tome caminhos perigosos, ele a resgata por amor, a traz para perto de si e a coloca novamente no caminho correto. Não importa por onde você tenha andado, ou quais decisões tomou no passado, ele quer você novamente em seus caminhos. Em Lucas 15, Jesus diz que, ainda que o pastor tenha cem ovelhas e apenas uma se perca ele não medirá esforços para buscá-la e trazê-la novamente ao aprisco.

Jesus deu a vida por suas ovelhas e quer conduzi-lo aos seus caminhos. Ele está cuidando de você a todo momento e não mede esforços para resgatá-lo. Olhe para Jesus e permita que ele o pastoreie. Ele quer que você esteja bem perto para seguir na direção correta, debaixo de sua segurança e proteção. Permita-se ser cuidado pelo Bom Pastor. Ele não abre mão de você!

Pare de resistir àquilo que Deus pediu para você renunciar.

@juniorrostirola

366 **DEVOCIONAL**
232/366

LEITURA BÍBLICA
SALMOS 100

PALAVRA-CHAVE
#PROTEÇÃO

ANOTAÇÕES

VAI SE CUMPRIR

20
AGO
#CAFECOMDEUSPAI

Apeguemo-nos com firmeza à esperança que professamos, pois aquele que prometeu é fiel.

HEBREUS 10.23

Quem aguarda a promessa não atropela os processos.

@juniorrostirola

DEVOCIONAL 366
233/366

LEITURA BÍBLICA
SALMOS 101

PALAVRA-CHAVE
#PROMESSAS

ANOTAÇÕES

Deus nos fez diversas promessas, e elas devem nos impulsionar diariamente. Contudo, muitos de nós acabam pensando que basta ficar parado, esperando que elas se cumpram, mas isso não é verdade.

Deus construirá o chão para você pisar, mas, antes mesmo de vê-lo, é necessário avançar e dar o primeiro passo. Isso é fé, e é por meio dela que nos apropriamos das promessas de Deus para nossa vida e as tornamos visíveis.

Lembro-me de que há muitos anos declarei algo para o Pai numa oração: que o Senhor não faça nada nesta geração em que eu não esteja inserido.

Entendi ao longo da caminhada que temos duas escolhas: participar do que Deus está fazendo em nossa geração ou simplesmente ficar observando Deus fazer por meio da vida de outras pessoas. Por isso, tomei uma decisão: ser um participante ativo.

As promessas não são um mero acaso em nossa vida; elas são como um combustível para o carro se locomover, pois as promessas nos impulsionam a prosseguir em direção ao que Deus preparou para nós. E, por mais que o Pai possa fazer tudo sozinho, ele nos escolheu para fazermos juntos, e esse é um grande privilégio.

Quais promessas você tem aguardado? A Palavra de Deus está repleta delas, e no tempo certo tudo se cumprirá, pois a vontade de Deus é soberana e está acima de todas as coisas. Apenas persevere, obedeça e tenha grande expectativa, pois aquele que prometeu é fiel e justo para cumprir.

CORAGEM PARA CONQUISTAR

[E] disseram a toda a comunidade dos israelitas: "A terra que percorremos em missão de reconhecimento é excelente. Se o SENHOR *se agradar de nós, ele nos fará entrar nessa terra, onde há leite e mel com fartura e a dará a nós".*

NÚMEROS 14.7,8

21 AGO

#CAFECOMDEUSPAI

O segredo para viver grandes conquistas em Deus é manter vivas suas promessas, jamais permitindo que saiam de seu campo de visão. A narrativa bíblica sobre Josué e Calebe mostra as perspectivas deles e nos revela quem eles eram.

Esses dois homens foram enviados, junto a outros dez, para fazer um relatório que avaliasse as possibilidades de vitória do povo de Israel, ao enfrentar os nativos da terra que Deus tinha prometido.

Enquanto os dez se apegaram aos seus olhos físicos, Josué e Calebe fixaram-se nas verdades de Deus. Havia uma promessa de que aquela terra seria do povo de Israel. Os demais temiam, mas os dois estavam encorajados, e os outros estavam cegos pelas adversidades. Eles, porém, enxergavam além, vendo a vitória de Deus.

Podemos nisso observar o poder da intimidade de um filho amado de Deus Pai. Quem tem identidade bem resolvida tem tudo. Josué e Calebe sabiam quem eles eram em Deus e acreditaram que poderiam destruir gigantes e vencer todos os exércitos inimigos, tendo Deus à sua frente.

Foi exatamente essa fé otimista que, fundamentada em sua identidade, os levou até a terra prometida. Costumo dizer que sua vista pode ser a maior inimiga da sua visão, porque não podemos viver de acordo com os nossos olhos físicos, mas de acordo com os nossos olhos espirituais. O fato é que Deus tem promessas para a sua vida, mas você precisa se posicionar em confiança e fidelidade.

Quais circunstâncias o têm paralisado? Não olhe para elas, e sim para o Pai. Nele você recebe sua real identidade, e isso o faz herdeiro das promessas. Não tema nem desanime; posicione-se em fé para viver uma nova realidade.

Coragem para vencer e fé para conquistar.

@juniorrostirola

DEVOCIONAL 234/366

LEITURA BÍBLICA SALMOS 102

PALAVRA-CHAVE #CORAGEM

ANOTAÇÕES

SUBINDO DE NÍVEL

22
AGO
#CAFECOMDEUSPAI

Quando eu era menino, falava como menino, pensava como menino e raciocinava como menino. Quando me tornei homem, deixei para trás as coisas de menino.

1CORÍNTIOS 13.11

As renúncias são necessárias para vivermos coisas maiores que até então não conhecíamos.

@juniorrostirola

DEVOCIONAL 366
235/366

LEITURA BÍBLICA
PROVÉRBIOS 10

PALAVRA-CHAVE
#RENÚNCIA

ANOTAÇÕES

Quando falamos em renúncia, a primeira coisa que imaginamos é alguém que renuncia a um cargo ou função para que outro fique em seu lugar, mas a renúncia vai muito além disso.

Durante minhas férias, fui passar alguns dias na casa de veraneio de um amigo, e todo fim de tarde íamos ver o pôr do sol na beira de uma lagoa. Enquanto olhávamos aquela linda paisagem e louvávamos a Deus, o Senhor me disse fortemente uma palavra: renúncia!

Percebi que Deus estava falando ao meu coração que eu precisava aprender ainda mais sobre renúncia, por mais que já houvesse vivido algumas experiências, como, por exemplo: Antes do meu casamento com Michelle, eu estava habituado a uma vida de solteiro, com maior autonomia, sem dar tanta satisfação, e precisei renunciar a isso para entrar em uma aliança com ela e levar uma vida de casado.

Aprendi então que a renúncia que eu fiz contribuiu para que eu desfrutasse de coisas muito maiores; por exemplo, os meus dois filhos biológicos que alegram todos os dias o meu coração e as conquistas que alcançamos juntos em todas as áreas.

Precisamos entender que Deus está em busca de homens e mulheres que estejam dispostos a renunciar, pois ele deseja nos levar para níveis que ainda não alcançamos. Quando falo de renúncia, não me refiro apenas às coisas boas que muitas vezes não queremos deixar; refiro-me também ao pecado, ao orgulho, aos vícios e a tantas outras coisas que muitas vezes nos prendem, impossibilitando-nos de ir para um novo nível e vivermos o novo de Deus. Ao que você precisa renunciar?

OLHE PELO LADO BOM

Os olhos são a candeia do corpo. Se os seus olhos forem bons, todo o seu corpo será cheio de luz.

MATEUS 6.22

23
AGO
#CAFECOMDEUSPAI

Certamente, você já deve ter reparado que as crianças têm um grande senso de admiração e espanto. Elas ficam surpresas com coisas que os adultos acham comuns. Afinal, quem está mais certo? Os besouros são incríveis ou comuns? A cor vibrante de um carro? O barulho de um trovão? À medida que crescemos, mais lógicos nos tornamos e menos admiramos o extraordinário nas coisas comuns.

Quando adultos, acabamos tendo a tendência de focar nos aspectos negativos das coisas, o que nos leva a ver a vida sem cor, transformando-nos, muitas vezes, em pessoas pessimistas. Devemos sempre olhar pelo lado positivo; caso contrário, corremos o sério risco de contaminar nosso coração e, consequentemente, toda a nossa vida.

Quando tudo o que observarmos forem os aspectos negativos das coisas, passaremos a ser pessoas pessimistas e murmuradoras, e isso nos afastará completamente dos planos de Deus.

Convido você, a partir de hoje, contemplar a beleza e o lado positivo da vida. Em vez de enaltecer os erros das pessoas, fale de suas qualidades. No lugar de reclamar do trânsito, seja grato por você ter um meio de locomoção, olhe para a natureza e exalte a beleza da criação de Deus.

Saiba que o comportamento pessimista acaba afetando toda a sua vida. A partir de hoje, eu o convido a contemplar as pequenas belezas ao seu redor. O otimismo traz consigo a gratidão e tantos outros bons sentimentos, que o conduzirão a uma vida leve, tranquila e repleta de paz.

Quem procura problemas logo os encontra.

@juniorrostirola

DEVOCIONAL
236/366

LEITURA BÍBLICA
PROVÉRBIOS 11

PALAVRA-CHAVE
#OTIMISMO

ANOTAÇÕES

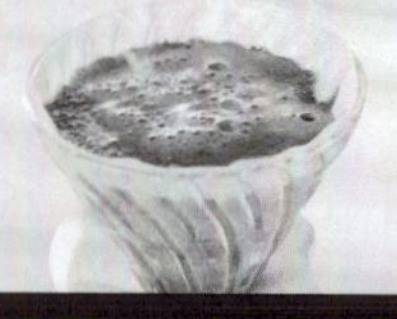

LEMBRANÇAS DE CASA

Saibam, portanto, que o SENHOR, o seu Deus, é Deus; ele é o Deus fiel, que mantém a aliança e a bondade por mil gerações daqueles que o amam e obedecem aos seus mandamentos.

DEUTERONÔMIO 7.9

24
AGO

#CAFECOMDEUSPAI

Você foi planejado para dar certo.

@juniorrostirola

DEVOCIONAL 366
237/366

LEITURA BÍBLICA
PROVÉRBIOS 12

PALAVRA-CHAVE
#FUTURO

ANOTAÇÕES

Quando ouvimos falar em herança, é comum acreditarmos que se trata somente dos bens materiais transferidos hereditariamente dos pais para os filhos ou demais herdeiros descritos em um testamento.

Talvez você não saiba, mas a história da minha família paterna me trouxe muitos danos durante muito tempo, porém em Deus Pai eu consegui mudar a realidade de uma herança maldita. Hoje vivo totalmente diferente do padrão que eles viveram. Meu bisavô, avô e pai foram vítimas dessa herança, maridos agressivos e infiéis, pais ausentes, tendo como fuga o álcool, tornando-se dependentes dele.

Quais são as lembranças do seu passado?

Quando paro para pensar que esse foi o contexto em que fui criado, não consigo ver nenhuma resposta diferente, a não ser a manifestação da graça de Deus em minha vida.

Ler as palavras que hoje escrevo neste devocional talvez seja muito difícil para você, pois as lembranças da sua casa podem ser completamente diferentes daquelas que você gostaria de ter registrado em sua mente. Isso tem paralisado seus sonhos, o impedido de alcançar novas conquistas e de viver uma vida em que você sinta plena satisfação.

Saiba que, assim como eu não pude mudar meu passado, você também não conseguirá, isso já está registrado em nossa história, mas sua decisão de mudança hoje pode transformar os dias que virão em sua vida. Somente Deus pode restaurar sua vida das sequelas do passado, trazer sentido para o presente e esperança para o futuro.

HAVERÁ COLHEITA

"Enquanto durar a terra, plantio e colheita, frio e calor, verão e inverno, dia e noite jamais cessarão."

GÊNESIS 8.22

25
AGO
#CAFECOMDEUSPAI

Tudo na natureza expressa a majestade e o poder de Deus. Os rios, os mares, as plantas e os animais revelam toda a soberania e criatividade do Pai. Sabemos que o homem pode semear, cultivar e colher, mas tudo isso provém da doação de Deus ao homem.

O versículo que lemos encontra-se logo após Noé dedicar uma oferta a Deus após o grande dilúvio. Tudo isso nos dá um vislumbre do cuidado do Pai com os seus filhos. Naquela ocasião, tudo na terra havia sido destruído com a inundação. O cenário era de desolação total, mas Deus fez questão de prometer a Noé que haveria plantio e colheita, dia e noite, e que essas coisas jamais cessariam enquanto a terra existisse. Ou seja, uma promessa de esperança e provisão, em meio a um cenário caótico.

Essa promessa se estende até os dias atuais e se manterá assim. Deus continuará provendo o necessário para a nossa vida. Ainda que o cenário em que você está vivendo seja de escassez e dificuldade, e que seus olhos não vejam a provisão, entenda que o Pai continuará guardando e amparando você; por isso, seja como Noé, pois em Gênesis 6.9 está escrito que ele andou fielmente com Deus.

Já passei por situações muito difíceis nesse sentido, mas minha visão de fé e confiança em Deus me levou a viver a provisão. Que tipo de escassez você está enfrentando? Saiba que a sua decisão de confiar em Deus hoje o levará ao cumprimento das promessas que ele tem para a sua vida e a uma colheita que jamais cessará.

Sempre haverá uma colheita de provisão quando há uma semeadura de obediência e entrega.

DEVOCIONAL
238/366

LEITURA BÍBLICA
PROVÉRBIOS 13

PALAVRA-CHAVE
#PROVISÃO

ANOTAÇÕES

OUSE SONHAR

26
AGO
#CAFECOMDEUSPAI

Quem fica observando o vento não plantará, e quem fica olhando para as nuvens não colherá.

ECLESIASTES 11.4

Se você observar os ventos você sempre terá motivos para desistir.

@juniorrostirola

Acredito que você tenha sonhos, assim como todas as pessoas no mundo, muito embora os sonhos variem e alguns possam parecer impossíveis de serem realizados, porque aos nossos olhos são grandes demais ou difíceis de alcançá-los. Não é errado sonhar, aliás é importante, pois quando sonhamos estamos projetando o nosso futuro.

Você concorda que para vivermos os sonhos de Deus para nossas vidas, é necessário tomarmos decisões e nos posicionarmos? Apenas ficar de braços cruzados não nos levará a lugar algum. É necessário dar passos de fé para viver o extraordinário.

No versículo que lemos, aprendo que quando olhamos para as condições ao nosso redor, ficamos dependentes delas e acabamos limitados pelos nossos olhos físicos. Muitas vezes estamos com diversos sonhos paralisados, pois estamos aguardando o que seria o "tempo certo", segundo nossa perspectiva humana. Contudo, tenha fé para não observar os ventos ou olhar para as nuvens, mas sim para consultar a Deus e discernir os tempos pela perspectiva dele.

Ainda que o cenário ao seu redor seja contrário, não desista. Entenda que, se você observar os ventos, sempre terá motivos para desistir e perder a fé.

O que tem paralisado seus sonhos? Independentemente de quão grandiosos eles possam ser, saiba que, se estiverem alinhados à vontade de Deus e você se posicionar olhando para o Pai, não para as suas circunstâncias, você estará cada dia mais próximo de realizá-los. Não permita ser limitado pelo que você vê com seus olhos físicos, pois um passo de fé e confiança em Deus pode mudar sua vida para sempre!

DEVOCIONAL 366
239/366

LEITURA BÍBLICA
SALMOS 103

PALAVRA-CHAVE
#SONHOS

ANOTAÇÕES

OLHE PARA JESUS

"Se podes?", disse Jesus. "Tudo é possível àquele que crê." Imediatamente o pai do menino exclamou: "Creio, ajuda-me a vencer a minha incredulidade!"

MARCOS 9.23,24

27
AGO
#CAFECOMDEUSPAI

Já parou para pensar que não há nada que Jesus não possa fazer? Isso é algo extraordinário, que deve nos dar confiança para seguir, porque sabemos que tudo está em suas mãos.

No texto que lemos, o homem pediu para Jesus intervir na situação de seu filho, mas o que chama a atenção é que, em seu pedido final, ele clama por ajuda para vencer sua falta de fé. Entendo que Jesus poderia simplesmente ter libertado o menino de sua condição, mas ele foi além e diagnosticou outro problema, a incredulidade. E com isso eu aprendo algo: a fé é o combustível do milagre.

Em outras situações, Jesus sinaliza que toda intervenção de Deus depende dela.

Assim como um avião não decola sem combustível, assim também sem fé não podemos nos mover. Muitas vezes, confundimos fé com um sentimento, mas o fato é que ela deve ser alimentada dia após dia. Em Romanos 10.17, está escrito que a fé vem por ouvir a palavra de Deus. Todos os dias, ao ler este devocional, você está alimentando a sua fé.

Independentemente do cenário em que você se encontre, das oposições que esteja enfrentando, saiba que não há nada que Jesus não possa fazer.

Aquela família havia anos estava sendo assolada pela dificuldade que o menino enfrentava. Talvez você esteja há anos enfrentando dores guardadas em sua alma. Só você sabe o peso que isso lhe tem causado.

Por anos, eu carreguei o estigma da orfandade, e minha vida só teve um sentido quando a paz que Jesus oferece por meio do seu amor invadiu o meu coração. A decisão de confiar em Jesus e se entregar totalmente a ele muda qualquer cenário em nossa vida.

Quem olha para os ventos está sujeito a perder a fé.

@juniorrostirola

DEVOCIONAL
240/366

LEITURA BÍBLICA
SALMOS 104

PALAVRA-CHAVE
#ENTREGA

ANOTAÇÕES

VAI DAR TUDO CERTO

28
AGO
#CAFECOMDEUSPAI

"[...] Não se apavore nem desanime, pois o SENHOR, o seu Deus, estará com você por onde você andar."
JOSUÉ 1.9

Se Deus disse que vai dar certo, creia, vai dar certo.

@juniorrostirola

Quando ligamos a televisão para assistir aos jornais, nos deparamos a cada dia com notícias cada vez mais alarmantes. Guerras, desastres naturais, entre tantas outras situações desalentadoras ocorrendo diariamente pelo mundo, e tudo isso tem causado medo ao coração de muitas pessoas.

O fato é que, se olharmos para as circunstâncias, certamente o desânimo baterá à nossa porta. Aprendo que, independentemente do que esteja acontecendo ao nosso redor, ainda que o cenário seja de desolação e de más notícias mundo afora, Deus protege e faz prosperar os seus filhos. A Bíblia nos diz que com o passar dos anos as coisas piorariam, mas que a bondade e a proteção de Deus continuariam sobre nós. Ter isso em mente é como caminhar no deserto, mas ter continuamente um oásis diante de nós.

Portanto, não se deixe levar pelas circunstâncias. Ainda que o cenário ao seu redor não melhore, você pode vencer. Tudo isso é um exercício de fé, em que Deus o encoraja a olhar para ele, não para as circunstâncias. Quando agimos assim, demonstramos que confiamos plenamente nele e em sua Palavra. Em Êxodo 16.12, a Bíblia diz que, mesmo em meio ao deserto, Deus enviava diariamente alimento para o seu povo, e jamais houve falta.

Não permita que as circunstâncias o desanimem. Creia que o crescimento vem de Deus. Saiba que você depende totalmente dele e que a bondade e a misericórdia do Senhor jamais terão fim. Portanto anime-se: ele dará a provisão necessária para cada situação de sua vida.

DEVOCIONAL 366
241/366

LEITURA BÍBLICA
SALMOS 105

PALAVRA-CHAVE
#CUIDADO

ANOTAÇÕES

SEJA HONRADO POR DEUS

O temor do SENHOR ensina a sabedoria,
e a humildade antecede a honra.

PROVÉRBIOS 15.33

29
AGO
#CAFECOMDEUSPAI

Quem tem um coração humilde tem tudo, pois é dele que fluem as fontes da vida. O fato é que uma pessoa curada cura outras, enquanto uma pessoa ferida fere. Temos nas Escrituras um belo exemplo de alguém que conduziu sua vida no caminho da humildade, José, o filho de Jacó. Embora ferido pelas pessoas, escolheu o caminho do perdão e, com um coração humilde, continuou servindo com mansidão, até chegar ao mais elevado nível de honra que poderia receber nas terras onde estava.

José não deixou apenas uma herança ao seu povo, mas um legado de honra a Deus e às pessoas com quem compartilhou a sua vida. Olhando para a vida de José, entendo que homens e mulheres de coração humilde são capazes de marcar uma geração.

Ao final do livro de Gênesis, vemos José falar a seus irmãos que o traíram que Deus havia transformado em bem o mal que planejaram contra ele, para que a vida de muitas pessoas fosse salva.

Aprendo que a atitude de José aponta para Jesus, que morreu na cruz por nós, ainda que não fôssemos merecedores. Por meio desse ato de amor, somos perdoados dos nossos pecados e podemos nos aproximar do Pai. O humilde reconhece que sem Deus não é nada e que deve todos os seus talentos e conquistas a ele. Provérbios 29.23 diz: "O orgulho do homem o humilha, mas o de espírito humilde obtém honra".

Como está o seu coração? O orgulho tem feito parte da sua vida? Avalie-se.

Deus Pai tem alegria em honrar seus filhos; para isso, seja uma pessoa curada e de coração humilde e, assim, você desfrutará do melhor que Deus tem preparado para você.

A humildade é uma base sólida para uma grande construção.

@juniorrostirola

DEVOCIONAL
242/366

LEITURA BÍBLICA
PROVÉRBIOS 14

PALAVRA-CHAVE
#HUMILDADE

ANOTAÇÕES

O AMOR TEM UM NOME

Porque Deus tanto amou o mundo que deu o seu Filho Unigênito, para que todo o que nele crer não pereça, mas tenha a vida eterna.

JOÃO 3.16

30
AGO
#CAFECOMDEUSPAI

Deus sempre vai trabalhar para que o melhor aconteça em sua vida.

@juniorrostirola

DEVOCIONAL 366
243/366

LEITURA BÍBLICA
PROVÉRBIOS 15

PALAVRA-CHAVE
#AMOR

ANOTAÇÕES

O significado da vida é algo que tem sido debatido há milênios pelos mais diferentes ramos do pensamento. Tem sido tema de inúmeras teorias, que por vezes foram apresentadas como única verdade. No entanto, por mais que os renomados filósofos tenham dedicado a vida para responder a essa pergunta, a melhor resposta que conseguiram não é conclusiva sobre o verdadeiro objetivo da nossa existência.

Tudo que há no Universo é expressão da obra de suas mãos. Antes de ser gerado no ventre de sua mãe, Deus já havia planejado você. Deus expressa em Jesus o mesmo tipo de relacionamento que devemos ter com ele.

Deus planejou o momento do seu nascimento, o seu tempo de vida, suas características e dons. E sabe por que ele fez tudo isso? Porque ele é um Deus de amor, e esse tipo de amor está além da nossa compreensão. Ele não se contenta com uma parte sua, mas deseja um relacionamento genuíno, sem interferências e impedimentos.

Você pode até pensar que esse é mais um daqueles textos que foi escrito para mexer com suas emoções, mas não é isso. Deus Pai está neste exato momento vendo o que você está passando, ele sabe exatamente os dias difíceis que você enfrentou, as dores que o têm impedido de viver e as circunstâncias que se levantam contra a sua vida.

Assim como Jesus se entregou por você, morrendo numa cruz a sua morte, para que você pudesse experimentar a vida dele, saiba que ele espera que você se entregue a ele sem reservas, para então viver uma vida plena e satisfeita. Escolha ser filho e desfrutar de uma vida de verdade.

VOCÊ TEM SEDE?

"Se alguém tem sede, venha a mim e beba."

JOÃO 7.37a

31
AGO

#CAFECOMDEUSPAI

Em nossa sociedade, tenho visto pessoas com o coração vazio, algumas frustradas, outras depressivas, buscando uma razão para viver, mas sem êxito. Ainda há outras mergulhadas num mundo de solidão e angústia, tentando sobreviver, mas que não sabem onde buscar ajuda.

O mundo está com sede de amor, união, atenção, perdão, paz, segurança, alegria e compreensão. O semblante das pessoas revela a sua sede de algo que muitas vezes nem elas sabem que sua alma está sedenta.

Você já imaginou como seria uma pessoa visitar uma galeria de arte com os olhos vendados? Ou ir a um estádio de futebol assistir ao jogo sentado de costas para o gramado? Parece estranho, mas é assim que muitos fazem em relação a Jesus, mesmo tendo conhecimento da sua existência, preferimos fechar os nossos olhos.

Não se trata de religião, pois a religião procura mudar o ser humano de fora para dentro, ao passo que Jesus nos muda de dentro para fora. Quando o ser humano é transformado por dentro, então consequentemente é transformado por fora. O que mudou a minha vida foi um encontro com Jesus, proporcionado por um convite, que gerou em mim um posicionamento para viver algo novo.

Portanto, decida mudar esse cenário, busque saciar sua sede em Jesus, pois só ele pode mudar e transformar sua realidade. Não aceite nada menos do que aquilo que Jesus prometeu. Circunstâncias contrárias virão, tormentas se levantarão, mas com Jesus você pode vencer cada uma delas. Basta confiar que ele o conduzirá no caminho certo. Ele sabe o que é melhor para você. Busque-o antes de tomar qualquer decisão, e receba a paz e a graça dele.

Mesmo que tenha que deixar algo, confie que em Deus tudo novo se fará.

@juniorrostirola

DEVOCIONAL
244/366

LEITURA BÍBLICA
PROVÉRBIOS 16

PALAVRA-CHAVE
#CONFIANÇA

ANOTAÇÕES

SE **DEUS DISSE** QUE VAI DAR CERTO, **CREIA**, VAI DAR CERTO.

@juniorrostirola

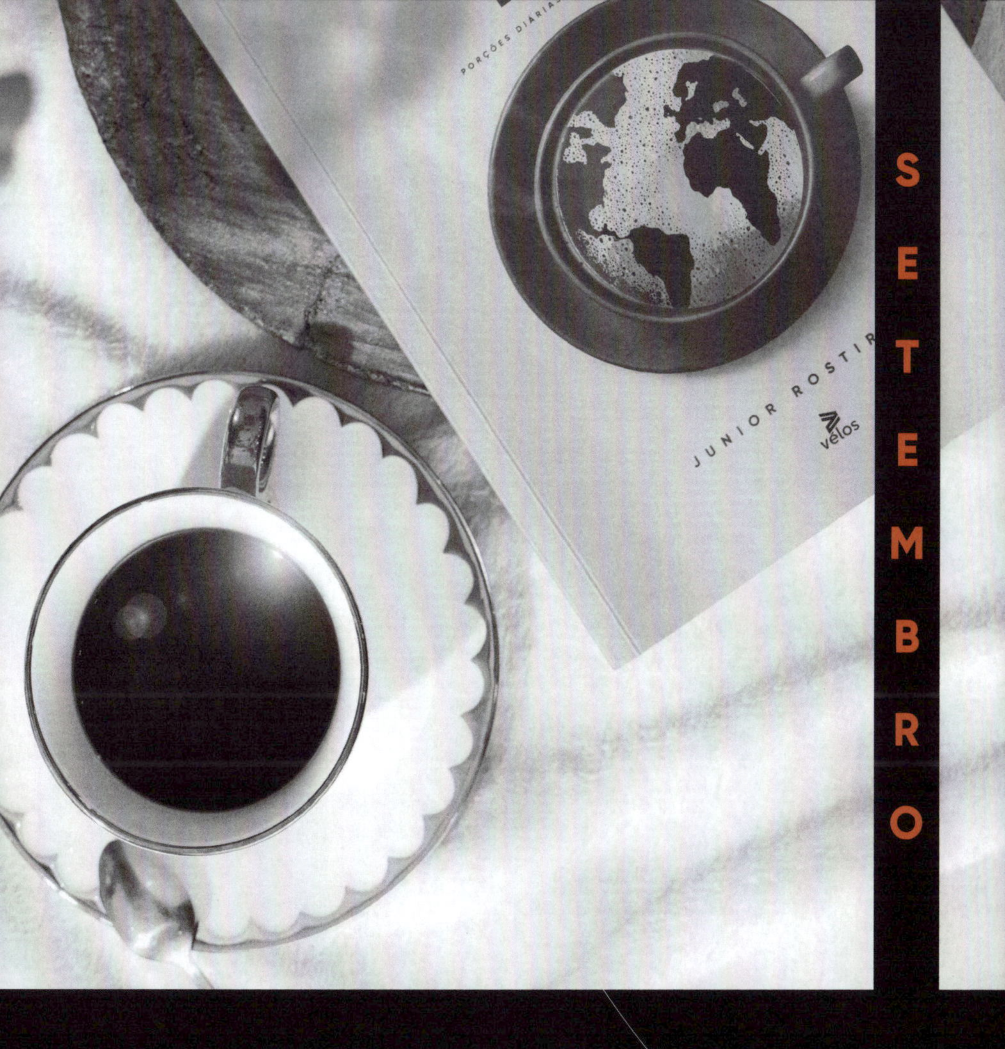

SETEMBRO

Assista o vídeo com a palavra
e oração para este mês.

café
com
Deus
pai

VOCÊ É ÚNICO

Não se amoldem ao padrão deste mundo, mas transformem-se pela renovação da sua mente, para que sejam capazes de experimentar e comprovar a boa, agradável e perfeita vontade de Deus.

ROMANOS 12.2

01
SET
#CAFECOMDEUSPAI

Com o passar dos séculos, a história nos mostra que a forma de produzir e fabricar os objetos evoluiu. Utensílios que antigamente eram fabricados de forma manual e rudimentar hoje são produzidos em larga escala aos milhares. Graças à revolução industrial e ao processo de linha de montagem, os objetos são fabricados de forma perfeitamente idêntica e milimétrica.

Não muito diferente, em nossos dias o ser humano também tem se tornado produto de uma linha de montagem industrial, em que padrões estéticos e comportamentais são impostos às pessoas, visando igualar todos e tratar como estranho quem não se encaixa nesse padrão estabelecido pelo mundo.

Deus não nos chamou para nos acomodarmos ao padrão estabelecido pelas pessoas. As pessoas não podem determinar o padrão que Deus tem para a sua vida.

Da mesma forma, o que é bom para outras pessoas não têm necessariamente que ser bom para você, pois você foi feito de forma única por Deus, não para ser um produto em série em uma prateleira, mas para fazer a diferença aonde quer que for.

Não se abata nem dê ouvidos a quem o critica pelo seu jeito de ser, pois eles não têm a coragem que você tem, e para muitos a saída mais fácil é seguir o fluxo da correnteza, sem se esforçar para nadar.

Seja único, pois você foi escolhido por Deus antes de chegar ao ventre de sua mãe. Ele não o fez para ser só mais um rosto na multidão. O Pai o criou para ocupar o lugar que é só seu. Seja quem Deus o criou para ser. Viva a sua identidade de filho.

Não deixe o mundo dizer o que você deve ser. Seja o que Deus o criou para ser.

@juniorrostirola

366 **DEVOCIONAL**
245/366

LEITURA BÍBLICA
PROVÉRBIOS 17

PALAVRA-CHAVE
#AUTENTICIDADE

ANOTAÇÕES

FÉ QUE LIBERTA

02
SET
#CAFECOMDEUSPAI

Por volta da meia-noite, Paulo e Silas estavam orando e cantando hinos a Deus; [...] De repente, houve um terremoto tão violento que os alicerces da prisão foram abalados. Imediatamente todas as portas se abriram, e as correntes de todos se soltaram.

ATOS 16.25,26

A sua expectativa atrai a presença de Deus, a sua fé valoriza a presença e a sua atitude extrai o poder da presença!

@juniorrostirola

DEVOCIONAL 366
246/366

LEITURA BÍBLICA
SALMOS 106

PALAVRA-CHAVE
#LOUVOR

ANOTAÇÕES

Paulo e Silas haviam sido presos durante uma de suas viagens missionárias, acusados de perturbação por pregar o evangelho. A Bíblia diz que seus pés foram amarrados em troncos e que passariam a noite ali encarcerados. Contudo, por volta da meia-noite eles começaram a orar e cantar hinos a Deus. Então, houve um terremoto, e todas as portas da prisão se abriram.

Esses homens, mesmo em meio a grandes lutas e dificuldades, conseguiram, pela fé, ter atitudes extraordinárias. O fato é que Deus não tem filhos favoritos. Assim, a atitude que eles tiveram pode nos inspirar, e podemos agir também dessa forma em meio às dificuldades. Sei que falar parece fácil, mas o fato é que é possível!

As dores e dificuldades não podem impedir nossa verdadeira adoração a Deus. Quando você estiver passando por momentos difíceis, não se esqueça desta mensagem. Orar e louvar a Deus pode ser a chave que você está precisando para abrir algumas prisões de sua vida.

O Pai deseja que tenhamos um coração cheio de fé e expectativa nele, que o adoremos nos dias bons ou maus, em toda e qualquer situação, porque ele é merecedor.

Quando expressamos adoração, abrimos o caminho para grandes milagres e intervenções na nossa vida. Não condicione seu louvor ao Pai às circunstâncias que você está enfrentando. Lembre-se de que Deus quebra as correntes, mas espera que antes você o louve em meio às prisões.

PERSEVERE

Toda boa dádiva e todo dom perfeito vêm do alto, descendo do Pai das luzes, que não muda como sombras inconstantes.

TIAGO 1.17

03
SET

#CAFECOMDEUSPAI

Na vida, é natural mudarmos de ideia, e muitas vezes não há nada de errado com isso; faz parte do processo de amadurecimento que velhos hábitos e formas de pensar deem lugar a novas perspectivas. Mas o fato é que devemos tomar cuidado para não nos tornarmos inconstantes.

O texto que lemos diz que todas as coisas boas vêm de Deus, portanto não há como sair nada realmente bom de nós sem que antes tenhamos recebido do Pai. Uma característica incrível dele é a constância, que nos assegura que Deus não muda, não volta atrás em suas decisões. Isso faz de sua Palavra totalmente digna de confiança.

Pessoas inconstantes têm dificuldades em colher bons frutos, porque rapidamente mudam de ideia e abandonam o que começaram a cultivar. Entendo que a inconstância é a maior inimiga do êxito. Quando olhamos para Deus Pai, temos a motivação correta para ir até o fim. Quem sabe hoje seja o dia de você retomar algo que tenha abandonado! É tempo de não se abalar com pequenas derrotas e compreender que elas fazem parte da construção de grandes vitórias em Deus.

Não importa como você começou, o mais importante é como você vai terminar. E, para terminar bem, é preciso perseverar, mesmo que muitas vezes seja difícil e tenha vontade de desistir por tamanhas lutas e dificuldades. Contudo, quando depositamos a nossa fé em Deus, somos encorajados por ele a não desanimar e muito menos desistir. Hoje Deus lhe diz: "Siga adiante, persevere; eu estou com você nesta batalha!".

Nem sempre você estará motivado; então, seja disciplinado.

@juniorrostirola

366 **DEVOCIONAL**
247/366

LEITURA BÍBLICA
SALMOS 107

PALAVRA-CHAVE
#CONSTÂNCIA

ANOTAÇÕES

A RECOMPENSA DE NÃO DESISTIR

04
SET
#CAFECOMDEUSPAI

"Quando eu parti os cinco pães para os cinco mil, quantos cestos cheios de pedaços vocês recolheram?" "Doze", responderam eles.

MARCOS 8.19

Você não precisa ser forte o tempo todo, o que você não pode é desistir.

@juniorrostirola

DEVOCIONAL 366
248/366

LEITURA BÍBLICA
SALMOS 108

PALAVRA-CHAVE
#CONTINUE

ANOTAÇÕES

Se você é uma pessoa que gosta de fazer trilhas e explorar a natureza, sabe que, ao contrário das ruas retas e pavimentadas, o solo nessas regiões é totalmente irregular. Por isso, além de tênis bem confortáveis, é necessário também uma visão bem aguçada, para evitar pisar em falso em algum buraco escondido pela grama alta e machucar-se.

Isso me ensina algo: na vida, nem sempre trilharemos caminhos regulares e pavimentados. É possível que você tenha trilhado caminhos tão difíceis até aqui que o fizeram pensar em desistir, mas o que você precisa saber é que o destino que uma trilha leva pode ser tão recompensador a ponto de as dificuldades da caminhada se tornarem irrelevantes perto da satisfação de alcançar o tão sonhado lugar de chegada.

Não sei quais são as suas necessidades, os seus anseios, os seus sonhos, os seus projetos e até as suas dificuldades.

Aquela multidão estava faminta diante de Jesus. Tinham feito um caminho difícil até ali e, aos seus olhos físicos, não conseguiam enxergar uma grande quantidade de peixes e pães suficientes para alimentá-los, mas, no partir dos cinco pães e dois peixes que Jesus tinha em suas mãos, aconteceu o milagre, que alimentou toda aquela multidão e, no final, ainda sobraram doze cestos de pães.

Sua vida não são as circunstâncias à sua volta. Entenda que independentemente das dificuldades que você tem encontrado no caminho, se Jesus se faz presente, sempre haverá grandes milagres.

Continue. Não desista. Mesmo que esteja doendo, mesmo que seja difícil, não pare. Simplesmente continue. O final vai surpreender você!

QUANDO O DESÂNIMO TOMA CONTA

Por isso não tema, pois estou com você; não tenha medo, pois sou o seu Deus. Eu o fortalecerei e o ajudarei; eu o segurarei com a minha mão direita vitoriosa.

ISAÍAS 41.10

05
SET
#CAFECOMDEUSPAI

Você já teve vontade de simplesmente não se levantar da cama pela manhã em decorrência do desânimo ou da falta de perspectiva? Quando passamos por circunstâncias contrárias ou que nos fazem sentir pressionados, temos a tendência de querer que elas passem logo; então, a preocupação toma conta de nossas emoções, e nos sentimos paralisados.

Isso acontece comigo também. Existem dias em que há muita pressão pelas diversas condições da vida, e eu não tenho vontade de me levantar e prosseguir; de fato, pelas minhas forças, eu jamais conseguiria ir adiante. Mas, toda vez que isso acontece, sinto Deus falar ao meu coração dizendo que está comigo. Dessa forma, ele me move a ir além e cumprir o propósito que ele destinou a mim aqui na terra.

Eu não sei quais são os desertos que você tem enfrentado nem os ventos contrários que tem soprado em sua vida, mas entenda que, quando você simplesmente deixa de levantar-se da cama pela própria força e em função de você mesmo e passa a viver a vida para o Pai, tudo começa a fazer sentido. Você foi criado para coisas muito maiores do que imagina; contudo, é necessário reconhecer isso e escolher viver a vida que ele planejou para você, pois, sem dúvida, será muito melhor e mais abundante do que você sonhou.

Você às vezes se sente assim sem forças para prosseguir? Eu quero encorajar você neste dia! Olhe o que a Bíblia diz em Isaías 40.29: "Ele fortalece o cansado e dá grande vigor ao que está sem forças". Então, toda vez que você se sentir desanimado ou abatido, lembre-se dessa verdade. Deus Pai é a força e a alegria que eu e você precisamos para vencer todos os dias!

O amor de Deus Pai é imensurável e lhe dá forças para suportar todas as situações que possam abatê-lo.

@juniorrostirola

DEVOCIONAL
249/366

LEITURA BÍBLICA
PROVÉRBIOS 18

PALAVRA-CHAVE
#MOTIVAÇÃO

ANOTAÇÕES

EM JESUS TUDO MUDA

06
SET
#CAFECOMDEUSPAI

Eu não era pessoalmente conhecido pelas igrejas da Judeia que estão em Cristo. Apenas ouviam dizer: "Aquele que antes nos perseguia, agora está anunciando a fé que outrora procurava destruir". E glorificavam a Deus por minha causa.

GÁLATAS 1.22-24

Sem um significado, a vida não tem relevância ou esperança.

@juniorrostirola

A história de Paulo é incrível. O homem que perseguia ferozmente a igreja em seu início, após um encontro com Jesus passou a ser o defensor e apóstolo mais influente na história da igreja. Um improvável que se permitiu ser usado por Deus.

Talvez você se sinta mal por algo que fez em algum momento da vida, e isso faz com que você pense não ser digno de ter uma vida com Deus, mas hoje quero lhe dizer que isso é uma grande mentira! Nada que você fez vai fazer com que Deus o ame menos.

Por muito tempo eu fui um improvável, sentado no banco da escola sozinho, sem amigos, o filho do cachaceiro, isolado de tudo e de todos. A tristeza foi tamanha que, em meio a uma depressão na adolescência, cheguei até a desejar a morte. Mas um convite me possibilitou ter um encontro com Jesus, e um encontro muda tudo.

Entenda que você não precisa mudar para se achegar a Deus, mas o fato é que, quando você chega a ele, tudo muda; assim foi comigo. Antes de eu conhecer Jesus, não fazia ideia de quem eu poderia me tornar, mas, depois que entendi minha filiação e que nele posso viver minha verdadeira identidade, não perdi nem mais um dia longe de sua presença.

Hoje você pode até não enxergar o seu valor, sua importância. A crença na mensagem de Jesus de amor, redenção e propósito nos traz a filiação e propósito de vida. Ele nos qualificou para estar diante de Deus e desfrutar de sua bênção e graça. Esse é o verdadeiro significado da obra da redenção.

Você se surpreenderá, pois ele sonhou com seus dias, planejou sua história e projetou suas conquistas.

DEVOCIONAL 366
250/366

LEITURA BÍBLICA
PROVÉRBIOS 19

PALAVRA-CHAVE
#IMPROVÁVEL

ANOTAÇÕES

LIBERDADE

Pois a nossa pátria está nos céus, de onde também aguardamos o Salvador, o Senhor Jesus Cristo.

FILIPENSES 3.20, NAA

07
SET

#CAFECOMDEUSPAI

Hoje é comemorado o Dia da Independência do Brasil, uma data que marca o início da construção do país como uma nação autônoma. No entanto, isso diz respeito a questões geopolíticas, pois o fato é que todos nós estamos inseridos em uma porção de terra com limites, que é organizada de diferentes maneiras, onde muitos indivíduos vivem e constroem sua vida.

Paulo, no texto que lemos, traz uma compreensão ainda maior a esse respeito, expondo o fato de que nossa verdadeira pátria está nos céus. Aprendo que somos peregrinos aqui na terra e temos por missão proclamar também um grito de liberdade, não em relação a outra nação, mas sim contra o pecado e tudo aquilo que possa estar aprisionando nossa alma.

Cristo veio para que sejamos livres; portanto, entenda que você não é mais escravo das críticas, do medo, da religiosidade, do pecado, das angústias e de quaisquer dificuldades, mas foi chamado para a liberdade, a qual não foi reivindicada por um homem montado em um cavalo, mas sim pelo Filho de Deus, pendurado na cruz do Calvário, que tomou sobre si nossos pecados e abriu o caminho para que possamos viver a verdadeira liberdade.

Não permita que mentiras aprisionem sua mente, pois os grilhões que a prendiam já foram rompidos pela obra de Cristo. Apenas creia, confie e faça sua parte. Você foi liberto para ser quem Deus sonhou, mas, para isso, tenha a plena convicção de que você é um cidadão dos céus.

O maior grito de liberdade foi consumado na cruz.

@juniorrostirola

366 **DEVOCIONAL**
251/366

LEITURA BÍBLICA
PROVÉRBIOS 20

PALAVRA-CHAVE
#LIBERDADE

ANOTAÇÕES

ELE ESTÁ CUIDANDO DE TUDO

08
SET
#CAFECOMDEUSPAI

Se não for o SENHOR o construtor da casa, será inútil trabalhar na construção. Será inútil levantar cedo e dormir tarde, trabalhando arduamente por alimento. O SENHOR concede o sono àqueles a quem ele ama.

SALMOS 127.1a,2

Deus tem lindos planos para você, mas recebê-los depende das escolhas que você faz.

@juniorrostirola

DEVOCIONAL 366
252/366

LEITURA BÍBLICA
PROVÉRBIOS 21

PALAVRA-CHAVE
#ENTREGA

ANOTAÇÕES

Este lindo salmo fala a respeito de nossa dependência de Deus Pai. Todos os nossos esforços, por maiores que sejam, serão em vão caso ele não esteja guiando e direcionando toda a nossa vida. O Senhor cuida integralmente de cada área de nossa vida.

Muitas vezes, nos dedicamos arduamente a projetos, investimos dinheiro e tempo, sacrificamos momentos, tudo para alcançar um objetivo que está em nossa mente. Mas precisamos ser guiados pela voz e pela vontade de Deus em tudo o que fizermos. Caso contrário, corremos o sério risco de apenas perder tempo e andar em círculos, pois nada irá adiante se Deus não for à nossa frente.

Para compreendermos quais são os planos de Deus para a nossa vida, é necessário aceitar que somos totalmente dependentes dele. Muitos vivem como em um cabo de guerra com Deus, aquela brincadeira infantil que conhecemos. Enquanto Deus puxa de um lado para conduzir à sua vontade, eles puxam do outro, tentando tomar novamente a direção de sua vida. Quando isso acontece, sujeitamo-nos a ser lançados à nossa própria sorte. Por isso, confie seus caminhos totalmente ao Pai, sabendo que ele tem o melhor para a sua vida.

Você tem confiado seus esforços a Deus? Ao tomar decisões ou fazer planos, consulte-o, pois tenho certeza de que você receberá direção! Não desperdice seus esforços. Viva completamente dependente da vontade de Deus e caminhe em direção a um lindo destino!

SEJA O AUTOR DA SUA HISTÓRIA

"Senhor", disse Pedro, "se és tu, manda-me ir ao teu encontro por sobre as águas". "Venha", respondeu ele. Então Pedro saiu do barco, andou sobre as águas e foi na direção de Jesus.

MATEUS 14.28,29

09 SET

#CAFECOMDEUSPAI

A Bíblia narra para nós o momento em que os discípulos de Jesus são conduzidos a entrar em um barco e atravessar o mar. Eles obedecem a Jesus, mas, ao cair da noite, são tomados pela visão de Jesus andando sobre as águas e, não o reconhecendo, ficam aterrorizados.

Acreditando ser um fantasma, eles começam a gritar com medo. Mas o que chama a atenção é a atitude de Pedro diante de Jesus, que, vendo o milagre acontecer diante de seus olhos, não se contentou em ser espectador, mas desejou poder sentir na pele o sobrenatural.

É evidente que posteriormente ele fraquejou, por isso afundou, mas sua atitude foi ímpar comparada à dos demais companheiros de embarcação, que foram meros espectadores do milagre.

É comum vermos pessoas ao nosso redor avançarem e conquistarem seu "lugar ao sol". Mas não podemos nos lamentar com a nossa situação atual ou nos contentarmos em sermos figurantes da história das outras pessoas. É preciso sair da inércia, ter coragem e uma fé ousada.

No sul do Brasil, existe um ditado popular que diz que cavalo bom só passa por nós desencilhando uma única vez. Para os discípulos, o momento era aquele de caminharem sobre as águas com Jesus. Mas, com exceção de Pedro, os outros permanecem impassíveis, vendo apenas o milagre em vez de vivê-lo.

Não fique na janela vendo a vida passar. Vá para fora e caminhe em direção à promessa que o Pai tem para a sua vida. Tenha uma fé ousada, com coragem para se posicionar e estender a mão para receber o que Deus tem para você.

Quem caminha sobre a Palavra não teme os ventos.

@juniorrostirola

DEVOCIONAL
253/366

LEITURA BÍBLICA
SALMOS 109

PALAVRA-CHAVE
#OPORTUNIDADE

ANOTAÇÕES

BONDADE SEM FIM

10
SET

#CAFECOMDEUSPAI

Provem e vejam como o SENHOR é bom. Como é feliz o homem que nele se refugia!

SALMOS 34.8

Em Deus, o final da sua história sempre será feliz.

@juniorrostirola

DEVOCIONAL 366
254/366

LEITURA BÍBLICA
SALMOS 110

PALAVRA-CHAVE
#BONDADE

ANOTAÇÕES

E viveram felizes para sempre! Essa frase é muito comum no meio literário e em muitas histórias infantis, não é mesmo? Ela retrata um ideal que enche nosso coração de alegria, por saber que no fim tudo irá bem.

Ainda que nossa vida não seja um conto de fadas, temos um Deus que cuida integralmente de nós e tem o melhor reservado para nós. Isso não é incrível? O salmo que lemos hoje nos mostra essa realidade. Temos todos os motivos do mundo para sermos felizes quando nos refugiamos no Senhor.

Mesmo que as coisas muitas vezes não saiam como o planejado, o fato é que o Pai sempre esteve guardando nossa vida. Diariamente, temos um novo amanhecer e o ar que entra em nossos pulmões e nos dá condições de prosseguir e viver mais um dia. Além disso, Deus enviou o Espírito Santo para nos aproximar ainda mais dele, e recebermos orientações e direções assertivas para a nossa vida, permitindo que vivamos segundo a sua vontade. Esses são alguns exemplos da bondade de Deus manifesta em sua vida; contudo, muitas vezes nos acostumamos e deixamos de valorizá-la.

Entenda que, independentemente do que você venha passando, há uma promessa de Deus sobre a sua vida. Ao se aproximar do Pai em amor, tenha a certeza de que, mesmo a vida não sendo um conto de fadas, as próximas páginas serão de alegria e haverá um final feliz.

Reconheça a bondade de Deus em sua vida! Ela está aí, manifesta das mais diversas maneiras; é necessário somente reconhecê-la. Ele tem cuidado de você e de sua família. Apegue-se a esta verdade e creia que o melhor ainda está por vir.

RESISTA, NÃO DESISTA

Finalmente, irmãos, tudo o que for verdadeiro, tudo o que for nobre, tudo o que for correto, tudo o que for puro, tudo o que for amável, tudo o que for de boa fama, se houver algo de excelente ou digno de louvor, pensem nessas coisas.

FILIPENSES 4.8

11 SET

#CAFECOMDEUSPAI

Todos nós fomos dotados com capacidade única. Os animais irracionais são limitados a sobreviver, mas nós fomos criados para ir mais além e sonhar. Nós temos a incrível capacidade de nos aproximar de Deus e aprender a viver pela fé. Mas muitas vezes as dificuldades da vida são agentes nocivos que esterilizam a nossa capacidade de sonhar.

No decorrer da minha trajetória como pastor, eu presencio muitas pessoas, diante de circunstâncias difíceis, se tornarem estéreis; elas deixam de sonhar e não acreditam mais.

Tudo que Deus quer é que nós venhamos a viver uma vida edificada nele. O Senhor é um Deus relacional, que deseja muito que nós venhamos a sonhar, projetar e acreditar; que venhamos a ser otimistas, focando nas coisas que são do alto. As Escrituras nos asseguram isso, conforme lemos em Marcos 9.23, que tudo é possível ao que crer. Mas a Escritura não faz distinção entre crer em momentos bons e crer em momentos difíceis, pois a fé deve ser inabalável, independentemente da situação.

O barco foi feito para navegar tanto em mares agitados quanto em águas tranquilas. Nós, seres humanos, fomos criados pelo Pai para sonharmos com dias melhores e termos fé em nosso Pai independentemente do que estiver acontecendo ao nosso redor.

Ter uma vida edificada em Deus possibilita que, nos dias em que as circunstâncias tentarem nos derrubar, triunfaremos sobre elas. Por isso, confie em Deus se tiver que passar por tempestade. No Senhor, temos a certeza de que ela vai passar, que as nuvens escuras se dissiparão e que o sol voltará a brilhar.

Situações contrárias acontecerão todos os dias, por isso foque em Jesus.

@juniorrostirola

366 **DEVOCIONAL**
255/366

LEITURA BÍBLICA
SALMOS 111

PALAVRA-CHAVE
#VENCER

ANOTAÇÕES

FAÇA O SEU MELHOR

12
SET

#CAFECOMDEUSPAI

Tudo o que fizerem, façam de todo o coração, como para o Senhor, e não para os homens, sabendo que receberão do Senhor a recompensa da herança.

COLOSSENSES 3.23,24a

Tempos atrás, ouvi uma história sobre uma atitude que me fez avaliar como estou conduzindo minha vida. Em determinada empresa, um dos funcionários foi até o gerente e lhe pediu um aumento salarial, argumentando, inclusive, que seu colega recebia um salário maior que o dele. Então, o gerente sem que este soubesse, fez um teste. Pediu-lhe que fosse até a verdureira que ficava na esquina da mesma rua, solicitando-lhe o orçamento de 25 maçãs para o lanche dos demais colegas.

Ele foi e logo retornou, com a resposta negativa de que não era época de maçãs serem colhidas e, por isso, não havia como entregar o orçamento. O gerente então chamou o outro funcionário e fez o mesmo. Quando este retornou, disse o seguinte: "Senhor, não é época de maçãs, mas temos a opção de pera, ou então laranja, e esta tem um preço acessível por estarmos na estação própria da colheita".

Você consegue perceber a diferença? Qual dos dois de fato deu o seu melhor? Muitas vezes, na vida, nos limitamos a fazer somente o necessário, quando a excelência está em ir além. Entendo que precisamos nos dedicar intencionalmente a todas as áreas de nossa vida. Há uma frase de que gosto muito, que diz que a excelência honra a Deus e abençoa as pessoas. É sobre isso!

Como você tem conduzido aquilo que lhe cabe? Tem dado seu melhor e honrado a Deus? Precisamos entender que devemos glorificá-lo e dar o nosso melhor em tudo o que fazemos. Até mesmo quando você estende as mãos ao seu próximo, deve fazê-lo como se estivesse fazendo-o ao próprio Deus.

Crie motivos que façam valer a pena.

@juniorrostirola

DEVOCIONAL 366
256/366

LEITURA BÍBLICA
PROVÉRBIOS 22

PALAVRA-CHAVE
#DEDICAÇÃO

ANOTAÇÕES

TEMPO DE FRUTIFICAR

Ninguém colhe figos de espinheiros, nem uvas de ervas daninhas. O homem bom tira coisas boas do bom tesouro que está em seu coração [...] porque a sua boca fala do que está cheio o coração.

LUCAS 6.44a,45

13 SET

#CAFECOMDEUSPAI

Nessa passagem, Jesus deixa claro que de nossa boca sairá exatamente o que há em nosso coração. Não é possível gerar bons frutos quando o que cultivamos em nosso interior são apenas sentimentos e pensamentos ruins. Dias atrás, assisti a um vídeo muito interessante, que falava a respeito de nossas escolhas. Não temos condições de controlar o movimento do sol ou dos planetas, ou então definir o que acontecerá com um navio com casco fendido, se ele atracará no porto ou afundará no trajeto. Não temos controle sobre o clima nem sobre as pessoas ou a sociedade. Mas o fato é que podemos controlar apenas a nós mesmos, nossas intenções e vontades.

É necessário assumir a responsabilidade por nossas ações, pelos frutos que geramos. Costumo dizer que não tenho controle sobre o que os outros falam a meu respeito, mas sim controlo o que falo a respeito deles.

Todos fomos chamados para frutificar, mas a pergunta que faço é: esses frutos têm sido agradáveis ao paladar? Que tipo de semente você tem plantado com suas atitudes? O fato é que, para ter novos frutos, é necessário plantar novas sementes. Muitas vezes, desejamos que a sociedade seja um lugar melhor, mas nem sequer começamos a mudança em nós mesmos.

Jesus confiou a nós a missão de transformar realidades. O que temos feito? Quais frutos você tem gerado nessa geração? Não precisamos simplesmente aguardar uma mudança, mas devemos ser a mudança!

Acredite, você foi chamado para plantar boas sementes num mundo caótico. Há muitos necessitados por colher os bons frutos deixados por você.

Para ter novos frutos, você precisa lançar novas sementes.

@juniorrostirola

366 **DEVOCIONAL**
257/366

LEITURA BÍBLICA
PROVÉRBIOS 23

PALAVRA-CHAVE
#FRUTOS

ANOTAÇÕES

VOCÊ JÁ TEM O NECESSÁRIO

14
SET

#CAFECOMDEUSPAI

Davi prendeu sua espada sobre a túnica e tentou andar, pois não estava acostumado com aquilo. E disse a Saul: "Não consigo andar com isto, pois não estou acostumado". Assim tirou tudo aquilo [...]

1SAMUEL 17.39

Conhecer a própria identidade muda todo o seu destino.

@juniorrostirola

A Bíblia relata que, quando Davi foi enfrentar Golias, Saul ofereceu a ele sua própria armadura, mas, ao tentar andar com ela, Davi não conseguiu. Entendo que Saul tinha a melhor das intenções. Eles estavam no meio de uma guerra, e todos provavelmente estavam utilizando suas melhores proteções e portando armas, menos Davi. Aquela armadura provavelmente era a mais bela e resistente de todo o exército, pois era utilizada pelo próprio rei de Israel até então, mas o fato é que para Davi fora inútil.

Aprendo que Deus tem planos distintos para cada um de nós. Quando tentamos trazer armas ou estratégias que outros utilizaram para vencer, elas podem não servir para nós. O campo de treinamento de Davi havia sido o pasto, onde portava uma arma chamada funda, que arremessava pedras. Ele enfrentou o gigante na mesma simplicidade em que vivia. Isso fala muito sobre autenticidade. Bastava Davi olhar ao redor e se comparar ao restante dos guerreiros e se sentiria forçado a batalhar com armadura e espada.

Ao tomar decisões, você olha ao redor ou para Deus Pai? O fato é que isso diz muito a seu respeito. Davi resolveu não se comparar, mas sim olhar para o alto, remover armaduras humanas e se revestir de fé e confiança em Deus.

Independentemente do que você esteja enfrentando, lute com as armas que o Pai lhe confiou. Você vem sendo treinado para conquistar grandes vitórias; portanto, saiba que você já tem as ferramentas necessárias para vencer!

DEVOCIONAL 366
258/366

LEITURA BÍBLICA
PROVÉRBIOS 24

PALAVRA-CHAVE
#ÚNICO

ANOTAÇÕES

A QUEM VOCÊ TEM DADO ATENÇÃO?

O tentador aproximou-se dele e disse: "Se você é o Filho de Deus, mande que estas pedras se transformem em pães". Jesus respondeu: "Está escrito: 'Nem só de pão viverá o homem, mas de toda palavra que procede da boca de Deus'".

MATEUS 4.3,4

15 SET

#CAFECOMDEUSPAI

É estranho imaginarmos que Jesus foi levado por Deus para ser tentado pelo Diabo; parece contraditório, não é mesmo? Mas existe uma verdade revelada nisso: se algum dia alguém lhe disse que na vida não haveria situações difíceis, essa pessoa mentiu para você.

Depois de Jesus ter jejuado quarenta dias e quarenta noites, ele sentiu fome, e o tentador aproveitou-se da situação. Mas Jesus dias antes, ao ser batizado, ouviu Deus falar o quanto se agradava dele como filho, e essa verdade bastava, era suficiente.

Eventualmente, sou presenteado, e recentemente recebi um presente que se destacou bastante, dado o seu valor expressivo. Um dia, uma pessoa que de certa forma era próxima, questionou o que eu recebi.

Dias após ter ouvido aquilo, fiquei indagando ao Senhor se eu realmente merecia ter aceitado? E aí uma voz muito clara e audível veio aos meus ouvidos: "Você é filho, lembre-se disso; tenho prazer em abençoá-lo". Naquele dia aprendi que, quando sabemos quem somos em Deus, nada pode nos impedir de vencer.

Vejo que o segredo para não sermos enganados está nos fundamentos fortes da nossa filiação a Deus Pai, que não permite que nada venha obstruir a nossa visão.

Onde você tem depositado sua confiança e sua fé? Entenda que o Inimigo muitas vezes irá enganar você, falando mentiras a seu respeito, levando-o a se diminuir, a ponto de se achar indigno de receber tudo aquilo que Deus Pai quer fazer em você e por seu intermédio. Decida ser filho e acredite nas verdades que o Pai tem para a sua vida.

Você não é o que as pessoas pensam, mas o que Deus diz que é.

@juniorrostirola

DEVOCIONAL
259/366

LEITURA BÍBLICA
PROVÉRBIOS 25

PALAVRA-CHAVE
#FILIAÇÃO

ANOTAÇÕES

SEJA GENEROSO

"Sigam fielmente os termos desta aliança, para que vocês prosperem em tudo o que fizerem."

DEUTERONÔMIO 29.9

16
SET
#CAFECOMDEUSPAI

A generosidade o colocará na abundância, nunca na escassez.

@juniorrostirola

DEVOCIONAL 366
260/366

LEITURA BÍBLICA
SALMOS 112

PALAVRA-CHAVE
#GENEROSIDADE

ANOTAÇÕES

Na vida, é comum almejarmos boas condições financeiras, êxito profissional e qualidade de vida. Contudo, apesar de serem importantes e desejáveis, focar somente nisso não nos aproxima de Deus e do seu propósito. Tão importante quanto isso é termos uma mentalidade próspera segundo o padrão dos céus. Para isso, é necessário observar a vida com as lentes da abundância, não da escassez.

Alguns hábitos e atitudes revelam como está nossa mentalidade; por exemplo: em João 6, a Bíblia traz a história de um menino que, possuindo cinco pães e dois peixes, os entregou a Jesus, o qual os multiplicou e alimentou 5 mil homens, além de mulheres e crianças, e ainda sobraram 12 cestos. O menino poderia ter retido o alimento para si, contudo o entregou e viveu um milagre extraordinário que acabou abençoando milhares ao seu redor. Essa é uma mentalidade abundante, que optou por abençoar outros, ainda que isso pudesse significar não comer. "O generoso prosperará; quem dá alívio aos outros, alívio receberá" (Provérbios 11.25).

Pessoas bem-sucedidas são otimistas e não se incomodam em sair da zona de conforto. Rejeite a mentalidade de escassez e aproprie-se de uma mente vitoriosa. Lembre-se: só há crescimento fora do confortável porque os desafios nos levam além e extraem o melhor de nós.

Tenha uma mentalidade próspera e abundante. Se quer alterar seu destino, comece mudando sua mente. Sucesso no Reino de Deus não tem a ver com a conta bancária cheia ou muitos bens acumulados, e sim com um coração generoso, cheio de fé e confiança de que Deus irá prover em todo o tempo.

QUEM SOMOS?

Ele me perguntou: "Filho do homem, estes ossos poderão tornar a viver?" Eu respondi: "Ó Soberano SENHOR, só tu o sabes".

EZEQUIEL 37.3

17
SET
#CAFECOMDEUSPAI

Se em algum momento você participou de uma entrevista classificatória, seja por uma vaga de emprego, uma bolsa de estudos ou por qualquer outro motivo, certamente precisou responder a respeito de suas características pessoais, e em alguns casos foi necessário, além de qualidades, apontar os pontos fracos. Parece contraditório, mas essa é uma forma de avaliar o senso crítico.

Enxergar com honestidade a nós mesmos e diagnosticar as nossas falhas e imperfeições não é tão simples. Aliás, é uma tarefa que requer de nós muita capacidade de nos autoavaliarmos firmemente. Inclusive, muitos de nós buscamos ofuscar nossas falhas e erros com algumas compensações.

Também somos ferozes em julgar os defeitos e falhas do nosso próximo, enquanto, para nós, queremos misericórdia, julgando que nossa atitude era boa.

Aprendi algo na minha caminhada: por trás de toda pessoa, há uma história e realidade que não conhecemos; só quem está enfrentando a dor sabe o tamanho e a intensidade do desconforto.

Pare por alguns instantes e fique diante do espelho, olhando profundamente dentro de seus olhos, longe de todos os filtros sociais que colocamos para ofuscar e confundir, quando sobra somente o que realmente somos. Parece uma tarefa difícil, em que tendemos a nos esquivar de apontar aquilo em que temos falhado.

Essa dificuldade em reconhecer o que está morto em nós é o que nos mostra a passagem que lemos, pois o povo já havia abandonado toda a esperança e foi preciso que Deus agisse. Portanto, faça este exercício: busque ter um tempo com Deus em oração, e certamente a sua postura e decisão mudarão a sua vida por completo.

Sua oração é uma semente que carrega o DNA dos céus.

@juniorrostirola

DEVOCIONAL
261/366

LEITURA BÍBLICA
SALMOS 113

PALAVRA-CHAVE
#ORAÇÃO

ANOTAÇÕES

CONFIE PLENAMENTE

18
SET

#CAFECOMDEUSPAI

Não andem ansiosos por coisa alguma, mas em tudo, pela oração e súplicas, e com ação de graças, apresentem seus pedidos a Deus.

FILIPENSES 4.6

Você só conseguirá colocar seu mundo exterior em ordem se sua vida interior estiver assim.

@juniorrostirola

DEVOCIONAL 366
262/366

LEITURA BÍBLICA
SALMOS 114

PALAVRA-CHAVE
#DEPENDÊNCIA

ANOTAÇÕES

A preocupação é um sentimento muito poderoso, que tem o poder de abalar a forma como reagimos à vida. Pessoas que estão muito preocupadas com algo acabam tornando-se apáticas e desinteressadas, pois dedicam a maior parte de seus pensamentos a essas inquietações.

No texto que lemos, Paulo deixa claro que não devemos andar ansiosos, mas simplesmente entregar todas as nossas preocupações a Deus, por meio da oração. Sei que para quem está de fora do problema pode parecer fácil falar dessa maneira; entretanto, saiba que, ao escrever essas palavras, Paulo estava preso, aguardando seu julgamento, diante da iminente possibilidade de ser condenado à morte. Ele tinha todos os motivos para estar extremamente angustiado e ansioso, mas, em vez disso, nos dá um grande ensinamento.

Simplesmente entregue suas preocupações a Deus Pai. Saiba que não há nada pequeno ou grande demais para ele. Confie em que, assim como ele proveu para Paulo um coração cheio de paz e tranquilidade, mesmo em meio a circunstâncias extremamente desfavoráveis, ele fará o mesmo com você. Mas, assim como Paulo, devemos fazer isso por meio da oração, crendo que o Pai está cuidando de todas as coisas.

Você tem enfrentado problemas? Lembre-se de que, a todo momento da vida, devemos recorrer à oração, pois é dessa forma que nos relacionamos com aquele que é capaz de todas as coisas. Peça com fé, e Deus Pai o ouvirá e transmitirá a verdadeira paz ao seu coração. Lembre-se de que a oração é a expressão de nossa confiança nas promessas de Deus. Entregue o controle de sua vida a Deus e reconheça a sua completa dependência dele.

SER FILHO É O SUFICIENTE!

Criou Deus o homem à sua imagem, à imagem de Deus o criou; homem e mulher os criou.

GÊNESIS 1.27

19
SET
#CAFECOMDEUSPAI

Deus precisava de alguém para mostrar para o mundo como ele era, do contrário ele seria apenas um conceito. Então, ele criou o homem à sua imagem e semelhança, para se relacionar conosco.

Nós somos um reflexo de Deus; então, da mesma forma que, ao falar mal de um produto, você ofende o fabricante dele, cada ato ofensivo a uma pessoa é também uma ofensa ao Pai. Convém, portanto, refletir que Deus nos criou do pó da terra: algo que parece sujo, finito e sem valor — eis a matéria-prima de que Deus se serviu para produzir um ser que é eterno, reflexo dele: o homem.

Muito tempo depois, de um homem improvável chamado Abraão, Deus cria uma nação. A nação passou muito tempo tentando entender o que nós também passamos muitos anos tentando compreender: a nossa identidade!

É muito importante saber quem você é, porque com essa verdade você passa a operar com base na sua identidade, não com base nas circunstâncias ou nas opiniões alheias.

Como fomos criados para viver de forma relacional, nossa vida só ganha sentido quando o vazio existencial é preenchido. Sempre tive um vazio enorme em meu peito, que eu tentava preencher com a amargura que a falta de um pai causava. Contudo, quando entendi que, ainda que meu pai não tivesse sido o que eu queria e precisava, Deus Pai foi o que eu necessitava.

Quando você sabe quem você é e quem é seu Pai, não aceita nada que não provenha dele, não negocia a sua fé, nem põe limite nas promessas em sua vida, porque tem a certeza de que em Deus Pai tudo se cumprirá.

Quando entendemos os sonhos de Deus para nós, nos tornamos capazes de derrubar muralhas.

@juniorrostirola

DEVOCIONAL
263/366

LEITURA BÍBLICA
PROVÉRBIOS 26

PALAVRA-CHAVE
#LEGITIMIDADE

ANOTAÇÕES

FIDELIDADE QUE TRANSFORMA

20
SET
#CAFECOMDEUSPAI

Isaque formou lavoura naquela terra e no mesmo ano colheu a cem por um, porque o SENHOR o abençoou. O homem enriqueceu, e a sua riqueza continuou a aumentar, até que ficou riquíssimo.

GÊNESIS 26.12,13

Uma vida alinhada com Deus é fundamental para sermos abençoados e bem-sucedidos em tudo.

@juniorrostirola

DEVOCIONAL 366
264/366

LEITURA BÍBLICA
PROVÉRBIOS 27

PALAVRA-CHAVE
#FIEL

ANOTAÇÕES

Prosperidade não tem relação com ser rico, como geralmente se costuma pensar, mas está relacionado a ser bem-sucedido e abençoado em diversas áreas da vida. Uma pessoa pode ter muito dinheiro e não ser próspera. Nos tempos antigos, Deus fez uma promessa a Abraão, e, assim como Deus foi fiel a ele, também foi fiel a seu filho Isaque, bem como às gerações que o sucederam.

Deus prometeu estender a sua bondade até mil gerações daqueles que o amam e agem com fidelidade aos seus mandamentos. Você deseja ser próspero? Tão próspero a ponto de os frutos dessa prosperidade tocarem gerações que estão por vir? A fórmula é simples: Seja fiel a Deus, assim como Abraão e Isaque foram.

Você pode até pensar: "Mas meus pais nunca serviram a Deus nem o conheceram da forma que eu tenho procurado conhecer!". Entendo você, porque eu também passei por isso. Meus pais não conheciam Deus Pai nem se relacionavam com ele, mas, quando eu o recebi em minha vida, passei a viver em intimidade com ele, assim como Abraão viveu, e a partir daí todas as bençãos de Deus se revelaram para a minha família.

Você também pode viver isso! Ser abençoado e abençoar sua família e sua geração. Deus não derramou suas bênçãos somente no passado; ele continua abençoando seus filhos e continuará por todas as próximas gerações daqueles que são fiéis a ele!

Decida impactar e mudar de vez o rumo de sua história e daqueles que virão após você. Escolha ser próspero, ao aceitar Deus como Pai e viver em fidelidade a ele, e assim impactar suas futuras gerações.

PAZ EM MEIO AO CAOS

Quando o viram andando sobre o mar, ficaram aterrorizados e disseram: "É um fantasma!" E gritaram de medo. Mas Jesus imediatamente lhes disse: "Coragem! Sou eu. Não tenham medo!"

MATEUS 14.26,27

21
SET

#CAFECOMDEUSPAI

Viver é verdadeiramente uma aventura cercada de imprevisibilidades, não é mesmo? Mas o fato é que isso nos mostra que somos totalmente incapazes de prever e controlar o mundo ao nosso redor. Não podemos ficar surpresos quando nossos planos precisam ser alterados, dados os imprevistos que surgem.

Muitas vezes, as tempestades e os ventos fortes em nossa vida nos fazem mudar de planos, desanimar e perder a esperança. Na passagem acima, após o barco dos discípulos ser açoitado pelos ventos fortes e sacudido intensamente pelas ondas a ponto de estar prestes a afundar, os discípulos estavam temerosos por sua vida e, ao verem Jesus se aproximar, não o reconheceram, tamanho o desespero que tomou conta do coração deles.

Quantas vezes você perdeu a esperança após passar por circunstâncias contrárias, pensando que não havia mais solução para o seu problema? Talvez tudo ao seu redor possa agora parecer assustador, como uma grande tempestade, e no meio dela você não enxerga Jesus se aproximar de você. Salmos 46.1 diz: "Deus é o nosso refúgio e a nossa fortaleza, auxílio sempre presente na adversidade". Confie nessa promessa; ele estará sempre com você.

O que tem amedrontado o seu coração? *Hoje comemoramos o Dia Internacional da Paz, então neste dia* saiba que o socorro para acalmar sua tempestade já chegou! Talvez o desespero o esteja impedindo de reconhecer Jesus, mas o fato é que ele está com você. Acalme-se, fixe seus olhos nele e em suas promessas, não nas circunstâncias ao redor. A partir daí, ele proverá a paz que seu coração tanto anseia.

Você precisa decidir: ou caminha pela Palavra ou anda conforme os ventos.

@juniorrostirola

DEVOCIONAL
265/366

LEITURA BÍBLICA
PROVÉRBIOS 28

PALAVRA-CHAVE
#ACALMAR

ANOTAÇÕES

FRUTOS DA ESTAÇÃO

22
SET

#CAFECOMDEUSPAI

Veja! O inverno passou; acabaram-se as chuvas e já se foram. Aparecem flores na terra, e chegou o tempo de cantar; já se ouve em nossa terra o arrulhar dos pombos. A figueira produz os primeiros frutos; as vinhas florescem e espalham sua fragrância.

CÂNTICO DOS CÂNTICOS 2.11-13a

Só há colheita satisfatória quando o processo é respeitado.

@juniorrostirola

DEVOCIONAL 366
266/366

LEITURA BÍBLICA
PROVÉRBIOS 29

PALAVRA-CHAVE
#ESTAÇÕES

ANOTAÇÕES

Nessa passagem, podemos ver um relato da mudança de estação, um novo ciclo iniciando-se, novas etapas. Pelas características, observamos que indica uma estação de florescimento e frutificação. Na primavera, por exemplo, vemos animais despertarem, árvores e plantas desenvolvendo-se e novos ciclos de vida se iniciando.

Assim como cada estação da natureza tem suas próprias características, sendo propícias para determinados acontecimentos, o mesmo ocorre em nossa vida. Durante algumas épocas, estamos acomodados, introspectivos. Já em outros momentos, ganhamos novo fôlego, nos alegramos e colocamos em prática novos projetos. Em alguns momentos, é tempo de planejar, cuidar do solo e plantar sementes, para nas próximas estações colher frutos extraordinários.

Algo que aprendi é que as estações precisam ser respeitadas. Quando removemos um fruto da árvore antes da estação adequada, prejudicamos seu amadurecimento. Muitas vezes, estamos vivendo um momento em que Deus quer guardar nosso coração e nos esconder debaixo das suas asas. Existe uma estação de preparo e amadurecimento, antes de viver a plenitude dos sonhos de Deus.

Em qual estação você se encontra? Independentemente do momento que você está vivendo, seja bom, seja ruim, é preciso respeitar o processo das estações. Por mais que você não compreenda e que não tenha planejado passar pelo que está passando, decida confiar toda a sua vida na mão do grande agricultor, pois no final sua colheita será maior do que você imagina. O processo do crescimento dói, mas é necessário, para então se alegrar com os frutos.

ELE TEM PROPÓSITO EM SUA VIDA

Ó SENHOR dos Exércitos, se tu deres atenção à humilhação de tua serva, te lembrares de mim e não te esqueceres de tua serva, mas lhe deres um filho, então eu o dedicarei ao SENHOR por todos os dias de sua vida [...].

1SAMUEL 1.11

23
SET
#CAFECOMDEUSPAI

Por muitos anos, Ana sofreu por sua infertilidade, não podendo ter filhos, enquanto era humilhada e desprezada por Penina, que possuía muitos filhos. Mas Ana orou a Deus por um filho e, como sinal de gratidão, fez um voto com Deus de que, se concebesse, o seu filho viveria sob o voto de nazireu e seria consagrado à vida sacerdotal.

Um nazireu na cultura judaica era alguém que tinha a vida dedicada a servir a Deus, por isso fazia o voto de nunca cortar os cabelos nem a barba, mas também era alguém que vivia em comunhão com Deus por meio de sua prática de vida devocional e serviço ao templo.

Ana desejou ardentemente ter um filho. Quando finalmente sua oração foi atendida, generosamente abriu mão desse filho, entregando-o para viver em consagração a Deus. Isso nos mostra que precisamos ser generosos principalmente no que tange ao que mais damos valor. Pois, assim como Abraão foi recompensado pelo Pai em sua generosidade em oferecer Isaque ao Senhor, Ana também foi recompensada por Deus. Ao dedicar e consagrar ao Pai a vida de seu único filho, ela foi agraciada com a possibilidade de ter muito mais filhos.

Não se apegue ao que você mais estima; se você o tem, é porque o Pai o permitiu. Ele tem um propósito em sua vida. Esse presente não lhe foi dado para ser guardado em um cofre, ou protegido a sete chaves, mas para fazer o bem. A melhor forma de você se mostrar grato ao Pai pelas bênçãos recebidas é expressar generosidade. Seja generoso, e ele multiplicará as bênçãos em sua vida.

A generosidade mostra de fato como está o seu coração.

@juniorrostirola

DEVOCIONAL
267/366

LEITURA BÍBLICA
SALMOS 115

PALAVRA-CHAVE
#GENEROSIDADE

ANOTAÇÕES

O PODER DA RECONCILIAÇÃO

24
SET
#CAFECOMDEUSPAI

"Pois este meu filho estava morto e voltou à vida; estava perdido e foi achado." E começaram a festejar o seu regresso.

LUCAS 15.24

Perdoar não é um sentimento; perdoar é uma decisão.

@juniorrostirola

DEVOCIONAL 366
268/366

LEITURA BÍBLICA
SALMOS 116

PALAVRA-CHAVE
#LIBERTO

ANOTAÇÕES

No texto que lemos, o filho retorna à casa de seu pai após ter decidido pegar sua herança antes do tempo e partir para terras distantes, onde gastou-a com prazeres e ilusões. Ao se ver em uma situação difícil, se arrepende e volta para a casa de seu pai.

Ele retorna na expectativa de ser tratado como um escravo, pois acreditava que seu pai não o perdoaria ou o receberia com amor. Mas o fato é que ele foi recebido com uma linda festa e muitas comemorações. A atitude do pai, que representa Deus nessa parábola contada por Jesus, é de ter exercido o perdão a ponto de constranger aquele filho. Entendo que o perdão é uma expressão de amor e deve fazer parte da nossa vida porque reflete o caráter de Deus Pai.

Quando não perdoamos, passamos a vida com o coração pesado, angustiado e deprimido. O fato é que ele nos leva a novas oportunidades, abre portas para a restauração e novos sonhos. Para trilharmos o caminho da liberdade e da felicidade, é necessário exercer o perdão.

Além disso, quando perdoamos, temos a atitude que Deus espera de nós. Resolva ter uma vida leve, não carregue fardos desnecessários em seu coração, pois assim você prejudicará a você mesmo. Lembre-se: perdoar é uma decisão que pode mudar o rumo da sua vida.

Você precisa perdoar alguém? Decida abandonar esse pesado fardo hoje mesmo, libere perdão e veja-se livre para viver a plenitude do que Deus tem para a sua vida. Não permita que marcas do passado paralisem seu presente e prejudiquem seu futuro.

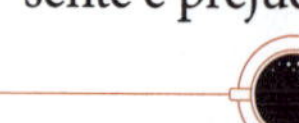

A RECOMPENSA DA PERSEVERANÇA

O SENHOR é a minha força e o meu escudo; nele o meu coração confia, e dele recebo ajuda. Meu coração exulta de alegria, e com o meu cântico lhe darei graças.

SALMOS 28.7

25 SET

#CAFECOMDEUSPAI

Em alguns momentos, oramos a Deus para que nos conceda mais uma chance. Às vezes, desanimados diante das circunstâncias, acabamos pensando em desistir. O fato é que o caminho pode não ser fácil, mas a recompensa da fidelidade e obediência é eterna. Todos passamos por processos, mas nem todos são iguais. Uns têm melhores oportunidades, receberam percepções mais saudáveis e equilibradas a respeito da vida, em famílias bem estruturadas, ao passo que outros não tiveram o mesmo privilégio e foram forjados em meio a diversas dores. Mas Deus Pai é especialista em consertar vidas e corações e alinhá-los com seu propósito.

Não importa como foi o caminho; o que importa é que você chegou até aqui e hoje, com certeza, é uma pessoa melhor e mais madura, porque um Deus perfeito alcançou pessoas imperfeitas como eu e você, pela sua misericórdia e por meio de Jesus. Gosto de dizer que vencedores vencem dores.

Talvez em algum momento você tenha pensado em desistir da sua vida, de sua família ou até de seus sonhos, mas o fato é que em Jesus há restauração. A promessa sobre a sua vida é muito maior do que você imagina. Em Tiago 1.12, está escrito: "Feliz é o homem que persevera na provação, porque depois de aprovado receberá a coroa da vida, que Deus prometeu aos que o amam".

Mantenha-se firme, pois o vento sempre irá soprar mais forte quando você estiver próximo da vitória. Lembre-se de que você é amado por Deus e que o melhor está reservado para aqueles que o amam.

Enquanto a fé acessa a promessa, a obediência concretiza o milagre.

DEVOCIONAL
269/366

LEITURA BÍBLICA
SALMOS 117

PALAVRA-CHAVE
#RESTAURAÇÃO

ANOTAÇÕES

VERDADEIRA PAZ

26
SET
#CAFECOMDEUSPAI

[Jesus disse:] *Deixo a paz a vocês; a minha paz dou a vocês. Não a dou como o mundo a dá. Não se perturbe o seu coração, nem tenham medo.*

JOÃO 14.27

Se a jornada estiver pesada, manter o seu olhar firme em Jesus trará paz.

@juniorrostirola

DEVOCIONAL 366
270/366

LEITURA BÍBLICA
PROVÉRBIOS 30

PALAVRA-CHAVE
#PAZ

ANOTAÇÕES

O mundo nos conduz a um ritmo muito acelerado de viver, não é mesmo? Parece ser tão difícil alcançar paz em nosso coração no dia a dia, porque estamos sempre com a mente agitada, resolvendo problemas e atendendo pessoas.

O fato, porém, é que esse não é o padrão de vida que Deus deseja que tenhamos. Para muitos, a paz é ter uma boa casa para descansar nos finais de semana, ter um relacionamento saudável ou uma conta bancária que traga tranquilidade financeira. De fato, são coisas ótimas, mas essa é a paz que o mundo concede; a que vem do Pai é diferente.

O apóstolo Paulo, em Filipenses 4.7, escreveu: "E a paz de Deus, que excede todo o entendimento, guardará o coração e a mente de vocês em Cristo Jesus". A paz de Deus nos leva a ter tranquilidade e confiança independentemente do que se passa ao redor. É a convicção do cuidado de Deus com a nossa vida. Paulo deixa claro que ela abrange todas as áreas, guardando nossa mente e nosso coração. O fato é que ela não faz parceria com o medo, a angústia, a inquietação, a dor ou a tristeza, ou seja, onde ela está, todos esses sentimentos batem em retirada.

Ainda que seu coração esteja inquieto ou perturbado, entenda que, quando buscamos o Senhor, compreendemos que somente nele podemos encontrar paz e alegria para nossa alma. Talvez até hoje você a tenha procurado no lugar errado, como em pessoas, bens materiais, vida profissional ou fama, mas o fato é que Jesus Cristo é a única fonte da verdadeira paz.

O CUIDADO DE DEUS

Depois de uma marcha de sete dias, já havia acabado a água para os homens e para os animais. Pois assim diz o SENHOR: [...] este vale ficará cheio de água, e vocês, seus rebanhos e seus outros animais beberão.

2REIS 3.9b,17

27
SET
#CAFECOMDEUSPAI

Fé sem expectativa é o mesmo que motor sem combustível!

@juniorrostirola

Para executar qualquer projeto, precisamos de recursos, certo? Mas existem alguns recursos que são primordiais para cada etapa da obra, quer para o início, quer para o meio, quer para o fim da empreitada, e a falta deles inviabiliza todo o projeto.

Hoje quero compartilhar com você a importância de confiar nos recursos de Deus. Esses reis não ficaram passivos diante da dificuldade; pelo contrário, agiram buscando auxílio de Deus por meio do profeta Eliseu. E o Pai operou um grande milagre nesse momento.

Você tem sonhos que foram guardados na gaveta? Quais são os recursos que faltam para você colocá-los em prática? Saiba que primeiro você dá o passo; só depois Deus vem com a provisão.

Quando comecei a namorar com Michelle, logo no início ela me alertou de que não poderia engravidar por causa de um tumor que desenvolveu em virtude de um acidente ocorrido no trajeto de uma excursão. Ouvir aquilo era como se as mesmas vozes sombrias do passado que diziam que eu não teria uma família viessem novamente em minha direção.

No entanto, assim como aqueles reis buscaram o auxílio de Deus, Michelle e eu confiamos em Deus Pai, sabendo que ele teria os recursos necessários para construirmos nossa família. Assim aconteceu, e hoje temos dois lindos filhos biológicos, frutos preciosos do cuidado de Deus para conosco.

Quais sonhos e projetos estão esperando um posicionamento seu? Eu o convido a tirá-los do papel e apresentá-los ao Pai, pois ele cuidará do restante. Não perca as esperanças. Deus está no controle de tudo. Continue agindo como se tudo dependesse de você e orando como se tudo dependesse de Deus.

366 **DEVOCIONAL**
271/366

LEITURA BÍBLICA
PROVÉRBIOS 31

PALAVRA-CHAVE
#PROVISÃO

ANOTAÇÕES

CHAME POR ELE

Ele perguntou: "Por que vocês estão com tanto medo, homens de pequena fé?" Então ele se levantou e repreendeu os ventos e o mar, e fez-se completa bonança.

MATEUS 8.26

28 SET

#CAFECOMDEUSPAI

Com Jesus, não há tempestade que dure para sempre.

@juniorrostirola

DEVOCIONAL 366
272/366

LEITURA BÍBLICA
ECLESIASTES 1

PALAVRA-CHAVE
#BONANÇA

ANOTAÇÕES

Quantas situações e tempos de dificuldades e aflições você já viveu e que pareceram bater à porta como uma visita inesperada e indesejada? Quantas vezes ao longo de sua história você não pensou igual aos discípulos: "Jesus está dormindo, não está me vendo. Estou aqui enfrentando uma tempestade e nada de ele fazer alguma coisa"?

Será que não estamos cansados das dificuldades da vida justamente por acharmos que Jesus não está se importando com aquilo que estamos passando? Mas deixe-me perguntar algo: você está enfrentando essa tempestade porque você escolheu trilhar esse caminho ou porque Jesus mandou você ir nessa direção?

Jesus estava dormindo não porque não se importava, mas por ter a certeza de que aquela tempestade não iria impedir que ele cumprisse a vontade do Pai. Mas há algo ainda mais interessante que podemos aprender: o Senhor só agiu quando foi chamado. Isso significa nossa dependência implica saber onde devemos buscar ajuda. Ele não está apenas nos olhando enfrentar dificuldades e pronto. Ele espera ouvir de mim e de você os anseios do nosso coração.

Com certeza, Jesus sempre soube das dificuldades que enfrentei em minha casa; ele sempre viu a tristeza em meu olhar, as aflições do meu coração, as dores da minha alma e a escassez que enfrentávamos. Ele sempre esteve comigo.

Se você está em meio a uma tempestade, tenha certeza de que Jesus está no barco. Basta chamar por ele e a bonança virá. Seus dias ganharão sentido, e seu coração será preenchido do maior amor que pode existir. Acredite, Jesus está esperando que você o chame.

O MELHOR DA VIDA É AMAR

Amados, visto que Deus assim nos amou, nós também devemos amar uns aos outros.

1JOÃO 4.11

29
SET
#CAFECOMDEUSPAI

Fomos criados para viver em comunidade. Assim, constantemente estamos nos relacionando com as pessoas: seja com amigos, seja com colegas de trabalho, seja com os familiares.

Desta forma, é natural que vez ou outra haja discordância em relação a opiniões, princípios ou métodos, pois cada indivíduo tem suas próprias ideias e características. Isso, contudo, não deve jamais ser motivo de brigas, confusões ou separações.

O fato é que o amor de Deus deve ser o centro de todos os relacionamentos e conexões que temos ao longo da vida. Quando ferimos pessoas com nossas palavras, estamos abrindo brechas para que o mal entre e produza danos.

Quando desentendimentos levam ao afastamento familiar, os danos são ainda maiores. Mas, ao compreendermos a dimensão do amor de Deus e a necessidade de amarmos nosso próximo da mesma forma, toda altivez e orgulho dão lugar a humildade e servidão. Ou seja, passamos a respeitar e amar, mesmo sem concordar.

O amor de Deus não é seletivo, portanto o nosso também não deve ser. A humildade deve ser o centro de todo relacionamento. Desse modo, não devemos nos deixar levar por alguma ambição egoísta, mas ter empatia por aqueles que estão à nossa volta, os considerando superiores, se importando com todos.

Deixe-me perguntar: Você está afastado de algum familiar ou pessoa a quem ama por discordância de opinião? Escolha amar e perdoar hoje mesmo. Você foi chamado para a reconciliação, não para a divisão. Apegue-se a isso e viva plenamente como um multiplicador da paz.

O perdão abre portas para inúmeros bons sentimentos.

@juniorrostirola

366 **DEVOCIONAL**
273/366

LEITURA BÍBLICA
ECLESIASTES 2

PALAVRA-CHAVE
#RECONCILIAÇÃO

ANOTAÇÕES

O QUE O FAZ ACORDAR?

30
SET

#CAFECOMDEUSPAI

Ele fortalece o cansado e dá grande vigor ao que está sem forças. [...] aqueles que esperam no SENHOR renovam as suas forças. Voam alto como águias; correm e não ficam exaustos, andam e não se cansam.

ISAÍAS 40.29-31

Se amarmos profundamente o nosso Senhor, a obediência não nos custará nada.

@juniorrostirola

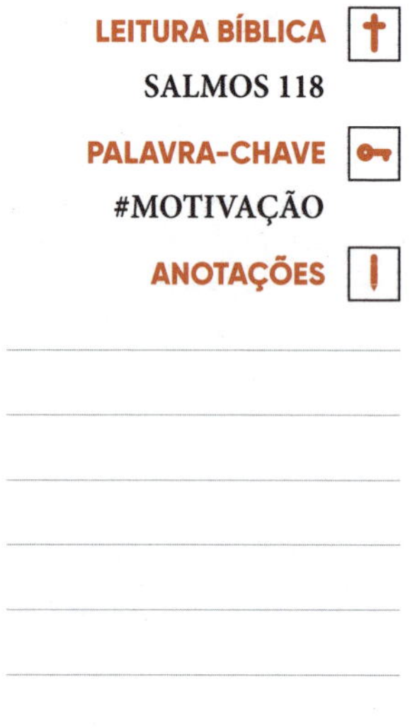

DEVOCIONAL 366
274/366

LEITURA BÍBLICA
SALMOS 118

PALAVRA-CHAVE
#MOTIVAÇÃO

ANOTAÇÕES

Não há nada pior do que começar o dia se sentindo cansado e desmotivado. É muito difícil levantar da cama com todo esse fardo pesado nos ombros. Então, todos os dias, ao acordar, precisamos ter nossa motivação alinhada, centrando nossos pensamentos.

Por isso é tão necessário cuidar daquilo que nos move. O que motiva você a levantar da cama? Seria trabalhar para conquistar um novo bem material? Provar algo para alguém? Ou você está sem rumo? A vida costuma ser corrida, e a cada dia que passa as distrações tentam tomar conta da nossa mente.

O fato é que, quando sua motivação está nas coisas, você facilmente troca Jesus por elas. Em muitos casos, o deixamos de lado e trilhamos nosso próprio caminho, por mera desatenção. Quando isso acontece, nos vemos como descrito acima: cansados, desmotivados e com os ombros pesados.

A boa notícia é que Deus levanta o abatido e renova as forças dos que estão cansados. Para isso, como descrito no versículo que lemos, basta confiar plenamente no Pai. Quando confiamos nele e entregamos nossa vida a ele, passamos a ser guiados pelas motivações dele, pela agenda dos céus! Isso é o que nos dá forças para prosseguir. Como Paulo diz em Gálatas 2.20: "[...] já não sou eu quem vive, mas Cristo vive em mim".

Ao acordar, eu o desafio a mudar suas motivações. Troque a frase "O que vou fazer hoje?" por "O que vamos fazer juntos hoje, Jesus?". Esperar em Deus é confiar plenamente e caminhar pela fé, sabendo que ele o surpreenderá!

TODA VERDADE DITA SEM
AMOR PERDE A RAZÃO.

VIVA NA

DEPENDÊNCIA

DE DEUS E NÃO

DEPENDA DE

MAIS NADA.

@juniorrostirola

OUTUBRO

Assista o vídeo com a palavra
e oração para este mês.

café
com
Deus
pai

DECIDIR É PRECISO

Portanto, se alguém está em Cristo, é nova criação. As coisas antigas já passaram; eis que surgiram coisas novas!

2CORÍNTIOS 5.17

01 OUT

#CAFECOMDEUSPAI

A vida é feita de altos e baixos, não é mesmo? Passamos por momentos bons e ruins. Isso não é segredo para ninguém. O fato é que tudo que acontece em nossa vida acaba nos deixando marcas e lembranças, sejam de aprendizado, alegria ou dor.

Talvez você tenha vontade de voltar ao passado e tomar decisões diferentes, que impactariam de outro modo sua vida hoje, abrindo oportunidades para viver novos começos, mas o fato é que isso não é possível nem necessário. A boa notícia é que você pode viver um recomeço a partir de hoje, independentemente do que tenha ocorrido em seu passado.

No texto que lemos, Paulo traz uma incrível verdade para a nossa vida: quando estamos em Cristo, ele faz novas todas as coisas. Podemos recomeçar, purificar nossas emoções, livrar-nos de todo e qualquer ressentimento e sermos impulsionados para um futuro incrível em Deus. Quando passamos a crer e nos relacionamos com Jesus, ele compara isso a um novo nascimento! Isso abre as portas para um recomeço incrível, novas oportunidades para viver uma vida leve, satisfeita e cheia de paz.

Independentemente do que tenha acontecido com você ou de como esteja o seu coração, é possível em Jesus recomeçar. Ainda que, ao seu modo de ver, tudo esteja perdido, eu o desafio a se permitir uma nova oportunidade, confiando plenamente que nele tudo é possível. A parte dele já foi feita na cruz do Calvário para nos dar nova vida, novas chances e nos permitir recomeços. Agora cabe a você fazer a sua parte. Qual a sua decisão hoje?

O novo o aguarda (se você permitir).

A renovação que você quer está na mudança que você precisa.

@juniorrostirola

DEVOCIONAL
275/366

LEITURA BÍBLICA
SALMOS 119.01-78

PALAVRA-CHAVE
#RECOMEÇO

ANOTAÇÕES

ACABE COM A DOR DO PASSADO

02
OUT
#CAFECOMDEUSPAI

E, enquanto padecia muito, tentando dar à luz, a parteira lhe disse: "Não tenha medo, pois você ainda terá outro menino". Já a ponto de sair-lhe a vida, quando estava morrendo, deu ao filho o nome de Benoni. Mas o pai deu-lhe o nome de Benjamim.

GÊNESIS 35.17,18

Não permita que suas circunstâncias determinem sua identidade.

@juniorrostirola

DEVOCIONAL 366
276/366

LEITURA BÍBLICA
SALMOS 119.79-176

PALAVRA-CHAVE
#IDENTIDADE

ANOTAÇÕES

Benjamim foi o filho mais novo de Jacó e Raquel. As Escrituras não nos dão mais detalhes acerca da vida de Benjamim. Um fato muito marcante foi o seu nascimento, no qual, após muita dor, sua mãe, Raquel, veio a falecer. Antes, porém, de morrer, ela deu ao bebê o nome de Benoni, que significa "filho da minha dor".

Esse nome traria um fardo pesado para aquele menino, pois, cada vez que seu nome fosse pronunciado, viria a ele a culpa e o pesar pela dor e morte de sua mãe. Semelhantemente, muitos de nós nos prendemos a momentos de dor de nosso passado e permitimos que essas lembranças dolorosas passem a fazer parte de nossa identidade.

Talvez você tenha se definido por algum trauma sofrido na infância ou juventude e tudo que você quer é acabar com essa dor. Quantas palavras de maldição, agressões e abandono podem ter assolado você, e toda essa rejeição virou uma ferida.

Quando ouviu o nome que seu filho levaria, Jacó, que também havia recebido um nome que remetia a uma lembrança triste, uma vez que seu nome significava alguém "enganador ou trapaceiro", imediatamente tratou de não permitir que a história se repetisse com seu filho, dando a ele o nome de Benjamim, que significa "filho da minha felicidade".

Da mesma forma, nosso Deus Pai quer restaurar nossa identidade. Ele não quer que tenhamos uma vida vinculada a um passado dolorido. O Pai lhe quer dar uma nova história, um recomeço, tirando de você uma identidade de dor, para dar-lhe uma nova vida de felicidade.

NÃO SE VITIMIZE

Josias tinha oito anos de idade quando começou a reinar, e reinou trinta e um anos em Jerusalém. Ele fez o que o SENHOR aprova e andou nos caminhos de Davi, seu predecessor, sem desviar-se nem para a direita nem para a esquerda.

2CRÔNICAS 34.1,2

03
OUT
#CAFECOMDEUSPAI

Você consegue imaginar uma criança tomando conta de todo um reino? Pois bem, foi justamente isso que aconteceu: Josias tornou-se rei de Israel aos 8 anos, algo inimaginável.

As Escrituras nos mostram em Josias uma sabedoria natural. Ao assumir o trono aos 8 anos após a morte prematura de seu pai, o jovem promove uma grande reforma em Israel, mandando expurgar todas as práticas idólatras e restaurando o verdadeiro culto a Deus.

Você pode pensar: mas o jovem rei teve em seu pai e em seu avô o incentivo necessário. Não é verdade. O pai dele foi morto depois de reinar apenas dois anos; o avô dele reinou cinquenta e cinco anos. Ambos não foram exemplos, pois fizeram o que o Senhor reprova.

Meu pai, meu avô e meu bisavô também não foram exemplos para mim. Todos não tiveram cuidado com a esposa e os filhos. Mas, assim como o jovem Josias, eu também me posicionei para viver uma realidade diferente daquela que presenciei em vez de ficar me vitimizando.

Pode ser que até o dia de hoje você sempre tenha depositado as consequências do que tem vivido em seus pais ou em pessoas que o rodeiam. Enquanto eu fiz isso, nunca rompi em diversas áreas da minha vida. Precisei fazer uma entrega genuína a Deus, tomar um posicionamento para que minha realidade fosse mudada.

Você pode ter a sua realidade mudada hoje, desde que decida se entregar totalmente ao Senhor, reconhecendo que até aqui você sempre buscou culpados em vez de ser o autor de suas próprias escolhas. Há pessoas que dizem estar esperando em Deus. O que eu digo é que ele está esperando por você. Dê um passo de fé e viva o novo de Deus.

Não somos vítimas da vida ou das pessoas, somos autores da nossa história.

@juniorrostirola

DEVOCIONAL
277/366

LEITURA BÍBLICA
ECLESIASTES 3

PALAVRA-CHAVE
#AUTORIDADE

ANOTAÇÕES

A FONTE

Como a corça anseia por águas correntes, a minha alma anseia por ti, ó Deus. A minha alma tem sede de Deus, do Deus vivo.

SALMOS 42.1,2a

04
OUT
#CAFECOMDEUSPAI

Quem tem Deus bebe da água da vida que traz refrigério e paz.

@juniorrostirola

DEVOCIONAL 366
278/366

LEITURA BÍBLICA
ECLESIASTES 4

PALAVRA-CHAVE
#REFRIGÉRIO

ANOTAÇÕES

Você sabia que eu e você fomos criados para ter um relacionamento íntimo e pessoal com Deus? Na correria do dia a dia, talvez você ocupe sua mente com tantas coisas que acaba não atentando para o fato de que já não está se relacionando com Deus Pai.

Nosso corpo naturalmente sente sede como um aviso para ingerirmos água, a fim de que ele funcione corretamente. Se ficarmos dias sem tomar água, ele irá desidratar, prejudicando todo o seu funcionamento. Em casos extremos, pode levar até a morte. O fato é que, o não relacionamento com o Pai, pode levar-nos à morte espiritual.

Quando não estamos em comunhão com Deus, corremos o sério risco de trilharmos nosso próprio caminho, afastando-nos dos planos e sonhos do Pai para nossa vida. Veja que o salmista, ao declarar que sua alma estava abatida, descreve uma realidade pela qual todos nós passamos, momentos em que a nossa vida parece perder a importância, em que os medos e angústias tentam nos sufocar. Isso é algo a que estamos sujeitos o tempo inteiro, mas o salmista também traz alívio quando identifica exatamente qual é a sede que a nossa alma tem. Todos nós tentamos satisfazer a sede de nossa alma de várias formas, mas existe somente uma forma de saciar plenamente a alma.

Decida hoje priorizar o seu tempo com Deus, redefinindo prioridades, para focar no que verdadeiramente importa. Quanto mais intimidade com Deus, mais você provará da vontade dele e desfrutará do sobrenatural. Quem bebe da fonte nunca morrerá de sede.

REAJA COM CORAGEM

O homem respondeu: "Quem o nomeou líder e juiz sobre nós? Quer matar-me como matou o egípcio?" Moisés teve medo e pensou: "Com certeza tudo já foi descoberto!".

ÊXODO 2.14

05
OUT

#CAFECOMDEUSPAI

Quando Moisés estava caminhando em direção à sua identidade, para cumprir o seu chamado, ele precisou lidar com aquilo que de fato estava vivendo, pois sofria uma crise de identidade.

Precisamos nos lembrar de que Deus escolheu Moisés para tirar os israelitas da opressão, mas, por não saber de fato sua identidade, Moisés começa a agir por impulso, fazendo a coisa certa, porém da maneira errada.

No entanto, Moisés não consegue se encaixar em nenhum grupo, sentindo-se egípcio demais para ser hebreu e hebreu demais para ser egípcio. Porque, quando você está em crise, não consegue operar mediante a sua verdadeira identidade, aquela que foi dada pelo seu Criador.

Existem certas fases da nossa vida em que vivemos os traumas ainda da infância, somados às mudanças do mundo à nossa volta, que tendem a nos fazer ser quem não somos.

Quantos pais olham seus filhos e se perguntam: "Onde foi que errei?". Em minha trajetória, quando adolescente, não via ninguém se perguntar, mas eu mesmo indagava: "Onde foi que errei?".

Alguns passam por essa estação da vida sem grandes traumas; outros são tão prejudicados que acham que a vida não tem sentido, que são apenas fruto do acaso.

Saiba que, independentemente da idade que você tem hoje, é possível que existam dores que ainda o impedem de viver sua verdadeira identidade, por isso o desafio a rever os seus caminhos.

Não deixe que o medo o paralise e roube a sua essência em Deus. Reaja com coragem e ousadia. Pois a vida machuca, mas Deus cura.

Não deixe que as dores do passado obstruam os planos de Deus em sua vida.

@juniorrostirola

DEVOCIONAL
279/366

LEITURA BÍBLICA
ECLESIASTES 5

PALAVRA-CHAVE
#REAGIR

ANOTAÇÕES

DIFICULDADES QUE O PROMOVEM

Deus é o nosso refúgio e a nossa fortaleza, auxílio sempre presente na adversidade.

SALMOS 46.1

06
OUT

#CAFECOMDEUSPAI

Uma visão de fé e confiança em Deus paralisa aquilo que está tentando paralisar você.

@juniorrostirola

DEVOCIONAL 366

280/366

LEITURA BÍBLICA

ECLESIASTES 6

PALAVRA-CHAVE

#VENCER

ANOTAÇÕES 

Fé e resiliência caminham juntas, pois ter fé é compreender que muitas vezes o obstáculo é a mola propulsora que nos levará ao nosso destino. Situações difíceis vão chegar para todos nós, momentos ruins e circunstâncias contrárias são inevitáveis, mas o fato é que Deus pode converter tudo isso em grande aprendizado para nossa vida.

Se não fosse o gigante na frente de Davi, ele não teria a oportunidade de se provar um homem segundo o coração de Deus naquele momento. Da mesma forma, o gigante que você está enfrentando pode revelar o grande tesouro que está dentro de você. Entenda que Deus não falha, portanto há motivos para nos alegrarmos independentemente da circunstância que estejamos enfrentando, porque por meio delas podemos revelar a glória de Deus.

Constantemente corremos riscos. Se nos mantivermos trancados dentro do quarto, não nos arriscaremos, mas uma vida na zona de conforto não nos leva a grandes conquistas, não é verdade? Muitas vezes, a falsa paz pode nos afastar do crescimento que Deus quer gerar em nós. Costumo dizer que, se tudo está muito tranquilo e você não tem enfrentado oposição ou dificuldades, talvez haja algo de errado.

Em Deus, as dificuldades e circunstâncias contrárias são como trampolins que o conduzirão a lugares onde você nunca imaginou estar. Saiba que ele vai à sua frente e sempre esteve com você. A partir de hoje, passe pelas lutas sabendo que logo à frente ele o conduzirá a bênçãos ainda maiores.

OUÇA A VOZ

Aquele que pertence a Deus ouve o que Deus diz.

JOÃO 8.47a

07
OUT
#CAFECOMDEUSPAI

Ao ler as histórias da Bíblia, é comum ficarmos impressionados com as experiências que pessoas tiveram com Deus. Moisés, Elias, Jacó e Davi são exemplos de homens que viveram experiências extraordinárias em momentos cruciais de sua vida.

Contudo, muitos de nós imaginam que o que grandes homens e mulheres de Deus viveram e está registrado na Bíblia se restringe apenas àquele tempo. O fato é que o Pai faz o mesmo ainda hoje; ele não mudou e jamais mudará. Deus continua falando e quer falar com você; entenda isso!

Muitas vezes, não compreendemos a vontade de Deus porque as distrações acabam falando mais alto, impedindo-nos de discernir sua voz. Entenda que não é apenas o pecado que nos impede de ouvir, mas também distrações, que são hábitos não necessariamente errados, como o trabalho ou redes sociais que, em excesso, nos afastam do relacionamento com Deus.

Por exemplo, foi por meio de uma orientação que recebi do Espírito Santo que passei a escrever o Café com Deus Pai, mas precisei estar atento a cada direção que ele me deu e tem dado para poder chegar até aqui e ir adiante. Portanto, entenda que Deus ainda fala e quer confiar grandes sonhos e projetos em suas mãos, mas para isso evite as distrações e se relacione com ele.

Para viver experiências extraordinárias, busque um intenso relacionamento com Deus! Faça da Bíblia seu livro favorito e de seu tempo de oração o momento mais aguardado do dia. Ouça tudo aquilo que o Espírito Santo tem a dizer e caminhe em direção ao cumprimento de grandes propósitos que serão realizados por meio de você.

Se os seus ouvidos não escutarem aquilo que Deus está falando, seu caminho nunca será o da vontade dele.

@juniorrostirola

366 **DEVOCIONAL**
281/366

LEITURA BÍBLICA
SALMOS 120 E 121

PALAVRA-CHAVE
#PROXIMIDADE

ANOTAÇÕES

SUPERE OS LIMITES

08
OUT

#CAFECOMDEUSPAI

Não podendo levá-lo até Jesus, por causa da multidão, removeram parte da cobertura do lugar onde Jesus estava e, pela abertura no teto, baixaram a maca em que estava deitado o paralítico.

MARCOS 2.4

A vivência da fé transforma perguntas em respostas e dúvidas em certezas.

@juniorrostirola

DEVOCIONAL 366
282/366

LEITURA BÍBLICA
SALMOS 122

PALAVRA-CHAVE
#OUSADIA

ANOTAÇÕES

Esse homem que foi curado por Jesus estava paralisado em seu corpo físico, mas existem vários tipos de paralisia. E eu o convido a refletir hoje sobre qual a área em sua vida em que você está paralisado?

Talvez não seja no corpo físico, mas na vida sentimental, espiritual, familiar, profissional ou financeira. Você pode estar enfrentando uma paralisia que o impede de desfrutar de uma vida abundante.

Existem muitas pessoas que, ao serem confrontadas com um diagnóstico ruim, ficam paralisadas. É possível que a paralisia enfrentada seja decorrente de uma enfermidade em seu corpo físico que aos olhos humanos pode ser irreversível, e isso arrancou de você a paz, roubando a sua alegria, levando-o a abandonar tudo no meio do caminho.

Tudo que o Senhor deseja é nos conduzir até a promessa, para que venhamos a tomar posse dela. Porém, precisamos aprender que o processo é tão importante quanto a promessa. Porque no processo aprendemos grandes lições para toda a vida.

Tudo que o Inimigo quer é levar você a perder o foco, porque ele não pode lhe roubar a promessa. Então, a estratégia dele é afastar você dela e confundir a visão do que está à sua frente.

Não é que os céus vão se abrir; eles já estão abertos sobre você! Jesus já levou sobre si as nossas dores, pagando antecipadamente pelos nossos pecados, para que possamos de fato viver uma vida abundante e satisfeita nele, mesmo diante de circunstâncias contrárias. Portanto, não fique paralisado pelas adversidades; antes, tenha ousadia e fé para conquistar o impossível e viver uma vida de milagres.

SEJA UM SONHADOR

Disse-lhe Jesus: "Eu sou a ressurreição e a vida. Aquele que crê em mim, ainda que morra, viverá;"

JOÃO 11.25

09
OUT

#CAFECOMDEUSPAI

Existe uma frase que já ouvi muitas vezes diante de algo que não era possível encontrar a resposta: "A única certeza que temos nesta vida é que morreremos um dia."

Este assunto, embora misterioso e doloroso, não é um ponto final para nós, pois podemos encontrar consolo em Jesus. Ele venceu a morte e o mal. E esta é a verdade de Deus para as nossas vidas que deve imperar acima de tudo.

O fato em questão não é morrer literalmente, mas, sim, se hoje estamos vivendo uma vida relevante em Jesus. Entendo que todo mundo morre, mas nem todos de fato vivem. Muitas vezes a morte espiritual se revela pela ausência de sonhos e projetos, pela falta de segurança, medo ou tristeza.

Já a vida em Deus se manifesta através da alegria, da esperança, da satisfação e da certeza de que muito embora a vida possa ter momentos difíceis, em Jesus superamos todas as dificuldades e nele temos a garantia da salvação e a recompensa eterna.

Às vezes passamos por circunstâncias contrárias que acabam nos impedindo de sonhar, em minha vida passei por isso. Mas aprendi a deixar de ser paralisado por traumas do passado e entendi que com Deus posso ir cada vez mais longe, e sonhar com aquilo que aos olhos físicos é impossível. Conto sobre minha história de superação em Deus no meu livro Encontrei um Pai, onde exponho todas as minhas dores do passado e como em Deus consegui vencê-las.

Quais são seus sonhos? Para qual direção você está caminhando? O que tem o impedido de sonhar? Pergunte a Deus Pai para onde ele quer conduzi-lo. Sonhe, estabeleça metas, entregue tudo a ele e viva uma nova vida.

Viver sem fé é murchar diante da vida.

@juniorrostirola

366 **DEVOCIONAL**
283/366

LEITURA BÍBLICA
SALMOS 123

PALAVRA-CHAVE
#SONHAR

ANOTAÇÕES

COMO ESTÁ O SEU CORAÇÃO?

10 OUT

#CAFECOMDEUSPAI

Cada coração conhece a sua própria amargura, e não há quem possa partilhar sua alegria. A casa dos ímpios será destruída, mas a tenda dos justos florescerá.

PROVÉRBIOS 14.10,11

Não são poucas as pessoas que andam feridas na sociedade. É possível ver no rosto de cada uma delas a expressão de dor que as consome. O ressentimento tem paralisado muitas vidas, inclusive eu já vivi essa experiência.

Talvez ler este primeiro parágrafo tenha trazido lembranças que um dia você jurou esquecer.

Na agricultura, existe um tempo certo para plantar e colher, e, se você deixar de colher no tempo certo, pode pôr tudo a perder. Quando estamos com o nosso coração contaminado, ficamos espiritualmente desprovidos de nossos sentidos, por isso podemos deixar passar o tempo de colher os frutos cujas sementes foram plantadas com muita dedicação. Tudo isso por causa de um ressentimento que acaba contaminando toda a colheita.

Deus quer curar você para que você viva o seu propósito e colha bons frutos. Mas, dependendo do estado em que o seu coração estiver, você pode estar impedindo você mesmo de receber uma grande colheita que o Pai tem preparado.

Você pode até sentir toda a dor por causa de uma ferida no coração, mas jamais se ressentir a ponto de ficar magoado. Tudo que você precisa é permitir que seja curado.

Eu o desafio a parar por um instante e avaliar como está o seu coração: alegre, trazendo formosura ao rosto, ou abatido? Saiba que guardar um ressentimento não fará de você um vencedor; no máximo, você pode se tornar alguém amargo e vingativo. Então, livre-se do ressentimento, sinta o amor do Pai em sua vida e tenha grandes colheitas.

Precisamos aprender como agir na vida, em vez de simplesmente reagir a ela.

@juniorrostirola

DEVOCIONAL 366

284/366

LEITURA BÍBLICA

ECLESIASTES 7

PALAVRA-CHAVE

#RESTAURAÇÃO

ANOTAÇÕES

SEJA SINCERO COM DEUS

Por amor do teu nome, SENHOR, perdoa o meu pecado, que é tão grande!

SALMOS 25.11

11
OUT
#CAFECOMDEUSPAI

Quando lemos a Bíblia, vemos que Davi sempre foi um homem que procurava Deus em todos os momentos. Quando algo bom acontecia, ele louvava expressando gratidão; quando pecava, prontamente se aproximava do Pai para pedir perdão e restauração. Davi era um homem temente a Deus. Mas não se engane, temor nesse caso não quer dizer ter medo, mas sim profundo respeito e obediência.

Assim como Davi, quando alcançamos esse nível de relacionamento com o Pai, ele nos leva a lugares inimagináveis, pois nos tornamos alguém dependente dele, a quem ele pode confiar seus maiores propósitos. Entenda que o temor gera frutos; afinal, é impossível estar em Deus e não ser frutífero.

Quando buscamos profundamente Deus, não escondemos nossas falhas; pelo contrário, procuramos ajuda para obtermos cura. Em Provérbios 28.13, a Bíblia diz: "Quem esconde os seus pecados não prospera, mas quem os confessa e os abandona encontra misericórdia".

Uma das minhas atribuições como pastor é aconselhar pessoas e inspirar suas decisões. Constantemente, recebo testemunhos do quanto uma simples conversa foi um divisor de águas na vida de uma pessoa.

Como está o seu relacionamento com Deus Pai? Você tem se aproximado a ponto de estreitar os laços e viver em intimidade com ele? Faça isso e desfrute da misericórdia do Senhor que se renova todas as manhãs sobre a sua vida. Coloque tudo nas mãos dele, seja sincero, e ele será seu porto seguro!

É melhor confessar uma tentação do que confessar um pecado.

@juniorrostirola

DEVOCIONAL
285/366

LEITURA BÍBLICA
ECLESIASTES 8

PALAVRA-CHAVE
#TEMOR

ANOTAÇÕES

ESTÁ EM SUAS MÃOS

12
OUT

#CAFECOMDEUSPAI

Como é feliz quem teme ao SENHOR, quem anda em seus caminhos! [...] seus filhos serão como brotos de oliveira ao redor da sua mesa.

SALMOS 128.1,3

Quando você deixa um legado, as coisas acontecem mesmo que você não esteja mais presente.

@juniorrostirola

DEVOCIONAL 366
286/366

LEITURA BÍBLICA
ECLESIASTES 9

PALAVRA-CHAVE
#LEGADO

ANOTAÇÕES

Vivemos em um tempo em que a prioridade para quem tem filhos é deixar-lhes um legado material, como uma herança, uma boa provisão financeira e uma formação universitária. Entretanto, não planejam transformar o próprio filho no legado.

De nada adianta deixar uma fortuna para o filho sem isso, pois ele não terá maturidade nem responsabilidade, muito menos caráter para fazer bom uso do que você lutou a vida inteira para conquistar.

Mais importante é você dar destino aos seus filhos. Entenda que você está criando e moldando a geração futura.

Eu tenho dois filhos biológicos e me preocupo muito com eles. Cada um deles tem evoluído e desenvolvido à sua maneira. Eu sempre os oriento e acompanho de perto em tudo que será fundamental para eles em sua vida adulta.

Mas também os conforto para não se preocuparem com coisas que não irão edificá-los neste momento, respeitando cada etapa da vida deles.

Os filhos são instrumento de bênção na vida dos pais, mas nós precisamos realmente construí-los. São como uma tela em branco que recebemos de Deus. Está em nossas mãos o pincel que irá definir se no futuro eles serão uma bela obra de arte ou somente um rabisco. Cada pincelada, cada cor que colocamos na vida deles é fundamental para a obra que eles serão no futuro. Se você tem filhos, saiba que hoje você está construindo o amanhã de uma futura geração. Mas, se não os tem, entenda que isto vale para todos os que estão ao nosso redor: o exemplo arrasta para caminhos melhores. Está em suas mãos!

É NO PROCESSO QUE PRODUZIMOS FRUTOS

Os justos florescerão como a palmeira, crescerão como o cedro do Líbano.

SALMOS 92.12

13 OUT

#CAFECOMDEUSPAI

Nesse salmo, vemos como Deus tem os melhores planos a respeito daqueles que são justos, ou seja, aqueles que vivem de acordo com seus princípios. Algo que aprendo com a palmeira é que ela dá fruto mesmo em condições adversas, como no deserto. Muitas vezes, passamos por circunstâncias contrárias, mas mesmo nessa condição devemos frutificar. Entenda que suas circunstâncias não definem você!

Outra característica interessante da palmeira é sua resistência, sendo capaz de enfrentar até furacões. Mas isso tem um motivo: suas raízes são profundas. Trazendo para nossa realidade, à medida que nos aprofundamos no relacionamento com Deus Pai, estamos mais preparados para enfrentar as tempestades da vida e frutificar em meio ao deserto. Mas muitos ficam presos no processo e não progridem, porque constantemente querem que o Senhor desenvolva suas raízes em meio às suas paixões, onde se sentem mais confortáveis.

Já o cedro do Líbano é conhecido pelo fato de seu crescimento exterior ser lento e ele se desenvolver principalmente por baixo da terra. Porém, passado o tempo adequado, se torna uma das maiores, mais fortes e mais bonitas árvores de todo o planeta. Aprendo com isso que na vida precisamos de paciência para respeitar os processos; há um tempo para cada coisa dentro do propósito de Deus.

A partir de hoje, saiba que, além das circunstâncias, há um Deus maior e mais poderoso, que está com você e não o abandona no meio do processo. Tenha fé e persevere, seja um visionário, veja além das tempestades e dificuldades e confie que no deserto Deus o fará prosperar.

Não podemos escolher o que achamos melhor. Precisamos passar pelo processo de desenvolvimento de nossas raízes.

@juniorrostirola

DEVOCIONAL
287/366

LEITURA BÍBLICA
ECLESIASTES 10

PALAVRA-CHAVE
#CRESCIMENTO

ANOTAÇÕES

ELE NÃO O ABANDONOU

"Sejam fortes e corajosos. Não tenham medo nem fiquem apavorados por causa delas, pois o SENHOR, o seu Deus, vai com vocês; nunca os deixará, nunca os abandonará."

DEUTERONÔMIO 31.6

14
OUT
#CAFECOMDEUSPAI

A solidão afasta, mas a presença acolhe.

@juniorrostirola

DEVOCIONAL 366
288/366

LEITURA BÍBLICA
SALMOS 124

PALAVRA-CHAVE
#PRESENÇA

ANOTAÇÕES

Durante a vida, passamos pelos mais diversos tipos de situações. Muitas delas acabam gerando medo em nosso coração.

Por exemplo, quando criança, dada a gravidade das brigas entre meus pais, diversas vezes viaturas policiais iam até minha casa para intervir no conflito. Isso fez que eu tivesse muito medo da polícia por alguns anos. Foram tempos difíceis na minha vida. Mas, quando conheci Deus e me apeguei às suas palavras a meu respeito, como no versículo que lemos, passei a entender que nunca estive sozinho e não deveria ter medo, porque ele estaria comigo.

A certeza de que jamais estaremos sozinhos, independentemente do que estivermos vivendo ou do tamanho de nosso problema, faz que toda a perspectiva de vida mude.

Hoje as pessoas sentem-se sozinhas pelo fato de o mundo ter se tornado tão digital, contribuindo ainda mais com a sensação de isolamento, o que tem agravado diversos problemas, como a ansiedade e a depressão. Se você não sofre de algum deles, é provável que conviva com alguém que os possua, e isso é muito sério. Muitas vezes, tudo o que as pessoas precisam é de alguém para ouvi-las. Mas, pelo corre-corre da rotina, não costumamos ser bons ouvintes.

Saiba que, quando estamos firmados nas promessas do Pai, a solidão deixa de ser parte da nossa vida. Em cada momento ou batalha, ele está com você, bastando reconhecer e entender que o tempo do seu processo não será maior do que a promessa de Deus em sua vida. Deposite toda a sua confiança em Deus Pai e esteja certo de que ele nunca o deixará!

RUMO AO EXTRAORDINÁRIO

Eu o instruirei e o ensinarei no caminho que você deve seguir; eu o aconselharei e cuidarei de você.

SALMOS 32.8

15 OUT

#CAFECOMDEUSPAI

Desde que nascemos, colecionamos pequenas vitórias em nossa vida. Nosso primeiro passo quando bebês, a primeira nota 10 na escola, o primeiro emprego fazem parte de uma coleção de medalhas e troféus em nosso interior. Mas, por trás de cada vitória, houve tombos, erros, derrotas e vezes em que não fomos bem-sucedidos e que até mesmo saímos feridos.

A verdade é que a vida não se trata apenas de vitórias, não é mesmo? Muitas vezes, não sairemos vencedores, contudo podemos aprender e crescer através dessas situações. Nossas decisões e caminhos influenciarão diretamente nos resultados que iremos obter, se nos conduzirão a vitórias ou a constantes derrotas. O versículo que lemos traz-nos uma promessa da parte de Deus. Ele, além de cuidar de nossa vida, nos instrui e ensina durante o caminho. O Pai é o professor mais perfeito, pois ele aconselha seus filhos, dá direção e se importa com cada detalhe.

Isso quer dizer que você pode consultá-lo e seguir sua vida de acordo com os apontamentos dele. Isso não é incrível? Pela Bíblia, Deus fala conosco todo o tempo. Nela você encontrará muitas respostas, aliado a uma vida de oração. Seu coração naturalmente passa a se inclinar para as coisas de Deus, e suas decisões passam a ser pautadas pela direção que ele aponta. Isso é ser dirigido pelo Espírito Santo!

Você quer ser conduzido a grandes vitórias? Ouça a instrução que Deus Pai prometeu dar a você! Ele está perto e quer se relacionar com você e guiar seus passos. Apenas creia e aproxime-se cada vez mais dele. O pai o espera para uma jornada rumo ao extraordinário!

Agradecemos a todos os professores por seu compromisso e dedicação em moldar e inspirar vidas.

Que Deus continue a abençoá-lo com sabedoria e amor, capacitando-o a deixar um legado extraordinário para as futuras gerações. Seu valor é inestimável e sua paixão pela educação é um exemplo a ser seguido. Parabéns por seu importante trabalho!

@juniorrostirola

366 **DEVOCIONAL**
289/366

LEITURA BÍBLICA
SALMOS 125

PALAVRA-CHAVE
#DIREÇÃO

Somente o Espírito Santo pode realizar as transformações necessárias em nossa vida.

SEJA FILHO

16
OUT
#CAFECOMDEUSPAI

Muitos são os planos no coração do homem, mas o que prevalece é o propósito do SENHOR.
PROVÉRBIOS 19.21

Quem tem o Pai tem tudo!

@juniorrostirola

DEVOCIONAL 366
290/366

LEITURA BÍBLICA
SALMOS 126

PALAVRA-CHAVE
#FILIAÇÃO

ANOTAÇÕES

Salomão, ao escrever esse provérbio, teve a sabedoria de revelar algo formidável para os nossos dias, pois o texto revela algo sobre submissão, sobre estar debaixo do governo de Deus.

Não há nada de errado em sonhar, imaginar, projetar e planejar coisas melhores para o nosso futuro. No entanto, se Deus não estiver presente, tudo isso não terá valor algum na caminhada e no legado que achamos estar deixando.

Eu considero que os sonhos são a oportunidade que Deus concede a nós para vivermos de maneira alinhada ao coração dele, e para isso nossa vida precisa estar edificada, fundamentada em sua Palavra, ou seja, as verdades contidas nas Escrituras são fundamentais para que essa realidade seja presente.

A partir do momento em que você começa a sonhar é que Deus começa a gerar todos os preparativos e circunstâncias, que servirão para colocar você exatamente nos trilhos em direção ao seu sonho.

Muitas pessoas na Bíblia foram direcionadas por um sonho dado por Deus e, como consequência, foram além de suas próprias expectativas, venceram grandes desafios e foram capazes de feitos improváveis. Além disso, todas ao longo do caminho enfrentaram circunstâncias contrárias. Por isso, entenda que todo esse processo difícil pelo qual você tem passado é necessário para caminhar em direção à promessa. É preciso ter fé para reconhecer que é através desses momentos difíceis que Deus irá nos fazer ir mais longe.

Portanto, alinhe o seu coração com o de Deus Pai. Sucesso não é algo a ser alcançado, mas um estado de ser. É quando você reconhece seu lugar de filho e entende que tudo que o Pai tem é seu. Ele tem os melhores sonhos para você!

NÃO SEJA PARALISADO PELA DOR

Portanto, humilhem-se debaixo da poderosa mão de Deus, para que ele os exalte no tempo devido.

1PEDRO 5.6

17
OUT

#CAFECOMDEUSPAI

Muitas vezes, nós, cristãos, somos conhecidos por levar a fama de sermos ex-alguma coisa: ex-alcoólatra, ex-viciado, ex-perdido, mostrando que muitos de nós temos um passado do qual não podemos nos orgulhar. Mas, ao sermos apontados com um adjetivo com o prefixo ex, isso indica que tal condição foi superada e faz parte do passado, sendo uma página virada em nossa vida.

Entenda que você não precisa mudar para ir a Jesus; quando você vai até ele, tudo muda. Tudo que você precisa é abrir o seu coração, e a mudança de vida ocorrerá sem que você perceba. Mas, para isso, é preciso acreditar e entregar-se a Deus incondicionalmente, sem reservas.

Muitas vezes, resistimos e nos fechamos, sem admitir que temos problemas, ou, movidos pelo orgulho, tentamos resolver tudo com as nossas próprias forças.

Compartilhe com Deus Pai tudo que lhe tem causado dor, ponha diante dele todo o seu sofrimento. Deus é um Pai piedoso que se compadece dos que têm um coração quebrantado e ele quer recebê-lo em seus braços e tratar das suas feridas.

A dor que você sente hoje será amanhã o seu maior testemunho! Aquilo que lhe trazia vergonha será amanhã motivo de orgulho para você. Pois em Cristo tudo isso passará, e você poderá, com sua história de vida, provar ao mundo que Deus em nossa vida faz toda a diferença. Deus o exaltará e curará todas as suas feridas, fazendo que as cicatrizes sejam somente lembranças do que você conseguiu vencer ao ser guiado pela poderosa mão do Pai.

Sua maior dor hoje será seu maior testemunho amanhã.

@juniorrostirola

366 **DEVOCIONAL**
291/366

LEITURA BÍBLICA
ECLESIASTES 11

PALAVRA-CHAVE
#GRAÇA

ANOTAÇÕES

UMA NOVA OPORTUNIDADE

18
OUT

#CAFECOMDEUSPAI

Ele respondeu: "Aquele que semeou a boa semente é o Filho do homem. O campo é o mundo, e a boa semente são os filhos do Reino. O joio são os filhos do Maligno".

MATEUS 13.37,38

As conveniências deste mundo não são convenientes para a vida que Deus tem para você!

@juniorrostirola

DEVOCIONAL 366

292/366

LEITURA BÍBLICA

ECLESIASTES 12

PALAVRA-CHAVE

#ARREPENDIMENTO

ANOTAÇÕES

Ao dizer isso, Jesus comunica que nós estamos sujeitos às más influências da sociedade, a qual de toda forma tentará corromper nossa verdadeira identidade, afastando-nos do nosso Criador.

Somos lançados como sementes com o DNA do extraordinário, mas, quando nos distraímos e não prestamos atenção ao que estamos consumindo, seja nas redes sociais, seja na televisão, seja em rodas de amigos, corremos o sério risco de termos nossa identidade e nosso propósito distorcidos.

Talvez em algum momento você tenha dado abertura e permitiu que coisas ruins entrassem em sua vida. Jesus as compara com o joio, que cresce junto ao trigo, mas o faz adoecer, porque é carregado de fungos.

Quando isso acontece, nos sentimos perdidos, com a alma adoecida. Perdemos de vista nosso propósito, esquecemos quem somos e nos sujeitamos a coisas contrárias à Palavra de Deus.

A boa notícia é que, quando voltamos nossos olhos para Deus Pai, temos acesso à cura e à restauração completa. Tudo o que foi quebrado pode ser reconstruído; basta sermos intencionais em nossa aproximação com ele.

Não importa o que você tenha passado, ou quão adoecido esteja o seu coração pelas circunstâncias, quando fixamos nossos olhos em Jesus, tudo se faz novo. Não somos chamados pelos nossos erros ou pecados, e sim de filhos.

Hoje Deus Pai nos dá uma nova oportunidade para nele nos arrependermos e nos voltarmos para aquilo que é mais importante, sua presença em nossa vida. Afaste-se do que não convém e prepare-se para uma vida nova.

ELE CUIDA DE TUDO

Respondeu Jesus: "Eles não precisam ir. Deem-lhes vocês algo para comer". Eles lhe disseram: "Tudo o que temos aqui são cinco pães e dois peixes". "Tragam-nos aqui para mim", disse ele.

MATEUS 14.16-18

19
OUT
#CAFECOMDEUSPAI

Quando caminhamos com Jesus, precisamos entender que ele transforma todas as impossibilidades em possibilidades. Muitas vezes, o que temos em mãos pode parecer insuficiente, mas, quando vivemos com fé, a conta sempre fecha.

Além dos milagres e feitos extraordinários, também percebemos que Jesus se preocupa em suprir todas as nossas necessidades. Ele age de maneira maravilhosa, alimentando-nos de forma completa — espírito, alma e corpo. O fato é que Deus nos criou para sermos prósperos, e isso não quer dizer que teremos muito dinheiro, mas que não teremos falta de nada — isso, sim, é prosperidade.

Você consegue imaginar que o homem que realizou tantos feitos e milagres, o próprio Deus em forma humana, prometeu caminhar comigo e com você até o fim dos tempos? Não sei em relação a você, mas isso me empolga muito!

O amor que ele apresentou pela multidão foi tamanho que demonstrou preocupação em alimentá-la de todas as formas. Algo que me chama a atenção é que as pessoas o seguiam por quilômetros, a fim de ouvir suas palavras, tão poderosa era a mensagem de salvação pregada por Jesus.

Quando aceitei Jesus como meu Salvador, logo minha família também o fez, e progressivamente tudo passou a mudar em nossa vida. Desde então, posso parafrasear Salmos 126.3, que diz: Sim, coisas grandiosas fez o Senhor por nós, por isso estamos alegres.

Em Jesus, você encontra solução para todas as áreas da sua vida. Tudo que ele precisa é que você deposite total confiança nele. O que tem faltado a você hoje? Permita que o Senhor aja em sua vida e seja suprido no corpo, na alma e no espírito. Ele o surpreenderá!

Entregue o seu tudo e tenha o tudo de Deus.

@juniorrostirola

366 **DEVOCIONAL**
293/366

LEITURA BÍBLICA
GÊNESIS 1

PALAVRA-CHAVE
#PROVISÃO

ANOTAÇÕES

ELE NOS AMA

20
OUT

#CAFECOMDEUSPAI

"Assim como o SENHOR esteve com o rei, meu senhor, também esteja ele com Salomão para que ele tenha um reinado ainda mais glorioso que o reinado de meu senhor, o rei Davi!"

1REIS 1.37

Nada fará Deus te amar menos, mas é preciso arrependimento.

@juniorrostirola

DEVOCIONAL 366
294/366

LEITURA BÍBLICA
GÊNESIS 2

PALAVRA-CHAVE
#PERDOADO

ANOTAÇÕES

Na história do povo de Israel, muitos reis passaram e lideraram o povo de Deus. Muitos foram aprovados, mas também muitos reprovados.

Podemos observar, dentre os reis que foram aprovados por Deus, Davi, que reinou durante quarenta anos e foi chamado de homem segundo o coração de Deus; o rei Asa, que ficou marcado por combater a idolatria, renovando o pacto com Deus; o rei Josias, que reinou trinta e um anos, iniciando o seu reinado aos 8 anos de idade, sendo o responsável por reparar o templo, conectar todo o povo com Deus e trazê-lo a uma vida de unidade.

Todos esses reis, em algum momento de sua vida falharam, mas o que podemos aprender com eles é o fato de que, apesar de terem falhado, mantiveram-se de pé com fé inabalável. Isso quer dizer que, mesmo fracassando em algum momento, eles não perderam o propósito e mantiveram um relacionamento com Deus.

Esteja ciente de que, apesar de todos os nossos esforços, um dia todos nós falharemos. Assim como esses reis do passado eram imperfeitos, também nós o somos. Para todo caos, Deus tem uma ordem; para toda desordem, Deus Pai tem uma estrutura; para todo pecador arrependido, Deus tem o perdão. Então, independentemente das suas falhas e dos seus erros, entenda que não há nada de errado que você fez na vida que vai fazer o Pai amá-lo menos; o fato é que ele o ama. Tudo que você precisa é se arrepender e manter seu coração alinhado com o dele. Assim você viverá o propósito que ele tem para a sua vida.

ELE O DIRECIONA

Por isso, tenham o cuidado de fazer tudo como o SENHOR, o seu Deus, ordenou a vocês; não se desviem, nem para a direita, nem para a esquerda.

DEUTERONÔMIO 5.32

21
OUT
#CAFECOMDEUSPAI

Na vida, à medida que prosseguimos, deparamos com diversas decisões a serem tomadas, não é verdade? Cada uma nos levará a um lugar diferente. Mas o fato é que, antes de tomar decisões, devemos compreender para onde Deus quer nos levar. Muitas vezes, andamos por caminhos desconhecidos e não temos certeza de qual direção é a correta.

O versículo que lemos demonstra todo o cuidado de Deus com a nossa vida. Ele nos diz qual caminho devemos trilhar para que possamos viver seus planos e sonhos. Isso revela que cada decisão que tomamos, por menor que possa parecer, tem toda a relevância, pois nos conduzirá à vontade de Deus ou na direção oposta a ela.

Você já se perdeu enquanto dirigia e, por estar em um lugar onde não havia sinal de internet, também não era possível usar o GPS? Você se sente inseguro, não sabendo se está na direção certa até o sinal voltar. Só então você respira aliviado e volta a ter tranquilidade, pois sabe para onde está indo.

Deus Pai nos deixou o Espírito Santo para guiar os nossos passos. É por meio dele que podemos compreender quais decisões tomar e para onde ir, porque ele fala conosco e guia nossa vida em direção à vontade de Deus.

Quando negligenciamos o Espírito Santo, corremos o sério risco de irmos na direção errada e nos depararmos com grandes dificuldades. Entenda que Deus Pai quer guiar seus passos e levá-lo a lugares extraordinários. Talvez até então você não tenha dado a devida importância a ele, mas a partir de hoje esteja atento para ouvir a voz do Espírito Santo, que é a bússola que aponta para a vontade de Deus.

Pior que não conhecer o caminho, é conhecê-lo e não trilhá-lo.

@juniorrostirola

DEVOCIONAL
295/366

LEITURA BÍBLICA
SALMOS 127

PALAVRA-CHAVE
#DIRECIONAMENTO

ANOTAÇÕES

DESFRUTE DA PRESENÇA DE JESUS

22
OUT

#CAFECOMDEUSPAI

Marta [...] perguntou: "Senhor, não te importas que minha irmã tenha me deixado sozinha com o serviço? Dize-lhe que me ajude!" Respondeu o Senhor: "Marta! Marta! Você está preocupada e inquieta com muitas coisas".

LUCAS 10.40,41

Quando temos tempo com Jesus, ele tem vida para nós.

@juniorrostirola

Quando Jesus estava na casa de Lázaro e de suas irmãs, Marta e Maria, estas o recepcionaram de formas distintas. Enquanto Maria ficou sentada aos pés de Jesus, admirando sua sabedoria e aprendendo acerca do Reino de Deus, Marta concentrou sua atenção nos afazeres domésticos para agradar o seu convidado. Jesus repreende a inquietação de Marta porque, apesar de ela ter boas intenções, não era aquilo que ele desejava.

Muitas vezes, trabalhamos demais e acabamos sobrecarregados, priorizando questões materiais e físicas. Subitamente, percebemos que estamos deixando Jesus de lado. Trabalho, esforços e dedicação são importantes e fazem parte da construção da vida de qualquer pessoa, mas convém tomar cuidado para não deixarmos Jesus com as sobras do nosso tempo.

Marta queria provar o seu amor a Jesus por meio do seu serviço, mas, com base nessa passagem, percebemos que, por maior que seja o nosso empenho, talvez estejamos dedicando esforço em algo que não é da vontade dele. Ele deseja que sejamos como Maria, que venhamos a sentar diante dele para ouvi-lo e conhecê-lo mais intimamente — essa é a grande prioridade!

Como você tem dedicado seu tempo? Não se deixe distrair pelos tantos afazeres da vida. Redefina suas prioridades para despender mais tempo aos pés de Jesus, em oração, fazendo seu devocional e lendo sua Palavra, pois, quando nos aproximamos dele, abrimos as portas para uma vida ainda mais abundante e extraordinária.

DEVOCIONAL 

296/366

SALMOS 128

#TEMPO

ANOTAÇÕES

ACREDITE MESMO SEM VER

Ora, a fé é a certeza daquilo que esperamos e a prova das coisas que não vemos.

HEBREUS 11.1

23
OUT
#CAFECOMDEUSPAI

Você sabia que é possível ativar a sua fé? Não estou falando de algo como um botão que ao ser pressionado muda toda a atmosfera. Mas é preciso entender que não existe como viver tudo aquilo que Deus quer que você viva se você não tiver fé e confiar.

A nossa vida basicamente é o resultado daquilo que nós cremos. Então, é fundamental saber que é preciso ter fé e se entregar totalmente ao Pai.

Aquilo que seus olhos físicos não conseguem enxergar, seus olhos espirituais veem. Então, se a fé é a certeza daquilo que esperamos e a prova das coisas que não vemos, entenda que, quando você confia piamente no Pai, seus olhos se abrem para você alcançar a promessa.

Ter fé é saber que Deus está no controle mesmo quando as circunstâncias dizem não, é ter certeza de que haverá um dia ensolarado mesmo quando acima de você houver nuvens escuras.

Vivemos um cenário difícil em vários sentidos. O mundo passa por crises, mas isso não pode tirar a nossa paz. Assim como em Samaria, quando a cidade estava cercada por inimigos e com uma escassez de comida sem igual, houve um profeta que declarou uma palavra vinda do céu de que tudo aquilo passaria. E no dia seguinte o milagre aconteceu.

Seja profeta em meio ao caos, pois pessoas para darem um parecer desesperador já existem aos montes. Tenha fé e veja através da crise o mover de Deus e todas as bênçãos que ele pode derramar. Acredite mesmo sem ver, pois hoje ainda ele pode surpreender você com algo novo.

A sua obediência pode te colocar em lugares que a sua fé ainda não chegou!

@juniorrostirola

DEVOCIONAL
297/366

LEITURA BÍBLICA
SALMOS 129

PALAVRA-CHAVE
#CONFIAR

ANOTAÇÕES

SEUS ERROS NÃO O DEFINEM

24
OUT

#CAFECOMDEUSPAI

Então Jesus pôs-se em pé e perguntou-lhe: "Mulher, onde estão eles? Ninguém a condenou?" "Ninguém, Senhor", disse ela. Declarou Jesus: "Eu também não a condeno. Agora vá e abandone sua vida de pecado".

JOÃO 8.10,11

Não somos capazes de perdoar como Jesus perdoou sem que ele mesmo esteja em nós.

@juniorrostirola

DEVOCIONAL 366
298/366

LEITURA BÍBLICA
GÊNESIS 3

PALAVRA-CHAVE
#PERDOADOS

ANOTAÇÕES

Muitas vezes, as pessoas andam com diversas pedras nos bolsos, seja no trabalho, seja nas redes sociais, seja em qualquer outro lugar. Na passagem que lemos, uma mulher foi flagrada em adultério e exposta publicamente. A multidão a condena e então se prepara para iniciar o apedrejamento dela, o que a levaria à morte.

Enquanto todos apontavam para o erro da mulher, Jesus intervém e faz com que todos que estavam ali refletissem profundamente e percebessem que também não estavam isentos de erros. Jesus disse que aquele que não tivesse pecado deveria atirar a primeira pedra. Todos, então, viraram as costas e foram embora. O fato é que Cristo era o único ali sem pecado. Ele poderia ter condenado a mulher e atirado pedras nela, mas escolheu amá-la. Tamanho foi o seu amor que chega a nos constranger! Então, ele a perdoou, a instruiu a se arrepender, abandonar sua vida de pecado, e a impulsionou para um novo tempo.

Todos nós acabamos cometendo erros, e muitas vezes eles prejudicam nossas emoções, nos mantêm presos e machucados. O sentimento de culpa não dá descanso à sua alma e faz que você se sinta a pior pessoa do mundo.

Ainda que pessoas tenham apontado o dedo para você em julgamento, a partir de hoje entenda que Jesus não te condena. Ele acolhe, perdoa e conduz a uma nova vida, desde que sigamos sua instrução de abandonar o pecado e passar a obedecê-lo. Sua graça e amor nos capacitam a não incorrermos no erro novamente.

Não se prenda a seus erros, mas fixe os olhos no amor e no perdão de Jesus, e seja conduzido a uma nova vida, completamente restaurada e livre de qualquer condenação.

ESPERANÇA EM MEIO A CRISE

Se agir assim, certamente haverá bom futuro para você, e a sua esperança não falhará.

PROVÉRBIOS 23.18

25 OUT

#CAFECOMDEUSPAI

É inevitável que as crises venham em nossa vida, mas você precisa saber que, apesar de difícil, não é o fim; existe vida após a crise. O evangelho de Jesus significa exatamente essa boa notícia dos céus para nós.

Você está passando por um momento ruim? Se sua resposta for sim, tenha esperança para recomeçar. Saiba que, além de uma nova vida em Jesus, ele tem uma nova realidade para você. Tenha coragem. Ele irá fortalecê-lo, porque jamais abandona aqueles que o amam.

Entenda que o único crescimento que não é uma decisão é o físico. O restante necessita do nosso posicionamento! Por isso, para crescer em meio às crises, guarde seu coração de maus sentimentos, apegue-se à Palavra de Deus e continue se posicionando.

O apóstolo Paulo é um exemplo de perseverança, porque escolheu não parar diante de tantas dificuldades que enfrentou em sua vida. Sofreu injustiças, perseguições, perigos e traições, mas nada disso o abalou.

Seu fracasso não é definido pelas derrotas, mas sim por desistir da caminhada. Não desista; apenas use as circunstâncias contrárias como um trampolim para alcançar novos níveis.

Nos momentos de crise, precisamos estar firmes, e Deus sempre nos oferece uma forma de recomeçar. É necessário acreditar e descansar nele. Você pode até não entender a razão da crise afligi-lo, mas no futuro entenderá, porque Deus está moldando o seu caráter e aperfeiçoando sua fé. A escolha é sua: qual decisão tomará? A partir de hoje, decida crescer em meio à crise, sabendo que em todo o momento Deus está com você, e ele jamais o abandonará!

O olhar da esperança enxerga o impossível como uma oportunidade.

@juniorrostirola

DEVOCIONAL
299/366

LEITURA BÍBLICA
GÊNESIS 4

PALAVRA-CHAVE
#CRESCIMENTO

ANOTAÇÕES

ESTÁ NAS TUAS MÃOS, SENHOR

26
OUT
#CAFECOMDEUSPAI

Ele me perguntou: "Filho do homem, estes ossos poderão tornar a viver?" Eu respondi: "Ó Soberano SENHOR, só tu o sabes". Então ele me disse: "Profetize a estes ossos e diga-lhes: Ossos secos, ouçam a palavra do SENHOR!"

EZEQUIEL 37.3,4

Você é aquilo que você acredita.

@juniorrostirola

DEVOCIONAL 366
300/366

LEITURA BÍBLICA
GÊNESIS 5

PALAVRA-CHAVE
#PROFETIZE

ANOTAÇÕES

Deus deu essa visão a Ezequiel. Os ossos secos representavam todo o povo de Israel, que naquele período sofria grande opressão, exilado de sua terra na Babilônia. Jerusalém estava destruída, e tudo que Deus queria era agir em favor do povo judeu, pois para eles, com sonhos despedaçados, não havia mais esperança.

Você provavelmente planejou tantas coisas para este ano, tendo iniciado o ano sob a palavra de que este seria o melhor ano de sua vida. De repente você se encontra em meio a uma série de fatores externos, os quais lhe era impossível prever, e tudo isso fez seu horizonte ficar nebuloso.

Não se pode viver assombrado pela sombra de um futuro incerto. Isso deixa atrás de você um rastro de destruição e frustração. Não assuma para si esse padrão de vida e de pensamento opressivo, derrotista, fatalista e pragmático. Não se deixe levar pela forte correnteza das circunstâncias contrárias, mas seja profeta em meio ao caos, navegue contra essa forte maré, desbrave os mares onde muitos desistiram ou naufragaram, e tenha coragem e fé para alcançar tudo que Deus tem para você.

Assim como Deus prometeu a Ezequiel, hoje ele lhe garante que, se você tiver fé, ele pode trazer à existência o que não existe e mudar completamente esse cenário. O momento pode até ser de desesperança, de sonhos frustrados, mas não podemos nos prender às circunstâncias; antes, confiar e entregar tudo nas mãos daquele que tem todo o poder no céu e na terra.

NÃO SE DEIXE PARALISAR

Então eu lhes disse: Vejam a situação terrível em que estamos: Jerusalém está em ruínas, e suas portas foram destruídas pelo fogo. Venham, vamos reconstruir os muros de Jerusalém, para que não fiquemos mais nesta situação humilhante.

NEEMIAS 2.17

27
OUT

#CAFECOMDEUSPAI

Neemias disse o óbvio diante do cenário que se apresentava em Jerusalém: caótico e desolador, sem esperança, uma verdadeira tragédia. Quando estamos diante de uma situação assim, nossa esperança some, os sonhos evaporam-se, os dias parecem mais longos, a noite escura parece não ter fim, e resta apenas a solidão como companheira mais íntima.

Você já se sentiu assim? Sem esperança, sozinho, perdido em meio ao caos, angustiado pelos desafios sem fim ou incrédulo de que alguma mudança pudesse surgir?

Neemias não ignorou o que estava diante dele, mas teve uma atitude diferente de todos aqueles outros que lá estavam. Certamente, sozinho ele não conseguiria nada, mas, quando os chamou, dizendo: "Venham, vamos reconstruir os muros de Jerusalém", veja que ele encontrou um motivo para encorajar os demais naquele dia.

Seja intencional em suas ações. O que você pode fazer diferente para experimentar algo novo? Talvez tudo que você precise neste momento é justamente isto: fazer uma pausa e avaliar toda a situação. Rever tudo o que está à sua volta possibilitará fazer um diagnóstico de todo o cenário e, então, apontar soluções.

Não espere para amanhã; seu futuro começa hoje, e o primeiro passo é avaliar sua vida, para que então você tenha as estratégias necessárias para um recomeço.

Hoje o Pai diz a você: Vamos, levante-se, não fique preso no passado! É bem verdade que o passado não pode ser mudado, mas os seus dias futuros podem. Por isso avance, não desista, pois eu estou com você!

Você nunca começará nada se ficar observando as circunstâncias contrárias.

@juniorrostirola

DEVOCIONAL
301/366

LEITURA BÍBLICA
GÊNESIS 6

PALAVRA-CHAVE
#AVANÇAR

ANOTAÇÕES

A VIVA ESPERANÇA

28
OUT
#CAFECOMDEUSPAI

Por que estás abatida, ó minha alma? Por que te perturbas dentro de mim? Espera em Deus, pois ainda o louvarei, a ele, meu auxílio e Deus meu.

SALMOS 42.11, ARA

Em Deus, não há tempestade que dure para sempre.

@juniorrostirola

DEVOCIONAL 366
302/366

LEITURA BÍBLICA
SALMOS 130

PALAVRA-CHAVE
#ESPERANÇA

ANOTAÇÕES

Durante a nossa vida, em determinados momentos a falta de esperança toma conta do nosso coração. Planos frustrados, sonhos adiados, enfim, diversas situações abatem nossa alma e nos levam à melancolia.

Circunstâncias contrárias podem ensinar e moldar o nosso coração em maturidade e sabedoria. Mas o fato é que, quando passamos por essas situações desesperançosas e deprimentes, acabamos paralisando toda a nossa vida.

No versículo que lemos, o salmista expressa sua tristeza, mas também aponta para a cura de sua alma: esperar em Deus. Você sabia que a palavra "esperança" quer dizer confiança, expectativa?

Dias difíceis certamente em algum momento virão, mas o fato é que não podemos desistir ou perder as esperanças, pois haverá um fim para essa angústia. Espere em Deus e não se engane: as circunstâncias não podem paralisar você; é necessário seguir avançando.

O que tem tirado a sua esperança? Você anda abatido? O grande segredo está em esperar em Deus. Durante muitos anos da minha vida, eu vivi dessa forma, desesperançoso e deprimido; mas, quando entreguei o controle de minha vida ao Pai, passei a confiar verdadeiramente e vi gradativamente a cura alcançar minha alma e, então, pude voltar a sonhar e me alegrar.

Alegre-se, pois a esperança está viva! Basta olhar para Deus e descansar sua alma, pois ele tem cuidado de você em todos os momentos. Independentemente do cenário que você está vivendo, louve a Deus pela sua bondade, porque, ainda que você não perceba, em todo tempo ele é um bom Pai.

SONHE SEM LIMITES

"Porque sou eu que conheço os planos que tenho para vocês", diz o SENHOR, "planos de fazê-los prosperar e não de causar dano, planos de dar a vocês esperança e um futuro".

JEREMIAS 29.11

29
OUT
#CAFECOMDEUSPAI

Existe uma frase que foi muito marcante para o início da minha história como pastor e para o nascimento da igreja que pastoreio, que diz: "Quem não planeja o futuro planeja o fracasso".

Normalmente, quando estabelecemos planos muito grandes, audaciosos e longos, temos a tendência de desanimar com as dificuldades e nos esquecer deles com o passar do tempo. No entanto, quando nos damos conta de que o tempo passou e os projetos continuam guardados na gaveta, vem a frustração e o desânimo.

Em qual momento da vida você está? Como estão seus planos? O fato é que precisamos entregá-los a Deus e também tomarmos atitudes para que saiam do papel. Não se limite pelas histórias do passado, mas escreva um novo capítulo de superação e conquistas em Deus Pai.

Estamos a poucos meses de encerrar o ano. Pode parecer pouco, mas é tempo suficiente para você resgatar planos e sonhos esquecidos, promessas que ficaram para trás, e começar a viver novamente com a mesma garra, com o mesmo ímpeto e a mesma dedicação que queimaram em seu coração tempos atrás.

Planeje e sonhe, mas também execute. Viva confiando plenamente que Deus tem planos maravilhosos para você. Planos de prosperidade, esperança, paz e um futuro extraordinário. Esses planos podem se tornar realidade com fé e perseverança. Não se preocupe com a velocidade; apenas não fique parado. Então, vá em direção às conquistas que o Pai tem para você ainda neste final de ano.

Não se limite àquilo que a sua vista alcança. Sonhe!

@juniorrostirola

DEVOCIONAL
303/366

LEITURA BÍBLICA
SALMOS 131

PALAVRA-CHAVE
#PLANOS

ANOTAÇÕES

ELE O CONVIDA

Quando Jesus chegou àquele lugar, olhou para cima e lhe disse: "Zaqueu, desça depressa. Quero ficar em sua casa hoje".

LUCAS 19.5

30
OUT

#CAFECOMDEUSPAI

A humildade não o torna melhor que ninguém, mas o faz mais parecido com Jesus.

@juniorrostirola

DEVOCIONAL 366
304/366

LEITURA BÍBLICA
SALMOS 132

PALAVRA-CHAVE
#MUDANÇA

ANOTAÇÕES

Zaqueu era desprezado e odiado pela multidão. Ele tinha tudo que o dinheiro poderia comprar e ainda assim sentia um vazio em seu coração. É muito provável que ele tivesse um peso na consciência por alguns erros cometidos e se sentisse rejeitado pela sociedade. Sua riqueza permitia que ele usufruísse do melhor que o mundo poderia oferecer, mas não lhe permitia ter paz.

Então, Jesus olhou para Zaqueu e, chamando-o pelo nome, promoveu um encontro entre eles e, por meio disso, possibilitou uma nova vida àquele homem. Zaqueu reconheceu seus erros, assumiu a responsabilidade por repará-los, abandonou sua vida fora dos planos de Deus e passou a viver uma nova história. Ele poderia ter simplesmente se confessado a Jesus e continuado com os mesmos erros, mas dessa forma sua vida permaneceria igual.

Isso me ensina que Jesus olha para nós com amor e compaixão, para quem somos de fato, não para os erros cometidos; ele consegue visualizar coisas a nosso respeito que nem sequer nós mesmos conseguimos.

Talvez você esteja preso a erros do passado, mentiras que o mantêm acorrentado a situações ou pessoas. Para ser curado da orfandade, eu precisei deixar o passado e permitir que o Espírito Santo trabalhasse em mim, para só então iniciar uma nova vida, totalmente alicerçada nas verdades de Deus.

Você tem vivido acorrentado ao passado? Talvez isso esteja impedindo-o de ir adiante. Saiba que um encontro verdadeiro com Jesus pode mudar toda a sua história, assim como ocorreu com Zaqueu. Troque as mentiras, dores e medos pelas verdades e pelos sonhos de Deus para a sua vida. De nada vale ganhar o mundo inteiro e perder Jesus.

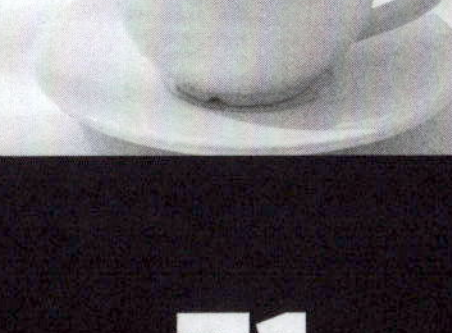

VIDA RELEVANTE

Sei o que é passar necessidade e sei o que é ter fartura. Aprendi o segredo de viver contente em toda e qualquer situação, seja bem alimentado, seja com fome, tendo muito, ou passando necessidade. Tudo posso naquele que me fortalece.

FILIPENSES 4.12,13

31 OUT

#CAFECOMDEUSPAI

Qual a sua definição de sucesso na vida? Muitos de nós queremos o sucesso na família, na carreira profissional ou acadêmica, nos relacionamentos, enfim, no legado deixado para as gerações futuras. Não há nada de errado com isso, mas o verdadeiro sucesso é viver no centro da vontade de Deus e ter todas as áreas da vida alinhadas com o coração do Pai.

Entendo que Deus nos chama para uma vida de sucesso, que só pode ser vivida quando estamos alinhados com a sua vontade, não necessariamente relacionada a nossas conquistas materiais ou influência na sociedade.

Quando Paulo escreveu o texto que lemos hoje, ele estava preso por pregar o evangelho. Você pode imaginar alguém preso, privado do convívio social, escrever tais palavras? Aprendo que o que movia esse homem era viver o propósito que Deus lhe destinou. Apesar de toda tribulação e dificuldade, Paulo sabia que sua missão era anunciar o evangelho às nações, e isso alegrava o seu coração em todo tempo.

Que propósito tem movido o seu coração? Descobri o meu quando conheci Jesus e passei a me relacionar intencionalmente com ele. Você foi criado para ter uma vida de sucesso, caminhando no centro da vontade de Deus!

Aprendo que, quando descobrimos o propósito para o qual nascemos, a vida muda completamente. Nenhum tipo de circunstância contrária é maior que nossa determinação em cumprir aquilo que o Pai nos confiou. Deus criou cada um de nós para uma vida relevante, mas isso só vem à tona quando olhamos para ele.

Estar com Deus no lugar secreto nos faz viver o propósito dele.

@juniorrostirola

366 **DEVOCIONAL**
305/366

LEITURA BÍBLICA
GÊNESIS 7

PALAVRA-CHAVE
#PROPÓSITO

ANOTAÇÕES

QUANDO TEMOS FÉ EM DEUS, OS **PROBLEMAS** TORNAM-SE COMO **TRAMPOLINS** PARA SALTARMOS MAIS LONGE.

@juniorrostirola

Assista o vídeo com a palavra
e oração para este mês.

café
com
Deus
pai

ELE É A PORTA

Eu sou a porta; quem entra por mim será salvo. Entrará e sairá, e encontrará pastagem.

JOÃO 10.9

01 NOV

#CAFECOMDEUSPAI

Ao ler esse versículo, nos parece algo simples de se pôr em prática, mas na verdade a grande maioria das pessoas ainda não vive como se essa fosse uma realidade, por isso entram por portas que levam a destinos fora do propósito de Deus, o que traz infelicidade, angústia e muitas inquietações na alma.

Talvez você já tenha ouvido falar que em Jesus encontramos a salvação. Essa é uma verdade, porque na realidade ele veio ao mundo e morreu por isso. Entretanto, além dessa verdade, Jesus veio para lhe dar vida, vida em abundância e completa em todas as áreas.

Em algum momento, você já parou para se perguntar o que Jesus deseja para a sua vida? Ele se apresenta a nós como o Bom Pastor que dá a sua vida por suas ovelhas, demonstrando com essa figura o quanto ele realmente se importa com cada um de nós.

Acompanhar Jesus não se trata de simplesmente seguir uma religião, mas sim de assumir um relacionamento com uma pessoa que o ama profundamente a ponto de dar a própria vida por você.

Escolha atravessar a porta que Jesus abre hoje para sua vida, pois com ele adiante você está absolutamente seguro e com certeza só ele pode lhe trazer paz, alegria, esperança de um futuro melhor. Permita-se ser conduzido para uma jornada na qual você nunca estará sozinho diante das adversidades. Só ele o faz deitar em verdes pastos e o guia por águas tranquilas, ainda que o mar da vida esteja agitado. Ele é a paz que você precisa para prosseguir.

Jesus não veio restaurar uma religião, mas restaurar um relacionamento!

@juniorrostirola

DEVOCIONAL
306/366

LEITURA BÍBLICA
GÊNESIS 8

PALAVRA-CHAVE
#RELACIONAMENTO

ANOTAÇÕES

ESPERANÇA ALÉM DA DOR

02
NOV

#CAFECOMDEUSPAI

Pois estou convencido de que nem morte nem vida, [...], nem o presente nem o futuro, [...] nem altura nem profundidade, nem qualquer outra coisa na criação será capaz de nos separar do amor de Deus que está em Cristo Jesus, nosso Senhor.

ROMANOS 8.38,39

Só Deus tem a paz que ninguém mais pode lhe dar.

DEVOCIONAL 366
307/366

LEITURA BÍBLICA
GÊNESIS 9

PALAVRA-CHAVE
#ESPERANÇA

ANOTAÇÕES

Paulo fazia diversas viagens missionárias, anunciando o evangelho e levando, consequentemente, salvação para os povos, principalmente nos países que faziam parte do Império Romano. Por diversas vezes, ele foi conduzido por Deus a cidades onde havia grande perseguição aos cristãos, enfrentando, assim, circunstâncias contrárias que atentavam contra a sua vida.

O fato é que Paulo caminhava em obediência. Mesmo sabendo que se depararia com grandes dificuldades, ele estava consciente de que estava sendo conduzido por Deus, para que o propósito fosse cumprido. Nesse contexto de perseguição, muitos dos que acompanhavam Paulo acabaram perdendo a vida, pois viviam de forma perigosa, arriscando tudo por amor a Jesus, para que o evangelho chegasse a mim e a você, como de fato chegou.

Mesmo convivendo constantemente com o luto, a convicção de que a eternidade é real, como o destino daqueles que amam e se entregam a Jesus, fazia que Paulo e tantos outros não vivessem deprimidos ou amedrontados.

Faz parte desta vida convivermos com a perda de pessoas queridas. São situações muito difíceis, mas o fato é que isso não pode paralisar-nos. O propósito que Deus Pai tem para a sua vida continua, e para tudo ele estabeleceu um tempo e um motivo. Saiba que a eternidade é real, e ele sempre esteve no controle.

Não fique paralisado nessa dor, erga a cabeça e viva seus dias sabendo que Deus ainda tem propósitos para cumprir em você. Ele sempre esteve com você e sempre estará. Receba paz e alívio neste dia!

NÃO SE DISTRAIA

Tampouco subi a Jerusalém para ver os que já eram apóstolos antes de mim, mas de imediato parti para a Arábia e voltei outra vez a Damasco.

GÁLATAS 1.17

03
NOV

#CAFECOMDEUSPAI

Independentemente da estação em que você vive, certamente em algum momento já olhou para trás e pensou no tempo que se passou muito rápido; com isso, uma sensação de que deveria tê-lo aproveitado melhor tomou seus pensamentos.

Entendo que o reino de Deus deve ser a nossa prioridade. Se não o colocarmos em primeiro lugar em nossa lista, estaremos distantes da obediência que Deus espera de seus filhos.

Muitas vezes, perdemos nosso tempo com distrações e pequenos objetivos, que não contribuem para nosso propósito aqui na terra. O fato é que, quando nos damos conta, sentimentos ruins tomam nosso coração. Paulo chegou a pensar em ir a Jerusalém a fim de se encontrar com os outros apóstolos, mas percebeu que naquele momento não faria sentido e seria apenas uma distração, pois tinha consciência da urgência de sua missão para o Reino de Deus.

O que quero dizer com isso? Cuide de como você está investindo seu tempo. O que tem sua atenção ganha o seu coração. Existem coisas na vida que por si só não são erradas, mas acabam tornando-se grandes distrações, a ponto de nos afastar do propósito para o qual fomos criados.

Lembre-se diariamente de que você foi criado com um propósito, e o lugar em que está atualmente é onde Deus o plantou para manifestar o nome e a glória dele. Você não nasceu nessa família por acaso, não trabalha nesse local por conveniência e não convive com esses colegas por mero destino. O fato é que Deus quer usá-lo exatamente nesse lugar para transformar realidades.

O que tem sua atenção ganha o seu coração.

@juniorrostirola

366 **DEVOCIONAL**
308/366

LEITURA BÍBLICA
GÊNESIS 10

PALAVRA-CHAVE
#TEMPO

ANOTAÇÕES

VOCÊ REFLETE A JUSTIÇA DE DEUS

04
NOV
#CAFECOMDEUSPAI

Se vocês sabem que ele é justo, saibam também que todo aquele que pratica a justiça é nascido dele.

1JOÃO 2.29

O secreto que só Deus vê gera recompensas que só Deus dá.

@juniorrostirola

DEVOCIONAL 366
309/366

LEITURA BÍBLICA
SALMOS 133

PALAVRA-CHAVE
#JUSTIÇA

ANOTAÇÕES

Uma das características de Deus é ser justo. Isso quer dizer que ele sempre faz o que é certo, pois conhece a verdade a respeito de todas as coisas e nunca poderia negar seu caráter, por mais que as pessoas questionem a justiça de Deus, diante de um mundo tão caótico, opressor, maldoso e injusto. Saiba que o ser humano tem a liberdade de fazer suas próprias escolhas.

Agir com justiça é manifestar os princípios e valores do céu na terra. Em meu livro *Encontrei um Pai*, descrevo algumas histórias da minha vida, e uma delas é quanto aos valores que minha mãe procurou plantar nos filhos; valores como honestidade, honra, respeito e justiça foram essenciais na construção do meu caráter e no das minhas irmãs.

Lembrar dos acontecimentos que nossa sociedade vem vivendo nos últimos anos é algo muito difícil. Enfrentamos uma pandemia, e infelizmente alguns nos deixaram; guerras civis e conflitos entre nações; discussões sem sentido por motivos fúteis; sem falar dos próprios desafios relacionais que a nossa sociedade já enfrentava.

Diante disso, como está o seu relacionamento com as pessoas à sua volta? Você é alguém que busca solução de conflitos sem gerar novos conflitos?

Saiba que a forma como você resolve os conflitos diz muito sobre quão profundo é o seu relacionamento com o Pai. Portanto, se você não tem experimentado uma vida profunda, eu o convido a frequentar mais o lugar secreto, a sós com Deus, e buscar aprofundar-se mais em sua comunhão com ele. Como consequência, no convívio com as pessoas, sua vida e relacionamentos refletirão qualidade, beleza e intensidade.

É TEMPO DE SEMEAR

Quem fica observando o vento não plantará; e quem fica olhando para as nuvens não colherá.

ECLESIASTES 11.4

05
NOV
#CAFECOMDEUSPAI

Você já parou para pensar em quantos planos já fez na vida?

Pois bem, quais desses planos e projetos foram realmente tirados do papel e postos em prática? Em quais deles você fez tudo que poderia ter feito, empenhando o máximo de esforço para que pudesse alcançar o fim desejado?

Essa afirmação que lemos da Palavra de Deus fala muito sobre a nossa atitude, nosso empenho para com os projetos, planos e sonhos que temos. É bem verdade que nem sempre teremos o ânimo necessário para realizar o que precisa ser feito. Todavia, ter sucesso não é somente sinônimo de alcançar alguns bons resultados, pois na ótica de Deus o sucesso se dá quando somos prósperos. Mas prosperidade não é somente ter muitos recursos ou sucesso; prosperidade é não ter falta de nada.

Recentemente eu conversava com minha mãe, e ela relatou quantas negociações ruins meu pai fez, as inúmeras vezes em que ele tomou uma decisão impensada e como, em consequência, prejudicou a vida da família. No entanto, após a morte de meu pai, minha mãe passou a tomar as decisões, que foram mais assertivas. Hoje, quando olho para a sua vida, a vejo sonhar no auge dos seus 77 anos, com uma sabedoria e determinação que inspiram a vida de todos que estão à sua volta. Isso é não observar os ventos!

Quais são as sementes que você precisa plantar e que se não chegarem ao solo ficarão para sempre no campo dos sonhos e dos projetos? Não permita que os ventos contrários impeçam você de lançar as sementes que o levarão para um futuro extraordinário em Deus Pai.

Quem observa os ventos nunca plantará, tampouco colherá.

@juniorrostirola

DEVOCIONAL
310/366

LEITURA BÍBLICA
SALMOS 134

PALAVRA-CHAVE
#PLANTAR

ANOTAÇÕES

DECIDA CONFIAR EM DEUS

Certa vez, quando terminou de comer e beber em Siló, estando o sacerdote Eli sentado numa cadeira junto à entrada do santuário do SENHOR, Ana se levantou e, com a alma amargurada, chorou muito e orou ao SENHOR.

1SAMUEL 1.9,10

06
NOV
#CAFECOMDEUSPAI

Desistir de orar e de acreditar, é dar mais crédito à nossa compreensão do que à vontade do Pai.

@juniorrostirola

DEVOCIONAL 366
311/366

LEITURA BÍBLICA
GÊNESIS 11

PALAVRA-CHAVE
#CLAMOR

ANOTAÇÕES

Muitas vezes, as coisas não ocorrem como gostaríamos, por isso somos tomados por um forte sentimento de tristeza. Nessas horas, é comum compartilharmos a nossa dor com alguém com quem temos muita intimidade, ou até mesmo externalizar a nossa dor e nos desabafarmos com postagens nas redes sociais, deixando as janelas do nosso sofrimento abertas para todos.

A atitude de Ana foi parar de chorar e se queixar com quem não resolvia. Mesmo que exista em sua vida alguém que você ama e em quem confia, que pode até estar dotada da motivação correta, mas não tem a capacidade para resolver o seu problema, não adianta chorar para essa pessoa.

Ana escolheu chorar com alguém que ela amava e também era amada, seu marido Elcana. Mas ele não tinha condições de mudar aquela realidade. E, quando Ana muda de atitude, ela decide chorar no lugar certo, aos pés de Deus. Ela escolheu confidenciar o seu problema com aquele que pode mudar todas as coisas.

Seja seletivo ao escolher com quem compartilhar suas frustrações, pois nem todos que o consolam estão felizes para comemorar as suas vitórias. E, se for para chorar nos ombros de alguém, chore para o Pai, pois somente ele tem o poder de mudar a sua realidade. Pare de agir na horizontal, comece a agir na vertical, pois é de cima que vem o socorro.

Não olhe ao seu redor em busca de uma saída, olhe para o alto, pois os céus já estão abertos acima de você, e Deus está pronto para ouvir o seu clamor. Ore ao Pai, e ele escutará você.

O OLHAR DE JESUS

Pois os olhos do SENHOR estão atentos sobre toda a terra para fortalecer aqueles que lhe dedicam totalmente o coração.

2CRÔNICAS 16.9a

07
NOV

#CAFECOMDEUSPAI

Todos nós caminhamos na expectativa de termos dias ainda melhores, certo? Mas, se não fosse pela fé, há muito teríamos sido consumidos pelo desânimo, pois alguns dias são muito mais difíceis de enfrentar. É como se estivéssemos em um deserto sem encontrar água, mas, mesmo assim, por termos esperança, Deus acaba nos surpreendendo ao nos fazer chegar em um oásis.

Se você está assim hoje, saiba que não é o único; existe uma multidão que caminha com a esperança de viver um milagre. Mas só conseguimos alcançar o impossível com atitudes de fé, de modo que precisamos refletir, avaliar e planejar.

O texto que lemos traz uma grande verdade para a nossa vida, pois diz que os olhos de Deus veem tudo, e ele está fortalecendo aqueles que se dedicam a ele! Você consegue ter noção da beleza dessa promessa? O próprio Deus, por meio do Espírito Santo, está fortalecendo-o em cada circunstância. E o que precisamos fazer para receber isso? Simplesmente confiar e entregar tudo em suas mãos.

Tome posse dos planos e promessas de Deus. Não olhe para o problema; olhe com fé e esperança para aquele que tem tudo em suas mãos! Ele indicará o caminho que você deve trilhar e concederá, assim, direção para cada etapa de sua vida.

Saiba que os céus estão vendo você. Ele vê o seu coração derramado no lugar secreto. Suas orações e pedidos são ouvidos. Ele tem o melhor para a sua vida, ainda neste tempo. Apenas continue, persevere, pois Deus não se esqueceu de você. Hoje é o dia de ele agir em seu favor. Creia!

Suas orações têm o DNA dos céus; elas não ficam sem respostas.

@juniorrostirola

DEVOCIONAL
312/366

LEITURA BÍBLICA
GÊNESIS 12

PALAVRA-CHAVE
#FORTALECIMENTO

ANOTAÇÕES

UM PROPÓSITO MAIOR

08
NOV

#CAFECOMDEUSPAI

"Venha", respondeu ele. Então Pedro saiu do barco, andou sobre as águas e foi na direção de Jesus.

MATEUS 14.29

Tudo o que Jesus fazia tinha um propósito preestabelecido e buscava ensinar ou apresentar algo às pessoas que o testemunhavam. Ao ler o versículo acima, você pode ter se perguntado: Mas, então, por que Jesus andou sobre as águas? Acredito que um dos objetivos dele foi mostrar aos discípulos seu caráter divino, ou seja, o fato de ele ser o Cristo aguardado. Isso me ensina que Jesus quer que reconheçamos que ele de fato é Deus. Em João 1.1, a Bíblia afirma: "[...] Ele estava com Deus e era Deus".

Isso tem toda a importância, porque nos faz viver com esperança. Outro fato foi Jesus ter se entregado por amor a cada um de nós a fim de produzir em nosso coração a convicção de que fazemos parte de algo muito maior que nossa própria vida, pois ele tem planos, propósitos e projetos para cada um de nós.

Quando passamos a ter essa consciência, é impossível nossa vida não mudar completamente! Quando conheci Jesus e me dei conta disso, todo o meu cenário mudou.

E com você, como tem sido? Você tem vivido como se Jesus fosse apenas um homem sábio e inspirador ou tem se apropriado do fato de ele ser o próprio Deus? Saiba que ele veio à terra para cumprir o propósito de inaugurar uma nova realidade de intimidade entre você e o Pai.

Apegue-se ao fato de que ele sempre saberá o que é melhor para você e o conduzirá a prosseguir. Mesmo que os dias sejam difíceis, existe um propósito maior a ser cumprido. Confie no Senhor e viva de acordo com o que o Pai sonhou. Só assim sua vida terá verdadeiro sentido.

Jesus é a aliança entre você e Deus.

@juniorrostirola

DEVOCIONAL 366
313/366

LEITURA BÍBLICA
GÊNESIS 13

PALAVRA-CHAVE
#RECONHECIMENTO

ANOTAÇÕES

ELE O CHAMA, NÃO TENHA MEDO

Jesus olhou para ele e o amou. "Falta-lhe uma coisa", disse ele. "Vá, venda tudo o que você possui e dê o dinheiro aos pobres, e você terá um tesouro no céu. Depois, venha e siga-me."

MARCOS 10.21

09
NOV

#CAFECOMDEUSPAI

Existem momentos na vida em que nós temos que olhar nos olhos das pessoas para falar aquilo que estamos sentindo. Provavelmente, em algum momento da sua vida você parou para falar algo que julgava importante e, nessa conversa, foi enfático ao dizer: "Olhe para mim!". Ou: "Olhe nos meus olhos!".

Essa expressão pode ser proferida de várias maneiras e por vários motivos: por nervosismo, quando precisamos que alguém preste atenção no que estamos falando; com paciência, quando estamos calmos e dispostos a ensinar; ou com ternura e amor, quando estamos consolando alguém em compaixão.

Jesus foi dotado de um olhar de graça sobre a vida de quem se encontrava com ele. Você consegue imaginar neste momento como é o olhar de Jesus? Ele assentado à sua frente, os olhos dele penetrando o mais profundo da sua alma, mas, no mesmo olhar, ternura, amor e graça refletidos? Ele, olhando através de nossas imperfeições, e nos chamando a largar tudo o que nos impede de ter uma vida plena?

Todos nós podemos olhar para aqueles que estão à nossa volta e expressar o mesmo olhar de amor. O nosso olhar transmite muitas vezes algo diferente daquilo que estamos proferindo com as palavras.

Quando as pessoas olham para você, elas sentem o quê? Amor ou medo?

Os olhos de Jesus estão voltados para transmitir vida. Ainda que você pense ter sido esquecido, ele está neste exato momento esperando a sua entrega e atenção. A partir desse encontro, que a sua vida reflita para todos ao seu redor o amor do Senhor pelas pessoas com as quais você convive. Você deve ser para elas um reflexo do olhar de Jesus.

Todo pensamento gera uma decisão que irá direcionar seu destino!

@juniorrostirola

366 **DEVOCIONAL**
314/366

LEITURA BÍBLICA
GÊNESIS 14

PALAVRA-CHAVE
#COMPAIXÃO

ANOTAÇÕES

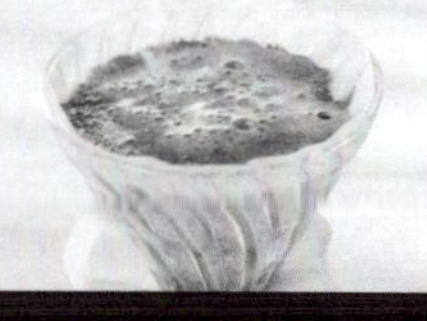

A VERDADEIRA FORÇA

10
NOV
#CAFECOMDEUSPAI

Pois, quando sou fraco, é que sou forte.
2CORÍNTIOS 12.10b

Quando mantemos o controle, não vivemos na dependência de Deus.

@juniorrostirola

DEVOCIONAL 366
315/366

LEITURA BÍBLICA
GÊNESIS 15

PALAVRA-CHAVE
#DEPENDÊNCIA

ANOTAÇÕES

Você já esteve diante de alguma situação adversa em que disse para você mesmo "Não vou conseguir", mas que mesmo assim continuou e perseverou? Quando finalmente a dificuldade foi vencida, você falou, admirado: "Eu achava que não iria suportar, mas suportei!". Isso significa que, por mais difícil que possa parecer uma circunstância, Deus lhe concede a força necessária para ir além.

Certa vez, atendi um jovem que estava passando por uma situação tão difícil que eu não me vi capaz de me colocar no lugar dele, tamanha era a dor que ele enfrentava. E uma das coisas que mais me impactou foi o fato de ele me falar que não suportava mais as pessoas lhe dizerem que ele precisava ser forte. Eu olhei para ele e falei: "Você não precisa ser forte; o que você não pode é desistir".

Entenda que a verdadeira força é manifesta quando você reconhece sua dependência do Pai. Ele o fortalece e lhe dá o entendimento necessário para vencer seus desafios diários. Então, não desista; apesar das circunstâncias, ele jamais o abandonará.

Pode ser que hoje você também esteja como esse jovem, passando por um momento muito difícil, em que nenhuma palavra de conforto é suficiente. Existem circunstâncias que enfrentamos em que não necessariamente conseguiremos ser fortes, contudo não podemos desistir. Nesses momentos, tudo que você precisa é compartilhar as suas fraquezas com Deus, pois, quando você reconhece que é fraco e deposita toda a sua confiança nele, é que você se torna realmente forte.

EXERCITE SUA FÉ

Então os apóstolos disseram ao Senhor: — Aumente-nos a fé. Ao que o Senhor respondeu: — Se vocês tivessem fé como um grão de mostarda, diriam a esta amoreira: "Arranque-se e transplante-se no mar." E ela obedeceria.

LUCAS 17.5,6, NAA

11
NOV
#CAFECOMDEUSPAI

Um dos principais combustíveis que nos move em direção aos propósitos de Deus é a fé. Nessa passagem, Jesus demonstra o valor dos pequenos começos, pois o grão de mostarda é muito pequeno, porém gera uma grande e linda árvore.

A fé, assim como o corpo humano, pode e deve ser exercitada. À medida que isso acontece, ela cresce e torna-se mais forte e preparada para levá-lo além. Assim, quando passamos por situações que provam nossa fé, definitivamente saímos mais confiantes e preparados.

Ainda que tudo à sua volta pareça dizer não, e as circunstâncias tentem jogá-lo para baixo, saiba que essa é uma grande oportunidade para confiar e entregar tudo a Deus. Permanecer firme quando o caminho é calmo e tranquilo realmente não é difícil; contudo, quando chegam as tempestades é que podemos verdadeiramente exercitar nossa fé, para que ela cresça e nos leve a alçar voos ainda maiores em Deus.

Até o dia em que conheci Jesus, eu vivia totalmente sem perspectivas. Para mim, era quase impossível ver uma vida próspera pela frente, em virtude da difícil situação em que me encontrava, pelo problema que meu pai tinha com o álcool. Entretanto, ao conhecer Jesus, passei a visualizar uma nova vida por meio da fé que passou a habitar no meu coração.

Saiba que por meio da fé você tem acesso ao sobrenatural, e o impossível passa a ser apenas questão de ponto de vista. Viver pela fé o tira do confortável, porém permite que você alcance um novo nível de realizações e sonhos em Deus, fazendo-o viver as verdades dos céus na terra, e a sua jornada passa a ter sentido, esperança e propósito.

A fé é como uma semente: quando plantada, faz brotar o extraordinário!

@juniorrostirola

366 **DEVOCIONAL**
316/366

LEITURA BÍBLICA
SALMOS 135

PALAVRA-CHAVE
#FÉ

ANOTAÇÕES

CONTINUE, NÃO PARE

12
NOV
#CAFECOMDEUSPAI

Ainda estou tão forte como no dia em que Moisés me enviou; tenho agora tanto vigor para ir à guerra como tinha naquela época.

JOSUÉ 14.11

Não dê veredito se Deus não deu.

@juniorrostirola

DEVOCIONAL 366
317/366

LEITURA BÍBLICA
SALMOS 136

PALAVRA-CHAVE
#PERSISTIR

ANOTAÇÕES

Você tem mantido o vigor e a certeza de que cada uma das promessas de Deus se cumprirá em sua vida?

Ouvir uma declaração como a do texto bíblico citado certamente nos faz pensar sobre como está o nosso ânimo e vigor. Calebe, ao declarar essa verdade, estava com os seus 85 anos; ele recebera a promessa no auge dos seus quarenta anos.

Particularmente, acredito que estar edificado em Deus fez toda a diferença na vida de Calebe, pois, com o passar dos anos, seria até natural para pessoas como nós esmorecermos e perdermos a esperança de que algo ainda poderia acontecer.

Durante os meus anos de adolescência e juventude, sempre tive muitos sonhos que, somados às promessas que recebi do Senhor, me motivaram a sonhar ainda mais com aquilo que hoje vivo. Não só a certeza de crer que cada uma das promessas aconteceria, mas também me alicerçar a cada dia na Palavra do Senhor fez toda a diferença.

Não desanime se os seus sonhos ainda não se concretizaram. Tenha fé ao compartilhar os seus sonhos com Deus. Calebe cruzou o deserto e conquistou; eu cruzei o deserto da orfandade e hoje vivo uma vida restaurada. Ainda tenho novos sonhos e novas promessas para se cumprirem em minha vida. Tenho a certeza de que em sua vida não será diferente, por isso mantenha-se crendo no cuidado de Deus Pai para com você.

Seja resiliente. Esteja convicto e certo do cuidado de Deus para com a sua vida, pois o deserto é apenas um lugar de passagem, não o seu destino.

PRIORIZE SUA FAMÍLIA

Se alguém não cuida de seus parentes, e especialmente dos de sua própria família, negou a fé e é pior que um descrente.

1TIMÓTEO 5.8

13
NOV
#CAFECOMDEUSPAI

Vivemos em um mundo extremamente agitado, onde precisamos equilibrar nosso tempo entre tantos compromissos: profissionais, estudantis, sociais e outros. São muitas atividades que precisamos encaixar em tão curto espaço de tempo, pois o mundo nos envolve com infinitos afazeres, não é mesmo?

Com isso em mente, precisamos tomar muito cuidado em relação a como estamos tratando a quem amamos. No versículo que lemos, Paulo enfatiza a importância do cuidado com os de sua casa, deixando claro que de nada adianta ter sucesso em qualquer área da vida, se você negligenciar o cuidado com sua família.

Todos temos atribuições, atividades, trabalho, enfim, mas isso jamais pode tomar o lugar do relacionamento saudável em seu lar. Muitos acabam descobrindo o valor da família ao passar por momentos de grande dificuldade. Por exemplo: você já viu alguém acamado em um hospital pedir para ver o seu carro zero ou o seu extrato da conta bancária? Certamente não. Mas muitos pedem para ver os filhos, o cônjuge, a família. Em momentos difíceis, o superficial perde valor e o essencial vem à tona.

Você tem cuidado da sua família? Muito além de seu trabalho, estudo ou qualquer outro afazer, ela sempre deve ser a prioridade. Não permita que as distrações e o comodismo o afastem daqueles que estão ao seu lado e o amam incondicionalmente. A partir de hoje, eu o convido a ser ainda mais intencional com sua família, entregando o seu melhor a ela.

Não há sucesso na vida que compense o fracasso dentro de casa.

@juniorrostirola

DEVOCIONAL
318/366

LEITURA BÍBLICA
GÊNESIS 16

PALAVRA-CHAVE
#FAMÍLIA

ANOTAÇÕES

A ANSIEDADE AFASTA A PROMESSA

Então Deus lembrou-se de Raquel. Deus ouviu o seu clamor e a tornou fértil. Ela engravidou, deu à luz um filho e disse: "Deus tirou de mim a minha humilhação". Deu-lhe o nome de José e disse: "Que o SENHOR *me acrescente ainda outro filho".*

GÊNESIS 30.22-24

14
NOV
#CAFECOMDEUSPAI

Faça escolhas criteriosas para nutrir pensamentos que vão levá-lo a um nível superior.

@juniorrostirola

DEVOCIONAL 366
319/366

LEITURA BÍBLICA
GÊNESIS 17

PALAVRA-CHAVE
#DESCANSO

ANOTAÇÕES

Raquel era esposa de Jacó e futuramente seria a mãe de José e Benjamim. Ela era estéril, por isso até conceber o seu primeiro filho percorreu um longo e angustiante caminho. A Palavra nos mostra que Raquel ficou completamente desesperada e desnorteada com a sua esterilidade; entretanto, no tempo determinado, Deus a visitou, e ela pôde enfim conceber José.

Por meio dessa maravilhosa história, entendo que Deus tem um tempo determinado para tudo. Muitas vezes, pensamos que a promessa está demorando, mas o fato é que ele sabe o tempo certo. Tenho aprendido em minha vida que a ansiedade atropela as promessas. Por vezes, tomados por ela, acabamos tomando decisões sem consultar a Deus e nos colocamos em circunstâncias contrárias.

Talvez você conviva com a ansiedade, de modo que até as pequenas coisas da vida, para você, acabam tornando-se grandes problemas. Esse sentimento também tomava o coração do salmista, pois em Salmos 94.19 está escrito: "Quando a ansiedade já me dominava no íntimo, o teu consolo trouxe alívio à minha alma". Mas o fato é que ele encontrou tranquilidade para o seu coração em Deus Pai. Com você não será diferente.

Que tipo de pensamentos tem tomado a sua mente? A ansiedade tem feito parte de seus dias? Quando conheci e resolvi me aproximar de Deus Pai, descobri minha real identidade e pude descansar meu coração, pois passei a confiar inteiramente naquele que me criou.

Mesmo que você se encontre desesperado e desnorteado como Raquel, decida a partir de hoje confiar, pois no tempo certo Deus agirá.

NOVAS REALIDADES

Ora, a fé é a certeza daquilo que esperamos e a prova das coisas que não vemos.

HEBREUS 11.1

15
NOV
#CAFECOMDEUSPAI

A fé é algo surpreendente que tem o poder de estabelecer novas realidades. Ela é o fundamento básico para vivermos os milagres e as promessas de Deus em nossa vida. Mesmo assim, temos uma série de dúvidas a respeito dela. Mas deixe-me dizer uma coisa: a fé não é o simples fato de você pensar positivo; apesar disso ser importante, ela vai muito além.

Entenda que a fé não fará os problemas desaparecerem instantaneamente; contudo, estabelecerá novas realidades, em que você passará a caminhar com a confiança de que Deus fará a vontade dele, de acordo com sua Palavra. Isso deve impulsionar nossa vida, porque não estamos lançados ao acaso, mas há um Deus cuidando de cada detalhe. É preciso tão somente crer, confiar plenamente nele e caminhar em obediência. Só então veremos a fé nos levar a lugares que jamais imaginaríamos chegar.

A fé é ter a convicção de que Deus intervirá. Ainda que seus olhos físicos vejam apenas esterilidade e dor, ela vê frutos em abundância. A fé não nega a realidade, mas crê que Deus pode mudá-la.

Eu particularmente vejo a fé como algo que pode ser desenvolvido, assim como um atleta que, na academia, vai acrescentando mais pesos aos seus exercícios em sua dedicação, esforço e empenho.

Você tem agido com fé? A Bíblia diz em Romanos 4.21 que Abraão estava plenamente convencido de que Deus Pai cumpriria sua promessa. Portanto, seja como ele, dê passos ousados de fé e vá adiante. Deus colocará o chão para você prosseguir e viver os sonhos dele para sua vida.

Eleve seu nível de confiança a ponto de dar passos sem ver o chão.

@juniorrostirola

366 **DEVOCIONAL**
320/366

LEITURA BÍBLICA
GÊNESIS 18

PALAVRA-CHAVE
#FIDELIDADE

ANOTAÇÕES

A PAZ PARA O SEU CORAÇÃO

16 NOV

#CAFECOMDEUSPAI

Não andem ansiosos por coisa alguma [...].

FILIPENSES 4.6

Quando nos entregamos sem reservas, vivemos o profundo com Deus.

@juniorrostirola

DEVOCIONAL 366

321/366

LEITURA BÍBLICA

GÊNESIS 19

PALAVRA-CHAVE

#TRANQUILIDADE

ANOTAÇÕES

Em um mundo agitado e cheio de distrações, é fácil sentir-se ansioso. A ansiedade pode se manifestar de diversas formas, como preocupações excessivas, medos e insônia. É uma sensação desconfortável, que muitas vezes nos faz sentir como se não tivéssemos controle sobre nossa própria vida.

O que deve nos confortar é o fato de que Deus nos convida a encontrarmos a verdadeira paz e tranquilidade em sua presença. Ao simplesmente parar e nos aproximar do Pai, conseguimos ouvir sua voz e pacificar nosso coração. Ele faz questão de lembrar que não devemos carregar nossas preocupações sozinhos, porque está sempre conosco e nos ajuda em todas as necessidades.

Quando compreendemos que só encontramos a verdadeira paz nele, podemos ressignificar nossa vida. A busca incansável pela tranquilidade chega ao fim, porque descobrimos que ela não está em pessoas ou bens, mas sim no relacionamento com Deus Pai. Saiba que você não está sozinho e não precisa enfrentar a vida como se estivesse.

Para entregarmos nossas preocupações a Deus, é necessário confiar nele, mas essa confiança vem com o relacionamento. Pare para pensar: você confiaria em alguém a quem não conhece adequadamente? A resposta provavelmente é não. Por isso, é tão necessário sermos intencionais no relacionamento com o Pai.

Lance suas preocupações aos pés de Deus e invista em um relacionamento diário com ele. Sua decisão em ler este devocional hoje o ajudará a se aproximar ainda mais daquele que pode agir e fazer o seu coração transbordar de paz e alegria.

ETERNA ESPERANÇA

As mulheres que haviam acompanhado Jesus desde a Galileia seguiram José e viram o sepulcro e como o corpo de Jesus fora colocado nele. Em seguida, foram para casa e prepararam perfumes e especiarias aromáticas.

LUCAS 23.55,56a

17 NOV

#CAFECOMDEUSPAI

Após a crucificação, o corpo de Jesus foi sepultado, e as mulheres que o acompanharam até a sua morte, junto com José de Arimatéia, foram as responsáveis por todo o sepultamento. Sem dúvida, foram momentos de desolação e muita dor. Elas prepararam perfumes e especiarias para o corpo de Jesus, pois, na época, era dessa forma que eram feitos os sepultamentos.

Seguindo os costumes da época, o sepultamento não poderia ocorrer no sábado, e as mulheres tiveram que esperar até o dia seguinte. Imagino que a tristeza e a decepção haviam tomado conta delas e dos discípulos, por tudo o que estava acontecendo. Enquanto isso, os religiosos comemoravam o que, em sua perspectiva, era o fim de um grande problema.

Talvez hoje seu sentimento seja o de que o mal triunfou, ou que a morte venceu a vida, seja por uma perda, seja por uma injustiça, seja por qualquer situação que lhe cause desesperança. Mas preciso lhe dizer que não é o fim. Não permita que as circunstâncias roubem sua esperança. Em Lucas 24.5,6, a Bíblia diz que, no terceiro dia, as mulheres foram logo cedo ao sepulcro e encontraram dois anjos que lhes disseram: "Por que vocês estão procurando entre os mortos aquele que vive? Ele não está aqui! Ele ressuscitou!". A partir de hoje, entenda que para quem caminha com Jesus sempre há esperança!

Não sei o que o tem deixado desesperançoso, mas saiba que em Jesus nunca será o fim. Quando caminhamos ao lado dele, o impossível passa a ser apenas um detalhe; portanto, independentemente de sua circunstância, renove suas esperanças, porque nele tudo pode voltar à vida!

Jesus é a esperança. Nele o impossível é apenas um detalhe.

@juniorrostirola

366 **DEVOCIONAL**
322/366

LEITURA BÍBLICA
GÊNESIS 20

PALAVRA-CHAVE
#ESPERANÇA

ANOTAÇÕES

AMAR É SERVIR

18
NOV

#CAFECOMDEUSPAI

Assentando-se, Jesus chamou os Doze e disse: "Se alguém quiser ser o primeiro, será o último, e servo de todos".

MARCOS 9.35

O mais importante não é quem se assenta a mesa, mas quem puxa a cadeira.

@juniorrostirola

DEVOCIONAL 366
323/366

LEITURA BÍBLICA
SALMOS 137

PALAVRA-CHAVE
#SERVIR

ANOTAÇÕES

As pessoas estão cada vez mais impacientes. A correria do dia a dia faz com que vivam à flor da pele, em que uma simples manobra indesejada de outro motorista no trânsito já é motivo para o sangue ferver.

Eu já fui impaciente assim, mas aprendi que no trânsito estou em terceiro lugar: em primeiro lugar, está Deus e, em segundo lugar, o outro condutor. Ou seja, muitas vezes prefiro ter paz a ter razão, evitando dar lugar a conflitos.

Isso é reflexo de uma cultura impaciente e individualista, em que as pessoas se colocam acima dos outros, não aceitando ceder ou ser generosas, pois na cultura predominante "o mundo é dos espertos" e dar preferência ao outro é sinal de fraqueza.

Mas quem vive em Cristo está livre disso. É libertador desprender-se da cultura predominante e nadar contra a correnteza do individualismo, pois, por mais que você não esteja em destaque com seu nome escrito em letras garrafais nem apareça na foto quando fizer o bem ao próximo, Deus o observa, e com certeza seu nome e sua imagem estarão gravados no livro da vida.

Quando pensarmos em nos colocar acima das pessoas, seja por qualquer motivo, temos que nos lembrar que Jesus, sendo Deus, em nenhum momento fez uso de suas prerrogativas para se colocar acima das pessoas; muito pelo contrário, como mestre lavou os pés dos discípulos e como Deus se fez servo, humilhando-se e morrendo a morte que era destinada a nós. Saiba que a humildade não te faz melhor que ninguém, mas te faz mais parecido com Jesus.

SEJA INABALÁVEL

Portanto, quem ouve estas minhas palavras e as pratica é como um homem prudente que construiu a sua casa sobre a rocha. Caiu a chuva, transbordaram os rios, sopraram os ventos e deram contra aquela casa, e ela não caiu, [...].

MATEUS 7.24,25

19
NOV
#CAFECOMDEUSPAI

Uma base sólida é essencial para a sustentação de qualquer construção. Se ela não for bem executada, toda a edificação corre o risco de ruir, causando um verdadeiro desastre. Portanto, por mais que não fique aparente ao final da construção, essa etapa não pode ser negligenciada.

Jesus faz afirmações muito claras em relação à nossa vida. Quando ouvimos suas palavras e as praticamos, temos tranquilidade e segurança. Quando as tempestades da vida chegarem, permaneceremos inabaláveis, porque estaremos alicerçados nele. Aprendo que o contrário também é verdadeiro: quando negligenciamos a obediência a Deus, fundamentamos nossa vida em mentiras, medos e falhas.

Quando meus pais se casaram, o meu pai não possuía estrutura familiar capaz de sustentar emocionalmente uma família e dar suporte a ela. Olhar para nossa família era como ver uma casa construída sem alicerce, que a qualquer momento poderia ruir, e isso foi totalmente exposto ao longo de muitos anos até a sua morte.

Eu não tive uma família funcional, estruturada; pelo contrário, minha realidade era de uma criança com sentimentos fragmentados, encarcerada emocionalmente em mentiras de que eu jamais poderia ser pai, nunca teria uma família e certamente seguiria uma vida vazia e sem propósito.

Talvez você se encontre em um momento de tempestades ou, ainda, realidades como as que eu sofri vêm abalando a sua vida até os dias de hoje, tirando completamente a sua paz. Digo a você neste dia: fundamente sua confiança em Deus Pai, pois, quando assim o fiz, tudo começou a mudar. Eu declaro sobre a sua vida um tempo de transformação, cura, libertação, verdade e renovação de mente, para viver dias felizes e em paz.

Alicerce sua vida em Cristo, e nada o abalará.

@juniorrostirola

DEVOCIONAL
324/366

LEITURA BÍBLICA
SALMOS 138

PALAVRA-CHAVE
#FUNDAMENTO

ANOTAÇÕES

VEJA ALÉM DA ESCASSEZ

20
NOV
#CAFECOMDEUSPAI

Levantando os olhos e vendo uma grande multidão que se aproximava, Jesus disse a Filipe: "Onde compraremos pão para esse povo comer?" Fez essa pergunta apenas para pô-lo à prova, pois já tinha em mente o que ia fazer.

JOÃO 6.5,6

Deus tem abundância para você, mas você precisa fazer a sua parte.

@juniorrostirola

DEVOCIONAL 
325/366

LEITURA BÍBLICA
GÊNESIS 21

PALAVRA-CHAVE 
#PROVISÃO

ANOTAÇÕES

Jesus faz uma pergunta apenas para observar a reação do seu discípulo diante de uma situação de complexa resolução, pois já sabia como resolver o problema.

Quando nós fazemos uma pergunta, é porque queremos saber ou aprender algo. Mas, quando Jesus faz uma pergunta, é porque quer nos ensinar uma grande lição.

Podemos ver que inicialmente eles não tinham nada a oferecer para a multidão, mas no final havia doze cestos com as sobras. Isso é impressionante.

Eu fiz essa pergunta ao Senhor, e isso me levou a outro questionamento, pois é dito que todos comeram o suficiente. Afinal quanto havia de comida? A palavra revela que foram entregues nas mãos de Jesus cinco pães e dois peixes. Aos olhos dos discípulos e da multidão, nunca se passou de cinco pães e dois peixes, ou seja, nunca foi o suficiente. Entretanto, no final ainda sobraram doze cestos.

A grande pergunta é: Quando cinco pães e dois peixes se tornaram o bastante? Essa é a questão!

Durante muito tempo, eu só percebia a escassez, a falta de algo que a meu ver jamais faria parte da minha vida, e não me refiro apenas a conquistas materiais, mas também à escassez do abraço, de ser amado, de ter amigos, enfim à solidão, que parecia a única abundância existente em minha vida.

No entanto, assim como Jesus mudou a realidade daquelas pessoas e a minha, ele quer mudar a sua hoje, mesmo que aos seus olhos pareça impossível. Decida confiar em Jesus, pois tudo é possível ao que crê. Ele o levará a uma vida abundante. Lembre-se: ele é especialista em transformar realidades.

DIGNO DE CONFIANÇA

Confie no SENHOR de todo o seu coração e não se apoie em seu próprio entendimento; [...].

PROVÉRBIOS 3.5

21
NOV
#CAFECOMDEUSPAI

Você já parou para pensar em como a confiança é importante em nossa vida? Ela é a base para que possamos viver de forma plena, aproveitando todas as oportunidades e momentos que a vida nos oferece. Afinal, sem confiança, como podemos nos arriscar, perseguir nossos sonhos e seguir em frente quando as coisas parecem difíceis?

Mas será que confiar é algo fácil? Muitas vezes, somos desafiados por situações que abalam nossa confiança, seja em nós mesmos, seja nas pessoas ao nosso redor, seja até mesmo na vida. É nessas horas que a dúvida começa a tomar nosso coração, deixando-nos sem chão e sem saber para onde ir.

Pensando nisso, quero convidá-lo a refletir sobre um tipo de confiança que vai além de qualquer coisa que possamos encontrar neste mundo: a confiança em Deus. É ele quem nos sustenta, direciona e nos dá forças para seguir em frente, mesmo quando tudo parece perdido. Só conseguiremos viver uma vida cheia de paz quando confiarmos integralmente em Deus Pai.

Enquanto eu escrevia este texto para compartilhar com você, fiquei pensando nas vezes em que deixamos de acreditar nas pessoas à nossa volta por elas terem falhado conosco. O grande erro é depositarmos toda a nossa confiança nas pessoas. Em algum momento, elas irão falhar conosco, assim como nós também falhamos. Somos limitados e imperfeitos, diferentemente de Deus, que é ilimitado e perfeito. Eu o convido a depositar toda a sua confiança nele, entregando-lhe suas preocupações, medos e ansiedades. Nele você nunca será decepcionado; muito pelo contrário, em todo tempo estará amparado.

Quem deposita sua confiança em Deus não será decepcionado.

@juniorrostirola

DEVOCIONAL
326/366

LEITURA BÍBLICA
GÊNESIS 22

PALAVRA-CHAVE
#CONFIAR

ANOTAÇÕES

DEPENDA EXCLUSIVAMENTE DE DEUS

22
NOV
#CAFECOMDEUSPAI

Clame a mim e eu responderei e lhe direi coisas grandiosas e insondáveis que você não conhece.

JEREMIAS 33.3

Quando você não tiver dúvida, você já estará na direção daquilo que Deus prometeu.

@juniorrostirola

DEVOCIONAL 366
327/366

LEITURA BÍBLICA
GÊNESIS 23

PALAVRA-CHAVE
#DIREÇÃO

ANOTAÇÕES

Muitas vezes, diante dos desafios da vida, tentamos buscar uma solução rápida. Isso é reflexo da nossa cultura atual, em que tudo está a um clique de distância e para tudo buscamos uma maneira mais rápida de resolver os problemas.

Mas nem tudo que é rápido e fácil pode ser bom e duradouro. Ao tentarmos uma solução *fast-food* para os nossos problemas, deixamos de consultar Deus acerca da decisão que estamos prestes a tomar e, por isso, muitas vezes fracassamos.

Deus sempre tem uma direção boa para nós; só precisamos parar e ouvi-lo. Eu me recordo de que na minha adolescência houve um incidente em que minha mãe me mandou ir até o centro da cidade para pagar uma conta. Quando eu já estava no ônibus a caminho, me dei conta de que não havia dinheiro para a passagem de volta.

Eu era muito tímido, mas já havia aceitado Jesus e cria que tudo daria certo. Senti em meu coração o Senhor me dando segurança para ir, pois ele não me abandonaria. Então, paguei a conta e, de um telefone público, liguei a cobrar para a casa do nosso vizinho a fim de avisar minha mãe do ocorrido. Ela me disse para pedir dinheiro a alguém para voltar, algo que seria impossível por causa da minha timidez. Mas, ao terminar a ligação, atrás de mim estava uma mulher que ouviu minha conversa e me deu o dinheiro para eu voltar para casa.

Confie em Deus, mesmo que a direção na qual ele o impulsiona a ir não lhe pareça lógica. Tenha fé. Não busque soluções rápidas e fáceis. Deus irá surpreendê-lo de uma forma que você nem imagina.

QUANDO OS OLHOS SE ABREM

Jesus parou e disse: "Chamem-no". E chamaram o cego: "ânimo! Levante-se! Ele o está chamando". Lançando sua capa para o lado, de um salto pôs-se em pé e dirigiu-se a Jesus.

MARCOS 10.49,50

23 NOV

#CAFECOMDEUSPAI

É impossível ter um encontro com Jesus e sair da mesma forma. Este foi o caso de Bartimeu. Ele era um cego, que se encontrava em situação de rua, muito provavelmente decorrente de sua deficiência, o que não permitia que encontrasse um emprego para se sustentar. Em consequência disso, pedia esmolas nas ruas para sobreviver. O fato de ele utilizar uma capa significava que possuía autorização das autoridades para viver mendigando.

Imagino que esse homem vivia sem perspectivas, carregando apenas poucas coisas consigo e sobrevivendo um dia de cada vez, na incerteza total a respeito do amanhã. Chama a atenção sua reação ao ver Jesus: ele lança sua capa para o lado, dá um salto e vai até ele. E então obteve cura, e sua vida foi totalmente transformada.

Entendo que, ao lançar a capa para o lado, Bartimeu, pela fé, já visualizava seu milagre, crendo que não precisaria mais dela, porque não mais pediria esmolas. Perceba que, ainda que fosse fisicamente cego, espiritualmente ele viu além.

Para Bartimeu, um encontro com Jesus foi o suficiente para transformar toda a sua vida para sempre. A Bíblia diz que imediatamente ele recuperou a visão e seguia Jesus pelo caminho. Ele poderia ter saído para aproveitar sua vida, ter ido atrás de seus próprios sonhos ou fazer qualquer outra coisa, já que agora havia recuperado a visão, contudo escolheu a melhor parte. Manteve-se fiel, seguindo Jesus.

Você tem escolhido seguir Jesus? Após nos encontrarmos com ele, é necessário redefinirmos nossa rota; só então, seremos lançados em direção a uma nova vida, cheia de amor, esperança, expectativas e propósito.

Não coloque limites; aplique fé.

@juniorrostirola

DEVOCIONAL
328/366

LEITURA BÍBLICA
GÊNESIS 24

PALAVRA-CHAVE
#ACREDITAR

ANOTAÇÕES

DEVAGAR E SEMPRE

Retenha, com fé e amor em Cristo Jesus, o modelo da sã doutrina que você ouviu de mim.

2TIMÓTEO 1.13

24
NOV
#CAFECOMDEUSPAI

Hoje sou melhor que ontem e amanhã quero ser melhor que hoje.

@juniorrostirola

DEVOCIONAL 366
329/366

LEITURA BÍBLICA
GÊNESIS 25

PALAVRA-CHAVE
#CONSTRUÇÃO

ANOTAÇÕES

A construção de uma fé inabalável não é uma tarefa realizada num só dia, não acontece de uma única vez quando voltamos nossa vida para Deus; é algo que se constrói fundamentando nossa vida em um relacionamento diário com Jesus. Uma casa não é construída em um estalar de dedos. Assim também, cada tijolo posicionado em nossa vida a torna mais próxima da plenitude almejada pelo Pai para nós.

No texto que lemos, Paulo diz a seu discípulo Timóteo que o tenha por exemplo no que diz respeito aos ensinamentos da vida com Deus. Ao lermos a Bíblia, percebemos que por muitos anos eles caminharam lado a lado, com Paulo ensinando e orientando Timóteo em sua vida como um propagador do evangelho.

Aprendo que, na vida, grandes coisas são construídas com pequenos passos. Por exemplo, se quisermos um grande nível de intimidade com Deus, precisamos de intensidade e constância. Mudanças em nossa vida são geradas com pequenos passos, entenda isso. Muitas vezes, queremos que tudo aconteça do dia para a noite e, ao percebermos que serão necessárias diligência e constância, desanimamos e acabamos desistindo.

Ao dar pequenos passos, alcançaremos grandes promessas. Essa é uma grande realidade para nossa vida. Temos a tendência de querer acelerar processos ou encurtar caminhos, mas o fato é que, se formos diligentes, teremos uma vida próspera e abundante.

O que você tem edificado? Lembre-se: grandes projetos se iniciam com pequenos passos. Não desanime, mesmo que os resultados ainda não sejam visíveis. Coloque, cada dia, mais um tijolo na construção da vida que você deseja viver amanhã.

SÓ EM DEUS VOCÊ É COMPLETO

Agora me está reservada a coroa da justiça, que o Senhor, justo Juiz, me dará naquele dia; e não somente a mim, mas também a todos os que amam a sua vinda.

2TIMÓTEO 4.8

25
NOV
#CAFECOMDEUSPAI

Tudo o que Deus quer é que você trilhe em seus caminhos.

@juniorrostirola

Vencer vai muito além de levantar um troféu ou colocar uma medalha no peito. Batalhas são enfrentadas por todos nós, cada uma com um tamanho e intensidade diferentes. Por mais que a vida não seja uma competição, ficar parado não nos conduzirá em direção ao cumprimento dos planos de Deus para a nossa vida.

Quando vivemos sem propósito, tudo parece vazio e sem sentido. Paulo, no texto que lemos, declara a grande expectativa que tem em relação à vida dele, aquilo que o move, que é o seu amor por Jesus e o desejo de cumprir seu propósito na terra.

Costumo dizer que não estamos aqui apenas para passear no shopping. Deus tem planos e propósitos para cada um de nós, mas algo que você precisa saber é o fato de eles sempre apontarem para o Pai. Deus não lhe dará propósitos que sejam contrários à sua Palavra ou que firam seus princípios. O objetivo deles sempre será glorificar o nome de Deus.

Paulo foi um homem que viveu totalmente seu propósito, caminhou fora da zona de conforto, enfrentou todos os desafios e saiu vencedor, não pela sua força, mas pela confiança em Deus, porque ele mesmo afirma em 2Coríntios 4.7: "Mas temos esse tesouro em vasos de barro, para mostrar que o poder que a tudo excede provém de Deus, e não de nós".

O que você tem feito para cumprir seu propósito? Entenda que em Deus você encontra tudo o que é necessário para realizá-lo. Contudo, é de nossa responsabilidade ouvir a sua voz para dar os próximos passos. Sem estar ligado a Deus Pai, você jamais viverá o propósito para o qual nasceu.

366 **DEVOCIONAL**
330/366

LEITURA BÍBLICA
SALMOS 139

PALAVRA-CHAVE
#MISSÃO

ANOTAÇÕES

DIAS MELHORES TE AGUARDAM

26
NOV

#CAFECOMDEUSPAI

Não só isso, mas também nos gloriamos nas tribulações, porque sabemos que a tribulação produz perseverança; a perseverança, um caráter aprovado; e o caráter aprovado, esperança.

ROMANOS 5.3,4

Não deixe que as adversidades da vida determinem a sua fé em Deus.

@juniorrostirola

DEVOCIONAL 366
331/366

LEITURA BÍBLICA
SALMOS 140

PALAVRA-CHAVE
#PERSEVERAR

ANOTAÇÕES

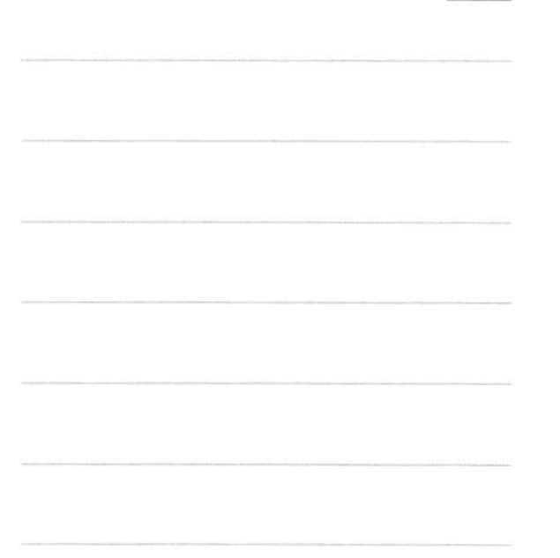

Como está sendo o seu ano? Como você tem lidado com as circunstâncias que tem surgido ao longo desses dias? Você tem confiado naquele que pode todas as coisas ou a sua confiança está em você mesmo ou, quem sabe, em outras pessoas?

Tenho visto muitas pessoas viverem uma dualidade: tentam viver os princípios dos céus, mas com um interesse maior nos princípios da terra. Por isso, costumo dizer que não somos seres humanos com experiências espirituais, mas somos seres espirituais com experiências humanas. Quando você entende isso, passa a viver o céu na terra. Consegue compreender que em sua vida há um Deus presente, que não o abandona e realmente não dorme nem cochila, mas que trabalha em favor daqueles que nele confiam.

Nem sempre aquilo que sabemos é o que foi planejado por Deus. Não basta ter conhecimento; é preciso obedecer. Deus não nos revela a jornada que iremos trilhar, mas ele aponta sempre para o destino ao qual chegaremos. Isso me ensina que o Pai não nos mostra o que vem depois da próxima curva na estrada de nossa vida, mas nos diz a direção em que devemos seguir.

Confie em Deus e siga os apontamentos dados por ele. Pode ser que venham dias difíceis, mas tudo isso faz parte do processo em direção a algo muito maior do que você pode imaginar. Deus tem poder de nos dar muito mais do que pedimos ou pensamos. Então, se hoje não tem sido um dia fácil, tenha fé. Não fique focado apenas em seus problemas e desafios, mas continue firme, acredite, viva um dia de cada vez. Com fé você desfrutará dos melhores dias que o Senhor tem preparado para você.

O QUE VOCÊ TEM PRIORIZADO?

Busquem, pois, em primeiro lugar o Reino de Deus e a sua justiça, e todas essas coisas serão acrescentadas a vocês.

MATEUS 6.33

27
NOV

#CAFECOMDEUSPAI

A obediência ao direcionamento de Deus é algo que devemos praticar e que nos levará ao destino que ele tem para nós. Deixe-me compartilhar algo. Há alguns anos, eu estava pronto para ministrar em um retiro. O meu horário seria antes do jantar, porém senti de Deus que deveria ministrar após o jantar, pois, caso isso não ocorresse, eu estaria limitando a mensagem que ele tinha para nós naquela ocasião devido ao pouco tempo disponível. Conversei com a equipe, e assim o fizemos.

A experiência foi extraordinária. A celebração começou às 9 da noite, sem hora para acabar. Lembro-me muito bem de que já passava das 2 da manhã e ainda estávamos todos lá envolvidos em um grande mover, o qual ficou marcado para sempre em nossa vida.

Com isso, quero dizer que precisamos ser sensíveis. Mesmo que a nossa motivação esteja correta, não devemos limitar o agir de Deus. Se eu não tivesse tomado aquela decisão, teríamos hora para encerrar a ministração. A motivação até estaria correta, mas não viveríamos uma experiência tão profunda quanto a que tivemos.

Deixe-me perguntar: Quais têm sido as suas prioridades? Você tem sido sensível à voz do Espírito Santo? Neste exato momento, creio que ele está falando ao seu coração e você pode perceber que já valeu a pena a escolha de separar este tempo para fazer o seu devocional. Agindo assim, pode ter certeza, a sua vida nunca mais será a mesma. Grandes experiências você viverá com Deus Pai, pois ele está em busca de verdadeiros adoradores que o adorem em espírito e em verdade. Seja um deles!

Sua escolha determinará o nível de experiência que você terá com Deus.

@juniorrostirola

366 **DEVOCIONAL**
332/366

LEITURA BÍBLICA
GÊNESIS 26

PALAVRA-CHAVE
#PRIORIZAR

ANOTAÇÕES

A GRATIDÃO REVELA O SEU CORAÇÃO

"O SENHOR vive! Bendita seja a minha Rocha! Exaltado seja Deus, a Rocha que me salva!"

2SAMUEL 22.47

28
NOV
#CAFECOMDEUSPAI

A gratidão abre novas portas na vida, a ponto de nos impulsionar para um amanhã melhor.

@juniorrostirola

DEVOCIONAL 366
333/366

LEITURA BÍBLICA
GÊNESIS 27

PALAVRA-CHAVE
#GRATIDÃO

ANOTAÇÕES

Ser bem-sucedido não tem a ver com a quantidade de dinheiro que temos em nossa conta, ou dos bens que possuímos, mas sim sobre ter um coração fiel, grato e obediente a Deus Pai. A gratidão sempre acompanhará a vida daqueles que são prósperos.

Deus não condena as riquezas, mas sim o amor a elas. Se quisermos prosperidade nessa área, inicialmente devemos cuidar e alinhar nosso coração ao do Pai. Pense comigo: se hoje Deus lhe desse muitas riquezas neste mundo, mas elas acabassem conduzindo-o a um mal caminho, isso seria bênção ou maldição?

No versículo que lemos, Davi expressa toda a sua gratidão a Deus pela sua bondade. Isto é algo que aprendo: pessoas prósperas são gratas. Na Bíblia, você verá dezenas de registros de Davi agradecendo e engrandecendo o nome de Deus. Não pense que deve ser grato apenas por grandes conquistas, mas comemore cada pequeno passo na direção certa, porque é por meio deles que alcançamos nossos objetivos.

Você tem sido grato? Deus continua sendo bom, independentemente do cenário; seu caráter de Pai abençoador não muda. Entenda que a riqueza jamais será um fim em si mesmo, mas apenas um meio de cumprir os propósitos de Deus para a sua vida.

Eu o convido a vibrar com cada pequena conquista, demonstrando um coração grato pela bondade e fidelidade de Deus a todo tempo. Você está vivo, é um filho e por isso tem todos os motivos para comemorar. Palavras de gratidão trazem renovo para a nossa alma e moldam nosso futuro.

PROTEJA O SEU CORAÇÃO

Acima de tudo, guarde o seu coração, pois dele depende toda a sua vida.

PROVÉRBIOS 4.23

29
NOV
#CAFECOMDEUSPAI

Não sou cardiologista, mas tenho uma pergunta para lhe fazer: como está o seu coração? Eu sei que a vida às vezes é dura e quebra até mesmo os mais fortes. O mundo pode nos machucar pra valer, por isso você precisa proteger o seu coração.

Eu fiz a pergunta acima, pois sei que cada um conhece seu coração e suas feridas melhor do que ninguém, por isso alertei de que você precisa cuidar dele, guardá-lo, pois disso depende toda a sua vida. O coração em paz traz vida para o corpo.

O coração reflete o estado de nossa vida, e isso é uma grande verdade. Ao encontrarmos pessoas feridas, que guardam sentimentos ruins, como inveja, dor ou falta de perdão, tudo isso reflete diretamente em suas palavras, atitudes, semblante, enfim, na vida como um todo.

Muitas vezes, essas feridas são fruto de sonhos frustrados, decepções amorosas, lutos, traições, entre tantas outras feridas geradas ao longo da vida. Quando guardamos esses sentimentos, caminhamos com nosso coração despedaçado, desânimo, falta de propósito e desesperança para sonhar. Saiba que a única forma de ser liberto de todo esse peso que habita no coração é por meio do amor de Deus.

Não termine o ano com situações como essas no seu coração. Permita que o amor do Pai entre e dissipe o que de ruim se instalou em suas emoções. Pois, quando você abre espaço para ele, o processo de cura se inicia, e só então o rancor é trocado pelo perdão, a decepção dá lugar a novas expectativas e os sonhos voltam a encher seu coração de esperança!

Uma vida feliz é o resultado de um coração sensível e curado por Jesus.

@juniorrostirola

366 **DEVOCIONAL**
334/366

LEITURA BÍBLICA
GÊNESIS 28

PALAVRA-CHAVE
#EMOÇÕES

ANOTAÇÕES

TRANQUILIZE SUA ALMA

Por que você está assim tão triste, ó minha alma? Por que está assim tão perturbada dentro de mim? Ponha a sua esperança em Deus! Pois ainda o louvarei; ele é o meu Salvador.

SALMOS 42.5

30 NOV

#CAFECOMDEUSPAI

Ore, descanse, confie, pois no Senhor você encontra refrigério e paz.

@juniorrostirola

DEVOCIONAL 366
335/366

LEITURA BÍBLICA
GÊNESIS 29

PALAVRA-CHAVE
#ORAÇÃO

ANOTAÇÕES

Você se considera uma pessoa que lida bem com as pressões e dificuldades? O ambiente de pressão expõe de fato o que há em nosso interior. Muitos, ao enfrentarem circunstâncias contrárias, acabam revelando comportamentos amargos e hostis, como um mecanismo de defesa, buscando evitar machucar-se novamente.

Em razão de ter momentos de aconselhamento pastoral com inúmeras pessoas, percebo o quanto o lar em que crescemos pode influenciar naquilo que está em nosso coração. Todos nós, em algum momento da caminhada, sofremos a dor da traição, o sentimento da rejeição e, somado a isso, os medos e pavores que a vida trouxe ao longo de toda a jornada. A oração do salmista parece até uma conversa com a própria alma, que estava abatida, perturbada e triste.

Isso demonstra que a oração é mais do que apenas uma petição para que Deus faça algo em nossa vida material, mas a forma que todos nós, ora fracos, desesperados, angustiados, tristes, abatidos ou desolados, temos de dizer a Deus Pai: "Ouve o meu clamor".

Como está a sua alma? Na vida, é inevitável passarmos por situações que parecem querer fazer nossa alma chorar angustiantemente, como se as lágrimas fossem a pessoa mais íntima. A oração é para pessoas como eu e você, que em algum momento da caminhada pensamos em desistir e que já tivemos medo de avançar.

Não permita que as pressões da vida o paralisem. Você não pode desistir! Converse com o Pai neste dia. Exponha a ele tudo aquilo que o está impedindo de verdadeiramente viver a leveza do Reino. Nele você encontrará abrigo e descanso. Ele é a calmaria de que você precisa!

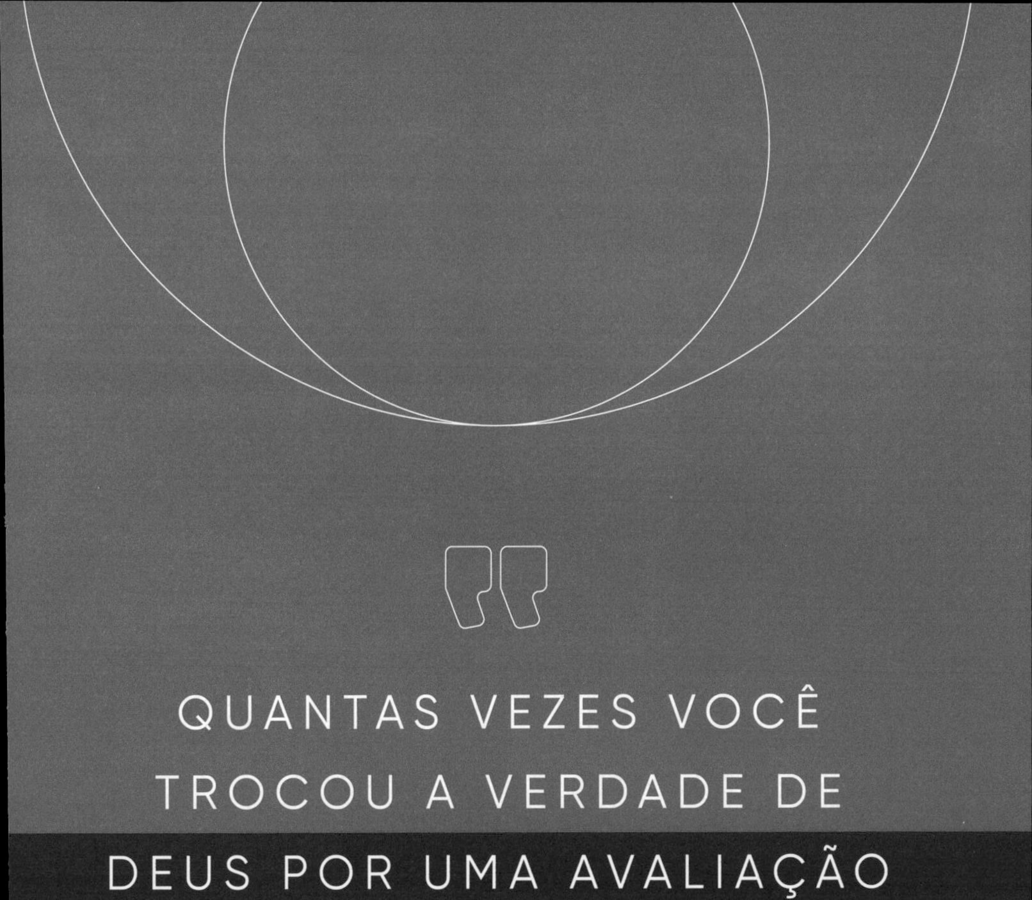
"
QUANTAS VEZES VOCÊ
TROCOU A VERDADE DE
DEUS POR UMA AVALIAÇÃO

E chegou o último mês do ano! Quantas coisas vivemos e aprendemos...

Independentemente das circunstâncias que passamos, o Pai sempre esteve e sempre estará ao nosso lado. Ele é bom em todo tempo, em todo tempo ele é bom!

Reservei este momento no livro para que você pratique a *gratidão*. Traga à memória agora, desde o início do ano, todos os motivos pelos quais você pode ser grato a Deus.

LEMBRE-SE

O ano ainda não acabou! Deus Pai pode realizar muito ainda neste último mês. Eu costumo dizer que "só acaba quando termina", amém? ***Há 31 dias para você viver o extraordinário ainda este ano!***

A gratidão é uma das grandes chaves espirituais para novas conquistas!

Mãos à obra!

gratidão
Obrigado,
DEUS PAI

café
com
Deus
pai

SER FELIZ NÃO
É O QUE TE
FAZ GRATO,
SER GRATO É
O QUE TE FAZ
FELIZ.

@juniorrostirola

DEZEMBRO

Assista o vídeo com a palavra
e oração para este mês.

café
com
Deus
pai

VOCÊ FOI PLANEJADO

Os céus declaram a glória de Deus; o firmamento proclama a obra das suas mãos.

SALMOS 19.1

01
DEZ

#CAFECOMDEUSPAI

Sem estar ligado a Deus, você jamais entenderá o propósito para o qual nasceu.

@juniorrostirola

Existem pessoas que já ouviram de seus pais que não foram planejadas. Talvez você seja uma dessas pessoas, mas essa é uma mentira da qual até mesmo eu fui vítima por muito tempo, quando ouvi da minha mãe que ela não desejava ter mais uma gestação por causa de tantos problemas das gestações anteriores. Entenda que você não é fruto de um acidente, de um erro ou de um engano, assim como eu também não sou; nascemos para viver de acordo com os propósitos de Deus.

Contudo, se nos concentrarmos em nós mesmos, jamais descobriremos o propósito de nossa vida. Talvez você já tenha se perguntado: Por que eu nasci? Qual o sentido da minha vida?

Da mesma forma que só temos conhecimento sobre determinado produto quando lemos o manual ou buscamos informações com o fabricante, só teremos clareza quanto à nossa origem, o sentido de estarmos na terra e os propósitos que foram designados de antemão para cada um de nós quando olharmos para Deus Pai.

Saiba que você foi criado por Deus e para Deus; sua vida não é um mero acaso. Não há ninguém igual a você; você é único. O salmista diz: "Os teus olhos viram o meu embrião; todos os dias determinados para mim foram escritos no teu livro antes de qualquer deles existir" (Salmos 139.16).

Deus conhece até as profundezas do nosso ser, coisas que são desconhecidas para nós. Em sua vida, habita a essência de Deus. Não fique preso às circunstâncias ou dilemas que tentam afligir sua alma. Aproprie-se de sua verdadeira identidade e viva conforme os planos de Deus, pois ele sempre tem o melhor para você.

366 **DEVOCIONAL**
336/366

LEITURA BÍBLICA
GÊNESIS 30

PALAVRA-CHAVE
#PLANEJADO

ANOTAÇÕES

VOCÊ ESTÁ QUASE LÁ

02
DEZ

#CAFECOMDEUSPAI

Ele fortalece o cansado e dá grande vigor ao que está sem forças.

ISAÍAS 40.29

Uma vida extraordinária carrega consigo a decisão de perseverar.

@juniorrostirola

DEVOCIONAL 366
337/366

LEITURA BÍBLICA
SALMOS 141

PALAVRA-CHAVE
#CHEGADA

ANOTAÇÕES

Se você é alguém que gosta de esportes, certamente já deve ter ouvido a expressão *sprint final*. Essa expressão de origem inglesa é sinônimo da aceleração de um competidor ao se aproximar da linha de chegada. Ela geralmente é utilizada no ciclismo, no atletismo, na natação e principalmente em grandes maratonas e provas de corrida em que o esforço físico e a resistência são fundamentais. Significa que o atleta, por mais exausto que possa estar, buscará energia para uma arrancada mais forte rumo à linha de chegada.

Estamos na reta final de mais um ano. Faz muitos meses que foi dada a largada, e tenho certeza de que você vivenciou diversas experiências ao longo do ano. Muita coisa se passou desde então, e emoções e momentos extraordinários aconteceram. Sei que também houve momentos difíceis, que trouxeram desgaste físico e emocional.

Pode ser que a esta altura você sinta que já não tem mais de onde tirar forças para concluir os projetos e metas que foram estabelecidos no início do ano, mas quero lembrá-lo de que o ano ainda não acabou; há tempo para muita coisa acontecer. Então, não desista tão próximo da linha de chegada. Você chegou até aqui, e, por mais que suas forças já se tenham esgotado, Deus quer fortalecer você para que possa continuar.

Você está cansado e sem forças? Saiba que você só chegou até aqui porque o Pai o fortaleceu; portanto, não pense que seria diferente agora. Continue correndo e creia na promessa de que ele lhe dará o vigor necessário para cruzar a linha de chegada como um verdadeiro campeão.

NÃO HÁ PROMESSA SEM PROCESSO

Quando você atravessar as águas, eu estarei com você; quando você atravessar os rios, eles não o encobrirão. Quando você andar através do fogo, não se queimará; as chamas não o deixarão em brasas.

ISAÍAS 43.2

03 DEZ

#CAFECOMDEUSPAI

Você já passou por circunstâncias tão difíceis, a ponto de que nem você mesmo achou que suportaria? Pressões, medos, desalento... Na vida, estamos sujeitos a travar diversas batalhas, mas algo que aprendo é o fato de o Pai estar conosco em todas elas.

O versículo que lemos traz verdades acerca do cuidado de Deus para com aqueles que o buscam. Ao passarmos pelos mais diversos contratempos da vida, precisamos entender que não caminhamos sozinhos; por mais difícil que seja, Deus sempre está conosco, guiando-nos, protegendo-nos e restabelecendo a direção.

Nos momentos em que o medo e o desespero tentarem bater à sua porta, lembre-se de que é possível prosseguir. Não devemos temer as tribulações, pois passaremos por elas protegidos pelo Senhor.

Algo que aprendo é que, quando não enfrentamos os desafios da vida, acabamos não vivendo o processo e, consequentemente, retardamos o propósito. Muitas vezes, procuramos nos esquivar das responsabilidades ou simplesmente desistir de algo porque supostamente "daria muito trabalho". Mas, ao agir assim, estamos nos afastando da promessa e dos planos de Deus para a nossa vida. Levante a cabeça e enfrente tudo o que se levantar para impedi-lo de prosseguir.

Algo o impede de ir adiante? Independentemente do que seja, você tem um Deus que caminha ao seu lado, não como um observador apenas, mas como alguém que luta por você. Lembre-se: essas batalhas não são para paralisar você ou fazê-lo desistir, mas para o deixar ainda mais forte, pronto para receber a promessa.

Assim como toda casa é feita por etapas, toda promessa passa por processos.

@juniorrostirola

DEVOCIONAL
338/366

LEITURA BÍBLICA
SALMOS 142

PALAVRA-CHAVE
#PERMANECER

ANOTAÇÕES

DECIDA SER O MILAGRE

Todavia, como está escrito: "Olho nenhum viu, ouvido nenhum ouviu, mente nenhuma imaginou o que Deus preparou para aqueles que o amam".

1CORÍNTIOS 2.9

04
DEZ

#CAFECOMDEUSPAI

Deus poderia fazer tudo sozinho, mas ele comissionou você para a obra.

@juniorrostirola

DEVOCIONAL 366
339/366

LEITURA BÍBLICA
GÊNESIS 31

PALAVRA-CHAVE
#SERVIR

ANOTAÇÕES

Imagine se hoje você fosse surpreendido inesperadamente pela realização de algo que há muito tempo você aguarda que aconteça em sua vida.

Veja que o texto lido fala sobre algo novo, surpreendente e inédito. O nosso Deus é assim: prepara o melhor para os seus filhos, pois ele é o grande doador.

Agora, deixe-me perguntar a você: e se for você a pessoa que surpreenderá a vida de alguém? Entendo que na vida melhor é dar do que receber. Não estamos aqui apenas para receber e consumir os recursos oferecidos; podemos ser também aqueles que têm um olhar de empatia para com o próximo em suas necessidades.

No milagre da multiplicação dos pães e peixes, por exemplo, Jesus alimentou toda a multidão; mas, antes, muitas daquelas vidas foram curadas, tiveram sua alma preenchida pelo amor do Pai e sua vida transformada pelos ensinamentos do Senhor.

Você tem tido um olhar de empatia para com o próximo?

Muitas vezes, queremos que Deus realize grandes milagres em nossa vida, como se tudo dependesse do Senhor. No entanto, eu acredito que podemos e devemos orar como se tudo dependesse de Deus, mas agir como se tudo dependesse de nós.

Você não está na terra somente para receber as bênçãos de Deus, mas para estender as mãos e abençoar o próximo. Não existe sentido em você ser filho de um Deus presente, que nos ama e não poupou seu único Filho, entregando-o para morrer em uma cruz por amor a nós, se você retiver esse amor com você.

O que você pode fazer pelo seu próximo hoje? Seja você o milagre na vida de alguém.

UMA VIDA PRÓSPERA

Conservem-se livres do amor ao dinheiro e contentem-se com o que vocês têm, porque Deus mesmo disse: "Nunca o deixarei, nunca o abandonarei".

HEBREUS 13.5

05 DEZ

#CAFECOMDEUSPAI

Tudo que precisamos para uma vida plena é a presença de Deus. Somente nele encontraremos satisfação completa. Nessa passagem, Deus deseja nos ensinar que existe uma grande diferença entre preço e valor.

O que tem valor não pode ser comprado pelo dinheiro; são coisas inestimáveis, como, por exemplo, a felicidade, a família e os relacionamentos. Ao passo que o que tem preço pode ser comprado por uma quantia estabelecida. A grande questão é que muitos creem que o dinheiro os levará à felicidade, mas isso não é verdade. Ele pode proporcionar momentos felizes, mas apenas o amor de Deus pode conduzir qualquer um de nós a uma vida verdadeiramente satisfeita.

Atualmente, muitos buscam liberdade financeira e fazem de tudo por isso. Mas o fato é que todo extremo não é saudável, e isso pode acabar levando a uma verdadeira prisão de ganância. O dinheiro é para ser bênção na nossa vida, porém ele toma a forma do seu portador e acaba por revelar o que está em nosso coração.

A verdadeira liberdade está totalmente relacionada à compreensão de quem é Deus em sua vida, e isso acontece porque você passa a crer que ele supre todas as suas necessidades.

Deus tem promessas para todas as áreas de nossa vida, mas nossos olhos nunca podem se desviar dele. A convicção plena de que ele nunca abandona os seus deve impulsionar você a viver confiante.

O que o motiva a levantar da cama? Simplesmente acumular dinheiro ou cumprir um propósito? Esforce-se em conhecer ainda mais o Pai e veja a prosperidade alcançar todas as áreas da sua vida.

Há pessoas tão pobres na vida que tudo o que têm é dinheiro.

@juniorrostirola

366 **DEVOCIONAL**
340/366

LEITURA BÍBLICA
GÊNESIS 32

PALAVRA-CHAVE
#LIBERDADE

ANOTAÇÕES

VOCÊ FOI CRIADO POR DEUS

Tragam todos que me reconhecem como seu Deus, pois eu os criei para minha glória; fui eu quem os formou.

ISAÍAS 43.7, NVT

06
DEZ

#CAFECOMDEUSPAI

Mesmo antes de chegar no ventre de sua mãe, Deus já havia sonhado com você.

@juniorrostirola

DEVOCIONAL 366
341/366

LEITURA BÍBLICA
GÊNESIS 33

PALAVRA-CHAVE
#FILIAÇÃO

ANOTAÇÕES

Você crê que foi formado por obra do acaso? Ou por uma simples decisão de seus pais? Quero que entenda o fato de que todos nós fomos criados por Deus; ele sonhou com você e o planejou muito antes de você ser formado.

Ainda que em algum momento da vida você tenha ouvido que não foi planejado, que é fruto de uma má decisão, de um relacionamento frustrado que seus pais viveram, ou ainda não tenha sido aceito nem pelo seu pai nem pela sua mãe, você foi planejado e criado por Deus. Sua vida não é menos importante que a daqueles que nasceram em lares estruturados.

Certa vez, ouvi minha mãe dizer, por causa de tudo o que ela passou, que eu não havia sido planejado e que ela havia engravidado por um acidente. Saiba que eu sei exatamente o que é ouvir algo do tipo: "O Junior foi um acidente; ele não foi planejado". Não falo isso com pesar, mas com a clareza de que, mesmo não tendo sido planejado por meus pais, apesar de sempre ser muito amado por minha mãe, tenho plena convicção de que Deus Pai me formou.

O versículo que lemos diz que fomos criados para a glória de Deus, formados por ele. Isso quer dizer que nossas atitudes devem apontar para nosso Pai, não para a rejeição, de modo que as nossas atitudes e decisões revelem o DNA dos céus que em nós está estabelecido.

Portanto, se por algum momento da sua vida você teve dúvidas da sua verdadeira identidade, hoje eu lhe digo com toda a certeza: Deus Pai o fez exatamente como deveria ser. Não fique preso a mentiras. Você é filho, e isso basta; aliás, isso é tudo.

SEMEANDO O AMOR

Quem não ama não conhece a Deus, porque Deus é amor.

1JOÃO 4.8

07
DEZ

#CAFECOMDEUSPAI

Certa vez, ouvi uma história que me comoveu. Ela fala sobre uma professora que em uma reunião com os pais dos alunos ouviu que certo pai, por causa da jornada de trabalho exaustiva que estava tendo naquele momento, passava pouco tempo com seu filho. Precisava sair de casa todos os dias muito cedo, quando o menino ainda estava dormindo, e voltar para casa muito tarde, quando o garoto já não estava mais acordado.

Por isso, esse pai, cada vez que ia dar um beijo no filho que estava dormindo, dava um nó na ponta do lençol que o menino usava para se cobrir. Assim, quando o garoto acordava, sabia que o pai havia estado ali e dado um beijo nele. Isso impactou muito a professora, porque o garoto era o melhor aluno da sala. Aquele nó era o meio de comunicação entre pai e filho que mantinha o menino motivado a dar o seu melhor.

Essa linda história nos faz refletir sobre as muitas maneiras de as pessoas se fazerem presentes e de demonstrar amor umas às outras. Aquele pai encontrou uma maneira simples e eficiente. E o mais importante é que o filho percebia ao olhar para aquele nó que o pai estava presente na vida dele. Saiba que, toda vez que demonstramos amor ao próximo, estamos agindo como Deus é conosco, perpetuando amor e cuidado.

Expresse seu carinho por aqueles que você ama. Pequenos gestos fazem toda a diferença. Desafio você hoje a demonstrar de alguma forma seu amor a quem é importante em sua vida; pode ser com palavras, presentes ou apenas um pequeno gesto de carinho. Dessa forma, você expressará o caráter amoroso de Deus por intermédio da sua vida.

Não é sobre você, mas é sobre revelar a grandeza e o amor de Deus.

@juniorrostirola

366 **DEVOCIONAL**
342/366

LEITURA BÍBLICA
GÊNESIS 34

PALAVRA-CHAVE
#AMOR

ANOTAÇÕES

EM QUAL ESPELHO VOCÊ TEM OLHADO?

08
DEZ
#CAFECOMDEUSPAI

"O SENHOR não vê como o homem: o homem vê a aparência, mas o SENHOR vê o coração."

ISAMUEL 16.7b

Você sabia que a origem da palavra "pessoa" vem do latim, da palavra persona, que era o nome dado às máscaras teatrais usadas na Antiguidade?

Com isso, convido você a um exercício de autorreflexão, perguntando-lhe: que máscaras você tem usado? Quais são os rótulos e identidades que você assumiu e que não são verdadeiramente você?

Muitas vezes, acabamos assumindo identidades que não são nossas, que não fazem sentido para a nossa vida e que nos podem levar à paralisia. Muitas palavras podem ter sido lançadas em sua vida, e você as acatou como verdades, mas eram mentiras nas quais você foi induzido a acreditar.

Durante muitos anos, eu fui induzido a acreditar nas mentiras de que nunca teria uma família feliz, nunca teria filhos e nunca teria um lar. Quantas mentiras! E não só isso: muitas vezes, ouvi de pessoas que eu não iria conseguir romper de fato. As pessoas colocaram em mim rótulos, me fazendo enxergar como se estivesse diante de um espelho quebrado.

Talvez tenham colado em você rótulos ainda piores do que os que foram colocados em mim, mas saiba que Deus Pai fez exatamente o que era preciso para eu olhar no espelho dele e enxergar os seus grandes feitos.

Para isso, foi preciso quebrar o orgulho, vencer os medos, encarar as dores, remover cada "adesivo" colado em mim como se fosse verdade. Não posso dizer que foi fácil, mas posso assegurar que é possível. Em qual espelho você decide se olhar hoje?

Acredite, só o Pai nos revela quem somos, quem não somos, e quem podemos nos tornar nele.

Se você não se olhar no espelho do seu Pai, você sempre se sentirá incapaz!

@juniorrostirola

DEVOCIONAL 366
343/366

LEITURA BÍBLICA
GÊNESIS 35

PALAVRA-CHAVE
#IDENTIDADE

ANOTAÇÕES

FÉ QUE NOS FAZ SONHAR

O que é nascido de Deus vence o mundo; e esta é a vitória que vence o mundo: a nossa fé.

1JOÃO 5.4

09
DEZ

#CAFECOMDEUSPAI

A fé é o que deveria nos manter de pé. Se nos levantamos todos os dias para trabalhar, estudar e fazer as demais coisas, devemos ter um objetivo, não é verdade? Ela é extremamente importante porque nos move a ir além. Mas será que a fé tem nos movido a sonhar? É muito fácil dizer que temos fé, mas ao mesmo tempo estarmos estacionados na zona de conforto.

Entendo que a fé deve ser inspiradora, pois revela a grandeza de Deus e a confiança que temos nele, a ponto de gerar grandes expectativas em nosso coração antes mesmo de vermos algo concreto. É como você olhar para um terreno vazio que não lhe pertence, mas já visualizar a grande construção ali que Deus colocou em seu coração.

Isso já aconteceu comigo, de visualizar algo dado por Deus, e, por acreditar, hoje é uma realidade em minha vida. Entenda que a fé torna concreto aquilo que antes seria humanamente impossível.

Quando Deus promete algo, ele irá cumprir, mas está à procura de homens e mulheres com o coração cheio de fé e dispostos a obedecer, para que ele possa executar os seus planos por meio da vida deles.

Que sonhos Deus pôs em seu coração? Hoje ele o chama a ter uma fé ousada e acreditar na promessa, pois ele quer fazê-lo viver coisas que aos seus olhos físicos seria impossível. Deus está pronto para fazer algo tão grande que só alguém com tamanha fé será capaz de acreditar e conquistar. "'Porque sou eu que conheço os planos que tenho para vocês', diz o Senhor, 'planos de fazê-los prosperar e não de causar dano, planos de dar a vocês esperança e um futuro'" (Jeremias 29.11).

Quando aplicamos fé, o impossível se torna realidade.

@juniorrostirola

366 **DEVOCIONAL**
344/366

LEITURA BÍBLICA
SALMOS 143

PALAVRA-CHAVE
#ACREDITE

ANOTAÇÕES

RENÚNCIAS QUE GERAM VIDA

10
DEZ
#CAFECOMDEUSPAI

Jesus, cheio do Espírito Santo, voltou do Jordão e foi levado pelo Espírito ao deserto, onde, durante quarenta dias, foi tentado pelo diabo. Não comeu nada durante esses dias e, ao fim deles, teve fome.

LUCAS 4.1,2

Pare de insistir naquilo que Deus lhe pediu para renunciar.

@juniorrostirola

DEVOCIONAL 366
345/366

LEITURA BÍBLICA
SALMOS 144

PALAVRA-CHAVE
#DISCIPLINA

ANOTAÇÕES

Quando vivemos em intimidade com o Espírito Santo, o deserto é um lugar de vitória e aprendizado. O Inimigo tentou Jesus no deserto, mas ele não foi abalado, pois sua vida espiritual estava saudável e equilibrada. Este é o segredo da vitória de Jesus sobre o Inimigo: a disciplina. Muitas pessoas não resistem às tentações porque simplesmente não investem na vida espiritual e deixam de desenvolver hábitos saudáveis e edificantes.

Devemos dar prioridade ao que é importante, com atitudes que nos levem a avançar em intimidade com Deus. Experimente mudar seus hábitos e intensificar seu tempo de busca a Deus. Isso o levará a experimentar o sobrenatural do Pai sobre a sua vida.

Costumo dizer que o que não lhe custa nada não leva a lugar algum. Seu posicionamento em ler este devocional diz muito a seu respeito. Mostra que você está procurando mais de Deus, e isso é incrível!

Veja que Jesus foi levado ao deserto pelo Espírito Santo não simplesmente para passar necessidade, mas para buscar uma vida de profundidade; ou seja, Jesus nos ensina que ficar acomodado não nos fará experimentar níveis mais profundos de intimidade com o Pai. Não se contente com gotas, quando você tem um oceano no qual mergulhar.

Quais têm sido as suas escolhas quando se depara com as tentações? Lembre-se: quando você estiver em conexão íntima com o Pai, suas decisões serão assertivas e o conduzirão a vencer um dia de cada vez em todas as áreas da sua vida. O Pai está em busca de filhos ousados que estão dispostos a renunciar àquilo que os afastam da sua presença! Qual será a sua renúncia hoje?

QUEM É VOCÊ?

"E vocês?", perguntou ele. "Quem vocês dizem que eu sou?" Simão Pedro respondeu: "Tu és o Cristo, o Filho do Deus vivo".

MATEUS 16.15,16

11
DEZ

#CAFECOMDEUSPAI

Ao longo da nossa jornada, muitas perguntas nos são feitas e, muitas vezes, nos calamos diante delas. É como se a resposta estivesse ali, na ponta da língua, mas algo nos impedisse de falar. Medo de errar, do julgamento alheio ou de sermos expostos. Quantas oportunidades já perdemos por causa disso?

Não tenha medo de responder às perguntas que a vida lhe faz. Especialmente, não tenha medo de responder à pergunta mais importante: Quem é Jesus na sua vida? Reconheça verdadeiramente a identidade dele, como Pedro o fez. Assim, você jamais aceitará viver longe de Cristo. Aos meus 13 anos de idade, quando o reconheci em minha vida, descobri meu propósito e fui curado dos traumas e angústias que tinha no coração. Então, passei a compreender qual era a minha identidade.

No texto lido, o que mais me impressiona não é o fato de Pedro responder com tanta convicção, mas em saber a identidade de Jesus como o Filho de Deus. A partir do momento em que reconhecemos com clareza quem é Jesus, passamos a compreender melhor nossa própria identidade. Não podemos, de forma alguma, viver como se Cristo simplesmente tivesse sido um homem sábio que nos deixou ensinamentos. Ele é o próprio Deus em figura humana, que veio perdoar nossos pecados e nos reconciliar com o Pai, abrindo o caminho para que possamos ter um relacionamento com ele, provendo-nos assim cura, transformação e esperança no amanhã.

Aproxime-se de Jesus, e você perceberá que somente nele descobrirá a sua verdadeira identidade, vivendo assim o seu propósito para cumprir o seu destino.

Em Jesus, sua identidade é restituída; seu propósito, restaurado; e seu destino, transformado.

@juniorrostirola

366 **DEVOCIONAL**
346/366

LEITURA BÍBLICA
GÊNESIS 36

PALAVRA-CHAVE
#TRANSFORMAÇÃO

ANOTAÇÕES

ESTAMOS SEGUROS

12
DEZ
#CAFECOMDEUSPAI

Aquele que habita no abrigo do Altíssimo e descansa à sombra do Todo-poderoso pode dizer ao SENHOR: "Tu és o meu refúgio e a minha fortaleza, o meu Deus, em quem confio".

SALMOS 91.1,2

Não há impossível quando estamos no esconderijo de Deus.

@juniorrostirola

DEVOCIONAL 366
347/366

LEITURA BÍBLICA
GÊNESIS 37

PALAVRA-CHAVE
#PROTEÇÃO

ANOTAÇÕES

Quantas situações de medo e insegurança passamos durante a nossa vida, não é verdade? Há momentos em que somos tomados por tamanha angústia, a ponto de não vermos solução, parecendo até que Deus está distante e indiferente ao nosso sofrimento. Mas hoje eu preciso lhe dizer que isso não é verdade!

A Bíblia está repleta de promessas a respeito do cuidado e do amor de Deus para com a nossa vida. Ela afirma que ele é o nosso refúgio, fortaleza e socorro bem presente na angústia. "Ele o cobrirá com as suas penas, e sob as suas asas você encontrará refúgio; a fidelidade dele será o seu escudo protetor" (Salmos 91.4). Que confortante é saber disso! Nele somos guardados e encontramos descanso.

Deus está com você, e você precisa acreditar nisso. Eu teria inúmeros testemunhos para relatar aqui a fim de fortalecer a sua fé. Acho que, se eu fosse descrever tudo o que já vivi, não caberia em um único livro. Por isso, posso afirmar com propriedade que nada passa despercebido aos olhos do nosso Deus. Ele conserta uma simples resistência de chuveiro queimada e até mesmo reverte um quadro gravíssimo de saúde desenganado pela medicina. Sim, eu vivi e vi inúmeros milagres como esses! Nosso Deus Pai cuida de cada detalhe da nossa vida, e nunca estaremos sozinhos e desprotegidos quando estivermos em seus braços.

Entenda que muitas vezes a vida pode até nos abalar, mas sempre teremos a quem recorrer para devolver a calmaria e a paz ao nosso coração. Por mais difícil que seja a sua realidade, você sempre encontrará refúgio e proteção no Senhor.

O IMPORTANTE É CHEGAR

Mas os que confiam no SENHOR renovam suas forças; voam alto, como águias. Correm e não se cansam, caminham e não desfalecem.

ISAÍAS 40.31, NVT

13
DEZ

#CAFECOMDEUSPAI

Em nossa jornada por esta vida na terra, é impossível que em algum momento não venhamos a ser assolados pela sensação de esgotamento físico ou emocional. Por isso, todos nós precisamos em algum momento ter nossas forças renovadas e a mente refrigerada para estarmos preparados para as mudanças que virão pela frente.

Há alguns anos, realizamos uma corrida beneficente em um de nossos projetos sociais, e decidi participar do trajeto de dez quilômetros, em que a maior adversidade era a temperatura; afinal, a corrida aconteceu no mês de dezembro. Lembro-me de que, em razão do calor, o cansaço era bem grande, mas algo dizia à minha mente: "Não desista! Não desista!", e assim foi até concluir o percurso. Mesmo não chegando em primeiro lugar, eu perseverei até o fim e conquistei aquilo que almejava.

Naquele dia, aprendi que o cansaço não poderia me impedir de alcançar os meus objetivos, desde que eu me mantivesse focado no destino e na meta estabelecida. Enquanto corria, buscava forças de todos os lugares possíveis em meu corpo para não desistir. Em alguns trechos, havia pessoas com um pequeno copo de água para que eu pudesse saciar a minha sede e me refrescar. Também aprendi que, diante de desafios, sempre haverá alguém para nos ajudar e impulsionar.

Muitas vezes, não temos noção do nosso potencial e acabamos desanimando, ou até mesmo desistindo antes de encarar os desafios. A verdade é que podemos ir muito mais longe. Tudo o que precisamos é não desistir. Ainda que as nossas forças internas esgotem, precisamos confiar que não estamos sozinhos, pois em Deus somos renovados e impulsionados a ir adiante. Confie, acredite e não desista. A chegada valerá muito a pena!

Não desistir o fará alcançar. Prossiga!

@juniorrostirola

366 **DEVOCIONAL**
348/366

LEITURA BÍBLICA
GÊNESIS 38

PALAVRA-CHAVE
#PROSSEGUIR

ANOTAÇÕES

O CONSOLO DO PAI

14
DEZ
#CAFECOMDEUSPAI

Protege-me, ó Deus, pois em ti me refugio.

SALMOS 16.1

Quem tem Deus Pai tem refúgio nas horas difíceis.

@juniorrostirola

DEVOCIONAL 366
349/366

LEITURA BÍBLICA
GÊNESIS 39

PALAVRA-CHAVE
#REFÚGIO

ANOTAÇÕES

Existem momentos na vida em que estamos tão cansados e abatidos pelas circunstâncias que nem sequer temos forças para reagir. Tudo que buscamos é um lugar seguro de acolhimento e consolo. Foi assim comigo em grande parte da minha infância. Quando fui para a escola, o lugar que deveria ser de aprendizado e novas amizades se tornou um ambiente hostil para mim. Eu era agredido por outras crianças e excluído das atividades em grupo, nunca podendo participar ao menos do futebol no recreio. Mas, quando voltava para casa, o único lugar que me trazia paz era o colo da minha mãe. Apesar de toda a tristeza e medo proporcionados pelos ataques de ira do meu pai, eu me sentia seguro e protegido por ela.

Da mesma forma, Deus nos oferece refúgio e proteção. Quando as lutas aparecem e parece que estamos sem forças, os braços do Pai são nosso lugar seguro. É isso que Davi testifica ao escrever esse salmo, depositando toda a sua confiança em Deus.

O normal de uma criança ao escorregar e acabar ralando o joelho, por exemplo, é correr desesperadamente para o colo de seu pai em busca de consolo. No meu caso, por não ter um pai presente, eu recorria ao colo da minha mãe, o qual me trazia alívio e segurança por um momento.

E você, onde tem procurado refúgio para sua dor? Muitos, ao se frustrarem, recorrem a vícios e outros hábitos, a fim de obter alívio e esquecer seus problemas, mas o fato é que só Deus pode trazer solução para as suas aflições. Percebi isso com o tempo, quando comecei a me relacionar com o Pai. Decida hoje estar no colo dele e receber consolo, proteção e paz.

NÃO SE COMPARE

Quando Pedro o viu, perguntou:
"Senhor, e quanto a ele?"

JOÃO 21.21

15
DEZ

#CAFECOMDEUSPAI

O ser humano tem uma grande inclinação à comparação, não é verdade? As redes sociais colaboram ainda mais com esse tipo de comportamento. Estamos a todo momento observando a vida de outras pessoas, e isso, inconscientemente, nos leva à comparação. Contudo, esse pensamento pode ser muito perigoso, porque cada um de nós possui sua própria história e identidade em Deus.

No versículo que lemos, Pedro, em conversa com Jesus, pergunta a respeito do apóstolo João, comparando-se a ele. Entretanto, João nem sequer era o assunto dos dois, e prontamente Cristo o repreende, pois ele estava se comparando ao outro. Isso não deveria ser feito, porque cada um possuía um chamado, uma identidade e um propósito único em Deus.

Ninguém poderá viver o que estou vivendo sem passar pelos processos e vencer as lutas que enfrentei, não é verdade? O que você vive hoje é fruto das batalhas que você venceu no passado e que o levaram ao amadurecimento.

Tenho aprendido que cada um de nós está em uma estação própria, ou seja, em uma fase diferente. Certamente eu e você estamos vivendo situações distintas da vida neste exato momento.

Não caia na armadilha da comparação. É preciso vencê-la. Para que isso aconteça, é necessário firmar nossa identidade em Jesus e buscá-lo cada vez mais, pois, assim como Pedro descobriu seu propósito ao caminhar com Cristo, conosco não será diferente. Nossa verdadeira identidade e propósito só serão vividos em plenitude quando nossa vida for entregue totalmente a Jesus.

Quando sabemos quem somos, não desejamos ser ninguém além de nós mesmos.

@juniorrostirola

DEVOCIONAL
350/366

LEITURA BÍBLICA
GÊNESIS 40

PALAVRA-CHAVE
#AUTENTICIDADE

ANOTAÇÕES

ELE ESTÁ PERTO

Quando ouviu falar de Jesus, chegou por trás dele, no meio da multidão, e tocou em seu manto, porque pensava: "Se eu tão somente tocar em seu manto, ficarei curada".

MARCOS 5.27,28

16
DEZ
#CAFECOMDEUSPAI

Quando decidimos tocar em Jesus, milagres acontecem.

@juniorrostirola

DEVOCIONAL 366
351/366

LEITURA BÍBLICA
SALMOS 145

PALAVRA-CHAVE
#BONANÇA

ANOTAÇÕES

Estamos constantemente vendo o surgimento de novas doenças. Passamos não faz muito tempo por uma pandemia global em que o medo e a insegurança eram presentes diariamente. Tivemos de enfrentar realidades até então desconhecidas, e períodos de isolamento nos acorrentaram ao sofrimento e à incerteza de como tudo aquilo acabaria, sem contar as perdas que geraram dores e deixaram saudades. Um tempo não só de doenças físicas, mas também no qual as doenças da alma vieram cada vez mais à tona.

Os versículos que lemos mostram uma mulher que sofria de uma doença havia anos. Seus recursos já tinham se esgotado, e ela permanecia da mesma forma. Imagino que seu coração estava carregado de frustrações pelo fato de viver em uma incerteza, sem perspectiva de solução. Até que ela ouve falar que Jesus passaria por perto.

Ao conceber que poderia ter encontrado o que tanto procurava, ela se esforça para entrar no meio da multidão, de modo que finalmente consegue chegar perto dele. Então, toca nele, e recebe a cura que há anos procurava.

Assim como essa mulher, você também pode estar há muito tempo buscando uma cura física ou emocional. Já a buscou em tantos lugares, a ponto de estar frustrado e sem esperança.

E se eu lhe disser que Jesus está por perto? Você está a um passo dele. Toda frustração, todo desânimo e toda desesperança se dissipam diante da presença daquele que pode todas as coisas. Decida hoje tocar em Jesus. Ele pode curar você.

PONTO DE INFLEXÃO

"Eu disse essas coisas para que em mim vocês tenham paz. Neste mundo vocês terão aflições; contudo, tenham ânimo! Eu venci o mundo."

JOÃO 16.33

17
DEZ

#CAFECOMDEUSPAI

Ouvir essa passagem pela primeira vez pode deixar muitos com o coração aflito, mas existe uma boa notícia para todos nós. Jesus venceu, e já somos vencedores quando caminhamos com ele. Muitos pensam que, ao passar a segui-lo, seus problemas desaparecerão instantaneamente, mas isso não é verdade. Seguir Jesus não nos garante uma vida livre de problemas ou dificuldades. Ele mesmo não nos prometeu isso. Mas saber que Jesus está conosco muda a forma de enfrentarmos as circunstâncias.

A esperança toma nosso coração, e passamos a nutrir expectativas positivas diante das dificuldades do dia a dia, pois sabemos que nossa vitória já está garantida. Mas o fato de Jesus ter se entregado por nós vai muito além de realidades visíveis, porque ele inaugurou uma nova vida e nos concedeu a eternidade. Gosto muito de expressar que somos seres espirituais com experiências humanas. Quando passamos a compreender isso, o sentido da nossa vida muda, pois começamos a valorizar muito mais o que nos aproxima de Deus.

Talvez as aflições da vida tenham tomado seu coração, e isso o tem impedido de viver uma vida em paz, próspera, abundante e plena, mas quero lhe dizer algo: suas ansiedades não são maiores que Jesus; lembre-se: ele venceu o mundo.

Portanto, tenha uma atitude de entrega e dê um passo de fé rumo à vida nova. Pode ser que seja difícil de encarar a próxima curva da vida; talvez você ache que até está indo devagar. Mas isso é só porque a subida de cada degrau o assustou. Suas circunstâncias não o definem, por isso tenha esperança, pois o melhor está por vir.

Quando estamos dispostos a esperar e deixar que Deus assuma o controle do problema, é exatamente isso que ele faz.

@juniorrostirola

DEVOCIONAL
352/366

LEITURA BÍBLICA
SALMOS 146

PALAVRA-CHAVE
#DECISÃO

ANOTAÇÕES

POTENCIAL PARA O EXTRAORDINÁRIO

18
DEZ
#CAFECOMDEUSPAI

Àquele que é capaz de fazer infinitamente mais do que tudo o que pedimos ou pensamos, de acordo com o seu poder que atua em nós [...]

EFÉSIOS 3.20

Um conquistador tem visão porque sabe quem ele é em Deus.

@juniorrostirola

Quero lhe fazer uma pergunta: Deus já fez algo por você que superou completamente as suas expectativas? É bem provável que sim, pois isso faz parte de quem ele é, como um Pai que ama surpreender seus filhos e dá seu melhor para cada um deles.

O versículo que lemos fala a respeito da grandeza e do poder de Deus. Demonstra que ainda que tenhamos grandes expectativas, provavelmente elas serão inferiores ao que o Pai irá fazer. Ele executa tudo isso de acordo com o seu infinito poder que atua em nossa vida e faz muito além das medidas humanas. Com isso, entendo que em cada um de nós há um grande potencial que só vem de Deus.

Jesus, em João 15.5, fala a respeito de nossa dependência dele. Ele diz: "[...] pois sem mim vocês não podem fazer coisa alguma". Isso me ensina que somos incapazes de realizar qualquer coisa sem estarmos conectados a ele. Mas o fato é que, quando estamos alinhados com isso, o inverso também é verdadeiro: podemos realizar coisas extraordinárias. Seu potencial vem dele, portanto não se acomode e sonhe além!

À medida que você se aproxima e se conecta a Deus, mais o poder dele atua em sua vida. Talvez hoje você se sinta frustrado porque seus projetos e sonhos não foram adiante, contudo eu o convido a refletir. Você tem tentado com a força do seu próprio braço? Entenda: desconectados do Pai, nos esforçaremos e não faremos absolutamente nada relevante.

Todo o poder e potencial para fazer grandes coisas que possuímos vem dele. Entenda isso, vire a chave em sua vida, e Deus abrirá portas para o extraordinário. Portanto, faça o que nunca fez, para viver o que nunca viveu.

DEVOCIONAL 366
353/366

LEITURA BÍBLICA
GÊNESIS 41

PALAVRA-CHAVE
#DEPENDÊNCIA

ANOTAÇÕES

QUANDO OS VENTOS CESSAREM

Nessa ocasião, o rei Herodes prendeu alguns que pertenciam à igreja, com a intenção de maltratá-los, [...]. *Pedro, então, ficou detido na prisão, mas a igreja orava intensamente a Deus por ele.*

ATOS 12.1,5

19 DEZ

#CAFECOMDEUSPAI

A Palavra de Deus é rica em ensinamentos que nos orientam em meio às adversidades da vida. Como podemos ver no texto de hoje, o propósito de Herodes era destruir aqueles que seguiam Jesus, mas Deus usou essa situação para cumprir a sua vontade e prevalecer sobre o mal.

Muitas vezes, enfrentamos dificuldades e oposições em nossa vida. Mas, se estamos conectados com Deus, essas adversidades podem nos impulsionar ainda mais em direção ao nosso destino.

Aprendo que, não importa o que as pessoas façam contra nós, os propósitos de Deus são maiores do que qualquer circunstância e que, à medida que nos aproximamos do Pai, passamos a entender isso. O fato é que muitas vezes esperamos resultados e respostas imediatos, mas, como qualquer relacionamento, é necessário cultivá-lo com intencionalidade, para que se desenvolva em uma interação ainda mais profunda e reveladora.

Na minha caminhada, tenho aprendido que, quando estamos próximos a viver algo grande em Deus, os ventos das adversidades costumam soprar mais forte, trazendo-nos desafios ainda maiores. Entenda que, ao enfrentar tempestades, Deus pode estar trabalhando seu coração para tomar posse de grandes promessas.

A caminhada tem sido difícil? Saiba que os desertos da vida são uma escola que nos promove para vitórias surpreendentes. Não permita que as oposições o desanimem. Deus Pai tem o melhor preparado para aqueles que o buscam intensamente; portanto, mantenha-se firme, pois, quando os ventos cessarem, você chegará ao seu destino.

Não se trata dos ventos contrários, mas do que você aprendeu com eles.

@juniorrostirola

DEVOCIONAL
354/366

LEITURA BÍBLICA
GÊNESIS 42

PALAVRA-CHAVE
#FIRMADO

ANOTAÇÕES

SEJA AUTOR DE SUA HISTÓRIA

20
DEZ
#CAFECOMDEUSPAI

Quando se aproximava o dia de sua morte, Davi deu instruções ao seu filho Salomão: "Estou para seguir o caminho de toda a terra. Por isso, seja forte e seja homem".

1REIS 2.1,2

Suas ações não precisam ser notadas na terra, elas precisam ser notadas nos céus.

@juniorrostirola

DEVOCIONAL 366
355/366

LEITURA BÍBLICA
GÊNESIS 43

PALAVRA-CHAVE
#ENSINÁVEL

ANOTAÇÕES

Davi foi um homem extraordinário, por isso ele teve uma vida repleta de conquistas. Porém, com o avançar da idade, sabendo que o seu tempo na terra estava perto do fim, chamou seu sucessor, Salomão, a fim de instruí-lo acerca do que lhe era essencial para ser um bom rei. O reinado de Davi estava terminando, como o pôr do sol, no entanto estava para alvorecer um novo reinado com o seu filho.

Estamos na iminência de concluir mais um ano. Dentro de poucos dias, iniciaremos uma nova temporada. Há uma nova estação esperando por nós. Eu entendo que neste novo tempo Deus se preocupa com todos nós, pois ele nos ama. Tudo que ele deseja é que tenhamos uma vida abundante, que venhamos a provar do melhor desta terra.

Assim como Davi, também sou pai e sempre busco passar valores e princípios aos meus filhos que venham fazer diferença na vida deles. No entanto, caso não me conheça, você pode pensar: "Você teve uma boa estrutura familiar". Não, não tive. Como Davi foi esquecido por seu pai no campo, eu fui uma criança esquecida no banco da escola. Mas um dia, por um convite, minha realidade começou a mudar, pois Deus me possibilitou viver uma vida nova, curando o meu passado e projetando-me para as próximas gerações.

Como Davi, que transmitiu a seu filho não só bons conselhos de como governar, mas também sua experiência como governante, que possamos também iniciar um novo ano levando na bagagem as experiências vividas neste ano que está terminando, sejam elas boas — vitórias e conquistas — ou ruins. Elas nos ensinarão a sermos mais fortes e maduros neste novo ano.

DA MORTE PARA A VIDA

E eu profetizei conforme a ordem recebida. Enquanto profetizava, houve um barulho, um som de chocalho, e os ossos se juntaram, osso com osso. Olhei, e os ossos foram cobertos de tendões e de carne, e depois de pele; mas não havia espírito neles.

EZEQUIEL 37.7,8

21 DEZ

#CAFECOMDEUSPAI

O que morreu em você? Sonhos, expectativas, alegria? Muitas vezes, passamos por dores e traumas que roubam nossas esperanças, não é verdade?

O cenário que Deus apresentou a Ezequiel era verdadeiramente caótico. Por muitos anos, tive minha mente devastada. Eu não sonhava com nada nem tinha sequer alegria para viver, por causa do cenário caótico de minha casa, em virtude de ter um pai alcoólatra.

O texto nos relata que o profeta viu aquele amontoado de ossos se tornar um grande exército pelo poder de Deus. Não foi diferente comigo: quando tive um encontro verdadeiro com Deus Pai comecei a profetizar palavras de bênção num cenário de maldição. O que eu vivia naquele momento era uma realidade devastadora, angustiante, vergonhosa e de muita dor. Foi então que revivi. Sonhos que não existiam começaram a brotar no meu coração; esperança que não havia passou a surgir em meus dias. Tudo mudou a partir daquela estação.

Independentemente do cenário em que você está vivendo, Deus tem poder para transformá-lo, mas assim como o profeta foi desafiado a declarar vida sobre o caos, eu também precisei declarar palavras e dar um passo em direção a uma nova estação. Tudo que Deus fará por meio de você precisa primeiro ser realizado no seu interior.

Ainda que seus olhos físicos vejam uma situação improvável, comece agora a declarar palavras de fé e ousadia para transformar qualquer realidade contrária. Eu declaro sobre você uma nova estação, com novos sonhos, novas conquistas e novas realizações!

No momento mais difícil, Deus me fez reviver.

@juniorrostirola

DEVOCIONAL
356/366

LEITURA BÍBLICA
GÊNESIS 44

PALAVRA-CHAVE
#RESTAURAÇÃO

ANOTAÇÕES

MOVA-SE

22
DEZ

#CAFECOMDEUSPAI

Seja sobre nós a bondade do SENHOR, nosso Deus; faze prosperar nossos esforços, sim, faze prosperar nossos esforços.

SALMOS 90.17, NVT

Sua ação será determinante para que seus sonhos e projetos se concretizem.

@juniorrostirola

DEVOCIONAL 366
357/366

LEITURA BÍBLICA
GÊNESIS 45

PALAVRA-CHAVE
#DEDICAÇÃO

ANOTAÇÕES

Na vida, fazemos planos, idealizamos projetos, sonhamos, ou seja, é muito comum desejarmos algo melhor para o nosso futuro. Mas o fato é que nem tudo sai do papel, e às vezes isso causa desapontamento, desânimo e frustração em nosso coração.

O salmo 90 expressa toda a grandeza de Deus através das gerações, e o desfecho desse texto é o pedido de que o Pai faça nossos esforços prosperarem. Isso é algo incrível, porque revela algo muito importante, pois o salmista não pede apenas que os planos e sonhos prosperem, mas os seus esforços, ou seja, dar o primeiro passo e avançar.

Quantos planos você elaborou para este ano? Quantos projetos foram esquematizados? Quais metas foram estabelecidas? Acredito que muitas, e tenho certeza de que algumas você até mesmo já esqueceu que havia planejado, ou quer esquecer por causa de alguma frustração que o impediu de realizar.

Nós não seremos lembrados pelos inúmeros sonhos, projetos e metas que de forma muito bem estruturada foram elaborados, mas sim pela nossa motivação de colocá-los em prática. Muitas vezes, desejamos que Deus faça algo por nós, mas a grande verdade é que Deus está esperando um passo de fé, ousadia e coragem de nossa parte.

Reflita comigo. Há planos em sua vida que não avançaram justamente por causa de uma estagnação ou procrastinação sua? Compreenda que o passo de fé é nosso, para que então Deus coloque o chão. Não fique parado. Faça deste dia o início de uma jornada que será recompensada pelo seu esforço e pela sua dedicação. Se a sua motivação está correta, simplesmente avance, confiante de que a bondade de Deus o seguirá!

VIVEREI MEU MILAGRE

"Venha", respondeu ele. Então Pedro saiu do barco, andou sobre as águas e foi na direção de Jesus. Mas, quando reparou no vento, ficou com medo e, começando a afundar, gritou: "Senhor, salva-me!" Imediatamente Jesus estendeu a mão e o segurou.

MATEUS 14.29-31a

23 DEZ

#CAFECOMDEUSPAI

Muitas vezes, eu e você acabamos agindo como Pedro. Vemo-nos em situações nas quais o que enxergamos com os olhos físicos não sustenta nossa fé e acabamos cometendo erros. Isso acontece quando nos distraímos e desviamos nossos olhos de Jesus.

Em alguns momentos da vida, a dúvida toma conta do coração e o desespero parece nos sufocar, não é mesmo? Isso acontece quando observamos os ventos, assim como Pedro fez. A boa notícia é que Jesus sempre esteve ali, pronto para estender as mãos e nos resgatar da tempestade.

Algo que me ensina muito é o fato de que Pedro teve ousadia para andar sobre as águas, mas não para permanecer nelas. Ou seja, é preciso ter fé não apenas para dar o primeiro passo, mas durante todas as etapas do processo.

Quando Deus Pai quer confiar algo grande a nós, ele primeiro permite que passemos por um processo. É exatamente nesse momento que temos nossa fé trabalhada e aprendemos a viver na dependência completa dele. Pedro teve fé para dar o primeiro passo, mas não o suficiente para ir ao encontro de Jesus.

Não permita que o medo o paralise, afastando você do milagre. A solução sempre será você confiar e manter os olhos fixos em Jesus. Em Salmos 46.1, está escrito que em Deus temos socorro bem presente na hora da angústia. Talvez o desespero tenha tomado conta do seu coração e você esteja afundando. Hoje seus olhos estão abertos para confiar plenamente no Senhor, pois só ele é capaz de transformar sua realidade. Jesus está com as mãos estendidas para tirá-lo dessa condição. Mesmo que o processo seja difícil e tudo pareça estar contra você, saiba que Jesus é a sua segurança e a solução para a sua vida.

A fé faz você prosseguir.

@juniorrostirola

DEVOCIONAL
358/366

LEITURA BÍBLICA
SALMOS 147

PALAVRA-CHAVE
#FÉ

ANOTAÇÕES

O MELHOR PRESENTE

24
DEZ
#CAFECOMDEUSPAI

"A virgem ficará grávida e dará à luz um filho, e lhe chamarão Emanuel" que significa "Deus conosco".

MATEUS 1.23

Nosso melhor presente não foi colocado embaixo de uma árvore de Natal, mas em uma manjedoura.

@juniorrostirola

DEVOCIONAL 366
359/366

LEITURA BÍBLICA
SALMOS 148

PALAVRA-CHAVE
#CELEBRAR

ANOTAÇÕES

O Natal é uma época maravilhosa, não é mesmo? Presentes, enfeites e luzes para todos os lados, alegria, comunhão em lindas mesas com ótima comida. É uma data celebrada em boa parte do mundo, de diferentes formas. Contudo, muitas vezes o real motivo do Natal não é celebrado, pois acaba passando despercebido. É preciso trazer à memória que essa data simboliza o nascimento de Jesus, que não foi apenas um homem, mas sim o Filho de Deus enviado para nos reconectar com o Pai e dar acesso à salvação.

Não há nenhum problema em trocar presentes. Aliás, quem não gosta de recebê-los? Entretanto, jamais podemos permitir que o real significado do Natal seja ofuscado. Essa é uma época de grande celebração, pois já recebemos o maior presente de todos por meio de Deus Pai ao nos enviar seu Filho, Jesus! É um motivo de grande alegria, que deve mover nosso coração todos os dias a exercer amor para com o nosso próximo, pois assim nos assemelhamos a Jesus.

Convido você a ressignificar o seu Natal, enfatizando a vida de Jesus, tudo o que ele tem feito por você e sua família e pelo que ele ainda fará. Lembre-se também de que Natal é tempo de fraternidade e de buscar reconciliação e perdão, deixando o velho para viver o novo em Jesus.

Convido você a planejar o Natal de forma que você e sua família separem um lugar de honra para Jesus à mesa, fazendo isso por meio da comunhão e do amor. "Porque um menino nos nasceu, um filho nos foi dado, e o governo está sobre os seus ombros. E ele será chamado Maravilhoso Conselheiro, Deus Poderoso, Pai Eterno, Príncipe da Paz" (Isaías 9.6).

Feliz Natal, meus queridos!

ENTÃO, É NATAL!

Mas o anjo lhes disse: "Não tenham medo. Estou trazendo boas-novas de grande alegria para vocês, que são para todo o povo: Hoje, na cidade de Davi, nasceu o Salvador. que é Cristo, o Senhor".

LUCAS 2.10,11

Hoje é um dia muito especial, porque comemoramos o nascimento do nosso Salvador, Jesus. É impressionante pensar que o nascimento de um menino simples, ocorrido há mais de dois mil anos, poderia causar congestionamentos, no mês de dezembro, em lugares como Nova York, Tóquio ou Rio de Janeiro.

Talvez você nunca tenha percebido que todas as vezes que olha para o calendário, quando se refere a uma data ou a escreve, você está usando Jesus Cristo como referência. Por causa dele, a história foi dividida em a.C. e d.C. Quaisquer eventos da história estão datados de acordo com a quantidade de dias e anos que se passaram desde que Jesus chegou à terra.

No dia do nascimento de Jesus, tudo parecia normal. Os pastores cuidavam tranquilamente de suas ovelhas no campo, mas o que aconteceu transformaria não somente a vida deles, como a de bilhões de pessoas!

O anjo que pronunciou o nascimento de Jesus disse que esse acontecimento traria "grande alegria" para todo o povo, sendo algo que ecoa até os nossos dias. Entretanto, para muitas pessoas o Natal está mais para luta do que para alegria, sendo uma época triste, marcada por perdas ou dores. Pode ser que você esteja desgastado e cansado com tudo que aconteceu neste ano. Mas neste Natal, receba o seu melhor presente: Jesus.

Então, é Natal! Alegre-se hoje, pois Deus manifestou seu amor na terra! Foi o maior acontecimento da história, e desde então nada permaneceu igual! Deus poderia ter escolhido milhares de maneiras de se comunicar conosco, mas ele escolheu vir ao nosso encontro. Venha, volte para o Senhor, e celebremos!

Feliz Natal!

Neste dia especial, lembre-se que o melhor presente de todos já nos foi dado: Jesus, o Salvador. Que você possa comemorar essa data com aqueles que ama, compartilhando amor, abraços e doação. E que Jesus esteja presente e inspire a todos a viver com propósito e a valorizar o verdadeiro significado desta data.

@juniorrostirola

366 **DEVOCIONAL**
360/366

LEITURA BÍBLICA
GÊNESIS 46

PALAVRA-CHAVE
#VIDA

Jesus é a maior expressão de amor que o mundo já viu.

NÃO ENTREGUE OS PONTOS

26
DEZ
#CAFECOMDEUSPAI

Tendo acabado de falar, disse a Simão: "Vá para onde as águas são mais fundas", e a todos: "Lancem as redes para a pesca".

LUCAS 5.4

O vento sempre soprará forte quando você estiver próximo da vitória. Não é hora de desistir!

@juniorrostirola

O final do ano está às portas! Muitas experiências colecionamos até aqui, boas e ruins, mas não poderia ter sido diferente. É fato que neste ano podem ter ocorrido aflições e acontecimentos ruins, mas tenho certeza de que também foi um ano de vitórias e conquistas, e, antes que você entregue os pontos, quero lhe lembrar uma coisa: o ano ainda não acabou, e Deus pode fazer coisas incríveis nos dias que ainda restam. Você crê nisso?

Talvez as condições o tenham levado a desacreditar, desistir e recolher as redes por achar que seu mar não está para peixe. Mas lembre-se de que circunstâncias contrárias são oportunidades para grandes milagres. No texto que lemos, Simão Pedro, já desacreditado, ficou cansado por não conseguir peixes naquele dia, mas ouve o apontamento de Jesus, o obedece e vive um milagre extraordinário. Pescou tantos peixes que as redes começaram a romper.

Como estão suas expectativas para o final do ano? Talvez você tenha passado por momentos difíceis, ou os projetos que iniciou não foram para a frente. Contudo, saiba que há tempo suficiente para Deus mudar completamente suas circunstâncias. Aumente suas expectativas e confie plenamente no Pai, porque ele tem o melhor reservado para você.

Lembre-se de que é no final da pista que o avião decola. Portanto, não desanime, lance novamente as redes. Mesmo que pareça improvável, Deus quer surpreender você ainda este ano; apenas ouça e obedeça, para então desfrutar.

DEVOCIONAL 366
361/366

LEITURA BÍBLICA
GÊNESIS 47

PALAVRA-CHAVE
#PERSEVERANÇA

ANOTAÇÕES

CONTRACULTURA

Não se amoldem ao padrão deste mundo, mas transformem-se pela renovação da sua mente, para que sejam capazes de experimentar e comprovar a boa, agradável e perfeita vontade de Deus.

ROMANOS 12.2

27
DEZ
#CAFECOMDEUSPAI

Quando nos preocupamos demais com o que as pessoas pensam, deixamos de nos preocupar o suficiente com o que Deus pensa.

@juniorrostirola

Você sabia que diariamente somos expostos a aproximadamente cinco mil mensagens publicitárias? Sem que percebamos, somos atacados pelo padrão cultural do mundo a todo momento. Não estou querendo dizer com isso que deveríamos nos isolar no cume de uma montanha ou vivermos afastados da sociedade, mas a cultura do mundo busca estabelecer um padrão diferente daquele que o Reino dos céus apresenta.

Veja que na sociedade recebemos os seguintes padrões: consumismo excessivo, relacionamentos quase descartáveis, demonstrar exteriormente ser algo, enquanto o interior está totalmente ferido, angustiado, magoado e desiludido. Já o padrão dos céus aponta para santidade, perdão, humildade, sinceridade, entre outras características que nos assemelham a Jesus, bem como para uma mente renovada pela Palavra de Deus.

Durante algum tempo da minha vida, eu buscava ser aceito pelas pessoas. Lembro-me de que, quando criança, consegui uma chuteira, uma camisa, um calção e um meião, todos emprestados, apenas porque queria estar no padrão dos demais colegas para ser aceito e entrar no time de futebol, coisa que nunca aconteceu.

Ler esse versículo hoje me faz compreender algo muito importante, o que me faz perguntar: quando você se olha no espelho, que padrão é refletido? O do Reino dos céus ou o imposto pela sociedade? Qual é o padrão que você tem buscado reproduzir? Na maioria das vezes, o modelo da sociedade é totalmente oposto ao do Reino de Deus, por isso é necessário termos a mente renovada e transformada para então viver a boa, agradável e perfeita vontade do Pai.

366 **DEVOCIONAL**
362/366

LEITURA BÍBLICA
GÊNESIS 48

PALAVRA-CHAVE
#RENOVAÇÃO

ANOTAÇÕES

O MAIOR TESOURO DA HUMANIDADE

28
DEZ

#CAFECOMDEUSPAI

Por meio do Espírito Santo, que habita em nós, guarde o bom tesouro que lhe foi confiado.

2TIMÓTEO 1.14, NAA

Você sabia que carrega algo extraordinário no seu interior? Paulo faz questão de lembrar Timóteo do tesouro que ele possuía, que lhe fora confiado pelo próprio Deus. Saiba que você recebeu grandes coisas do Pai, e ele espera que você use todo o seu potencial para a glória dele.

É fundamental termos zelo, cuidado e gratidão com aquilo que recebemos de Jesus. Por meio de sua vida, recebemos salvação, cura e transformação completa. Isso não pode ficar restrito apenas a nós! Paulo exortava Timóteo a não negligenciar seu chamado, que era o de anunciar o evangelho e fazer com que outros conhecessem Cristo.

Quando recebemos uma notícia incrível, nossa primeira reação é a de procurar alguém em quem confiamos, para compartilhá-la, não é mesmo? Quando você conheceu Jesus, sentiu-se de forma parecida, mas, com o passar do tempo, pode ter acontecido de haver perdido essa vontade, esfriando-se. Quando isso ocorre, negligenciamos o que Deus nos confiou. Paulo faz questão de alertar Timóteo para que isso nunca acontecesse, dada a importância de sua missão.

Você sabia que possui uma riqueza inestimável? Nem sequer a pessoa mais rica do mundo, com toda a sua fortuna, pode se comparar à grandiosidade e ao valor do que você tem no seu interior. Jesus o está chamando para fazer bom uso dela, compartilhando-a com todos à sua volta, pois o evangelho tem poder para curar, libertar e salvar todo aquele que crê e se aproxima de Jesus. Seja ainda mais intencional e compartilhe essa incrível notícia.

Seja luz na vida de quem precisa ser iluminado.

@juniorrostirola

DEVOCIONAL 366
363/366

LEITURA BÍBLICA
GÊNESIS 49

PALAVRA-CHAVE
#COMPARTILHAR

ANOTAÇÕES

ALÉM DOS SEUS LIMITES

Então Pedro, chamando-o à parte, começou a repreendê-lo, dizendo: "Nunca, Senhor! Isso nunca te acontecerá!"

MATEUS 16.22

29
DEZ

#CAFECOMDEUSPAI

No texto que lemos, Jesus estava explicando aos discípulos que haveria de sofrer, morrer e ressuscitar ao terceiro dia. Pedro, contudo, chama em particular e repreende o próprio Jesus, dizendo que isso não deveria acontecer. Ele não entendia que era necessário que tudo isso ocorresse.

Penso que Pedro àquela altura não conseguia conceber o fato de o Salvador do mundo ter de ser morto para cumprir seu propósito e acaba cometendo um grande erro: se opor à vontade de Deus.

Muitas vezes, passamos por circunstâncias em que pensamos: "Isso jamais acontecerá", ou "É impossível". Mas o fato é que essas palavras não devem fazer parte do vocabulário de quem crê em Jesus, pois são afirmações limitadoras.

Seria muito fácil olhar para mim na minha infância ou adolescência e dizer que seria impossível eu superar tantos traumas, falar em público para multidões, ser pastor de uma grande igreja ou escrever livros. Deus Pai, porém, jamais colocou limitações em minha vida. Por isso, usar palavras tão negativas a respeito de alguém ou de algo pode fazer que você, assim como Pedro, se oponha ao agir de um Deus infinito e bondoso como o nosso.

Hoje Deus Pai traz uma palavra de encorajamento para você: nada é impossível para ele. Não sei o que você tem vivido, mas o fato é que, se ele fez comigo, poderá fazer com você. Troque palavras de negação por outras que contenham vida e afirmação. Seja uma pessoa otimista e cheia de fé, pois Deus não nos criou para limitarmos seu agir, mas sim para vivê-lo de forma intensa e abundante.

A fé não interroga nem calcula; simplesmente confia.

@juniorrostirola

366 **DEVOCIONAL**
364/366

LEITURA BÍBLICA
GÊNESIS 50

PALAVRA-CHAVE
#ACREDITE

ANOTAÇÕES

RECONSTRUINDO OS MUROS

30
DEZ
#CAFECOMDEUSPAI

SENHOR, que os teus ouvidos estejam atentos à oração deste teu servo e à oração dos teus servos que têm prazer em temer o teu nome.

NEEMIAS 1.11a

Toda experiência passada traz consigo lembranças boas e ruins. Essa é uma realidade da vida. Particularmente, não sei como foi o seu ano até aqui, mas espero profundamente que as lembranças boas sejam mais presentes do que as ruins.

A Bíblia fala de um jovem chamado Neemias que recebeu a visita de seu irmão Hanani vindo de Judá com alguns homens. Neemias perguntou-lhes sobre os judeus que sobreviveram ao cativeiro e sobre Jerusalém, terra natal de seus pais, e eles responderam: "Aqueles que sobreviveram ao cativeiro passam por grande sofrimento e humilhação. Além disso, os muros de Jerusalém foram derrubados, e suas portas destruídas pelo fogo".

Quando Neemias soube dessas coisas, lamentou, chorou, jejuou e orou, intercedendo por aqueles que necessitavam de uma intervenção, pois só Deus poderia transformar a realidade daquele povo que estava sem paz, sem esperança e totalmente vulnerável.

Aos olhos humanos, era impossível mudar aquela realidade, mas com fé e determinação Neemias se levanta para reconstruir os muros de Jerusalém e mudar a realidade daquele povo; ele acreditou que isso era possível com Deus.

Qual é a sua realidade hoje? Existe algum muro caído que precisa ser reconstruído? Há algum impossível diante dos seus olhos?

Faça como Neemias: clame a Deus, apresentando a ele sua vida, suas aflições e seus impossíveis, e tenha a certeza de que com ele tudo será transformado, como foi com aquele povo que em 52 dias teve sua história mudada, vivendo um tempo de paz e alívio. Assim será com você. Reconstrua seus muros!

Deus é quem abre portas, provê recursos e dá vitória.

@juniorrostirola

DEVOCIONAL 366
365/366

LEITURA BÍBLICA
SALMOS 149

PALAVRA-CHAVE
#TRANSFORMAÇÃO

ANOTAÇÕES

OBRIGADO, DEUS PAI

Vejam, estou fazendo uma coisa nova! Ela já está surgindo! Vocês não a reconhecem? Até no deserto vou abrir um caminho e riachos no ermo.

ISAÍAS 43.19

31 DEZ

#CAFECOMDEUSPAI

Chegamos ao final de mais um ano e, com isso, quero lhe fazer uma pergunta: como você chegou até aqui? Quais foram os desafios mais difíceis e marcantes que você enfrentou este ano? E quais foram as metas que você estabeleceu no início desta jornada que conseguiu cumprir?

Estou certo de que foi um ano incrível. Vivemos coisas grandes e pequenas, boas e ruins. Muitas pessoas entraram em nossa vida nos presenteando com relacionamentos duradouros; outras deixaram de fazer parte da nossa caminhada; e ainda outras partiram e deixaram saudades. Todavia, nós que estamos aqui neste último dia do ano, temos muito que sonhar e viver.

Diariamente, fomos desafiados. A boa notícia é que você chegou até aqui, e isso diz muito a seu respeito. Acredito que o seu ano foi realmente extraordinário, mesmo diante dos desafios, por causa de sua decisão sábia de se aproximar mais de Deus, decidindo tomar um "café com Deus Pai" todos os dias. Isso o encorajou a vencer um dia de cada vez, e hoje estamos juntos celebrando o ano que passou, gerando grandes expectativas para o próximo ano que se iniciará daqui a pouco!

Como costumo dizer, Deus nos abençoa com novas estações e novos ciclos, e, dessa forma, um novo começo está chegando, uma nova oportunidade está para se iniciar; portanto, faça dela algo extraordinário.

Encerro esta última mensagem do livro devocional *Café com Deus Pai* já com saudades do que vivemos neste ano. A boa notícia é que amanhã já temos o novo de Deus, e juntos mergulharemos numa nova jornada incrível, guiados por Deus Pai.

Que venha o novo de Deus!

Feliz Ano Novo!

Ao nos despedir de 2024, que nos lembremos de que, somente em Deus, encontramos novas oportunidades e esperança. Desejo que 2025 seja guiado por fé, confiança no Pai e desejo de buscar o seu propósito em cada passo. Aquilo que não foi edificante, que fique para trás. Para o futuro, abrace com gratidão as bênçãos e os desafios que virão.

@juniorrostirola

366 **DEVOCIONAL**

366/366

LEITURA BÍBLICA

SALMOS 150

PALAVRA-CHAVE

#VENCEDORES

Você passará por novas estações, mas Deus estará em todas elas!

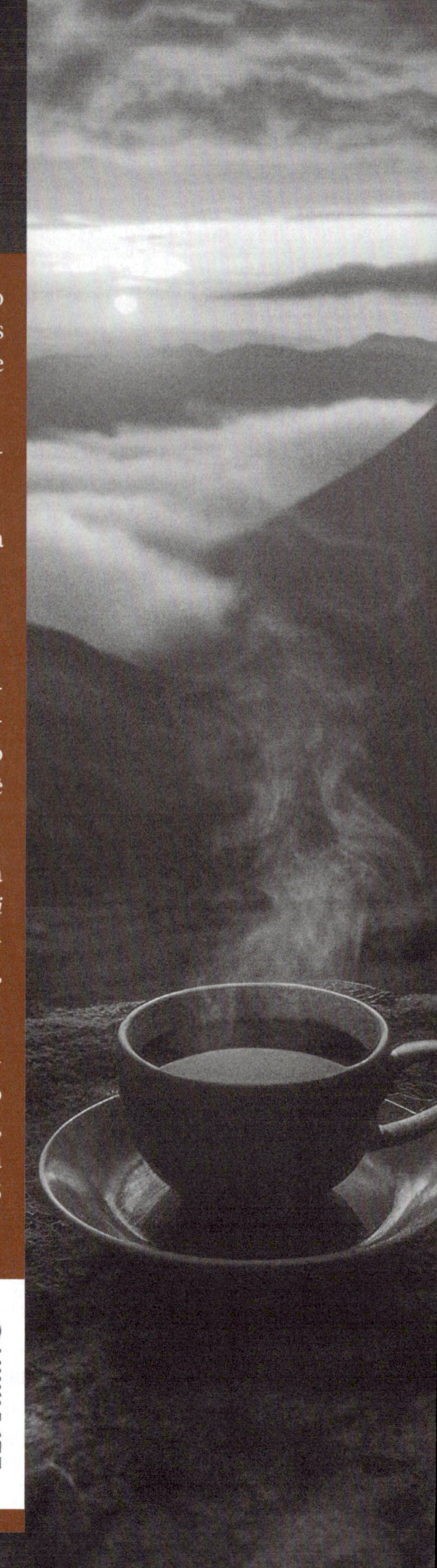

Que **bom** *que você chegou* ***até aqui!***

Tenho certeza que ao longo deste ano você teve muitas experiências com Deus Pai ao abrir este livro. Vamos tirar esse momento para recordar isso?

Houve um dia em que a leitura foi a resposta exata para o que você buscava?

E aqueles momentos em que a palavra diária trouxe alento, paz, direção...

Sabe por que isso aconteceu?

O Pai estava cuidando de você nos detalhes, convidando-o para estar na intimidade com ele. Esse amoroso cuidado conduzirá sua vida sempre que você permitir.

Uma simples pausa para um café nunca mais foi a mesma depois que *Encontrei um Pai.* Tudo à minha volta ganhou sentido quando descobri o amor de Deus, que é incondicional!

Meu querido, foi bom demais viver momentos únicos com o Deus Pai junto com você! Em 2025, não será diferente, pois o próximo ***Café com Deus Pai*** já está disponível para vivermos mais 365 momentos com ele!

Vamos tomar café juntos ano que vem?

Ei, olha onde você pode me encontrar todos os dias também:

Compartilho muitos conteúdos edificantes por lá.

@juniorrostirola

Deus te abençoe!
Com amor,

Junior Rostirola

Não há como
alterar o ***passado***,
mas, certamente, o
PRESENTE
E O FUTURO
podem ser diferentes.

O que ninguém havia
falado para você sobre
a importância de
ENCONTRAR
UM PAI.

Sua identidade
pode ser
RESTITUÍDA;
seu propósito,
RESTAURADO;
e seu destino,
TRANSFORMADO.

Quando nos abrimos
para a cura e o
tratamento divino,
começamos a
entender que,
COM DEUS PAI,
somos capazes de
viver acima das
circunstâncias que
nos cercam.